aujourd'hui
les femmes

éditions sociales   notre temps/monde

aujourd'hui les femmes

introduction de Gisèle Moreau

éditions sociales   notre temps/monde

A150931

Illustration de couverture : Vietnam, J.-C. LABBÉ/gamma ; Afrique ; Ph. LE-DRU/Sygma ; Iran, P. CHAUVEL/Sygma ; Union soviétique, M. GA-RANGER.
Couverture : Gérard CHAMPALOU.

© 1981, Messidor Éditions sociales, Paris

ISBN : 2-209-05461-3

SOMMAIRE

introduction
de Gisèle Moreau *

Aujourd'hui les femmes, trois mots pour un titre, trois mots qui expriment l'un des faits majeurs de notre temps. Douze auteurs en témoignent dans ce livre. Cette introduction, quant à elle, poursuit un objectif différent : elle veut exprimer la réflexion du Parti communiste français sur ce vaste mouvement en France et dans le monde. Aujourd'hui, les femmes affirment avec force leur volonté de se libérer des servitudes séculaires. Elles refusent l'exploitation, l'humiliation. Elles récusent les contraintes et les choix mutilants. Elles se sont engagées, par millions, dans le grand combat pour leur égalité et leur identité, pour le droit à l'éducation, au métier, au travail. Elles veulent avoir le temps et les moyens de vivre, le temps d'aimer, imposer aussi ce que la société leur a refusé jusqu'à l'aube du xxe siècle : le droit à la parole.

Mouvement universel qui bien évidemment s'exprime de façon diverse, selon le système politique, l'état économique, les traditions de chaque pays.

Mouvement inséparable du gigantesque combat engagé, à notre époque, pour remplacer le vieux monde fondé sur l'exploitation, l'oppression, l'ignorance, la violence, par un monde nouveau de justice, de démocratie, de paix et d'amitié.

* Secrétaire du Comité central du PCF.

7

« Guerre des sexes », lutte revancharde contre l'homme ? Certains s'emploient à l'espérer, pour s'efforcer sans doute de proroger l'ordre ancien.

Mais comment ne pas voir que le mouvement des femmes pour leur libération est porteur de progrès pour l'humanité tout entière car il tend à faire avancer la société vers une civilisation plus humaine.

Pour Marx, le rapport de l'homme à la femme est finalement le rapport de l'homme à lui-même. Bebel affirme en écho que le degré d'émancipation de la femme est l'aune à laquelle se mesure le degré de développement d'une société. Et le poète d'ajouter que « la femme est l'avenir de l'homme ».

Sans doute est-il évident que si le marxisme n'a pas « découvert » la condition féminine, il a seul, cependant, su analyser les causes de l'inégalité des femmes et ouvrir les perspectives de leur dépassement.

Durant le dernier siècle, que de chemin parcouru ! Hier, quelques esprits d'avant-garde, de brillantes individualités féminines telles Louise Labbé, Christine de Pisan, Marie de France, George Sand, Louise Michel, Flora Tristan, soulevaient la question de la condition féminine. En 1981, dans l'univers entier, des dizaines de millions de femmes s'interrogent et luttent.

LA LIBÉRATION DE LA FEMME A L'ORDRE DU JOUR

A l'ordre du jour de notre temps, la libération de la femme se pose précisément au moment où la question majeure est celle de libérer la société de l'exploitation et de l'oppression, d'abolir la vieille société capitaliste, de construire le socialisme.

1917 a frappé un grand coup pour l'humanité tout entière, mais plus encore pour les femmes. Car leur avancée est liée au mouvement du monde.

Alors que les forces d'exploitation ne règnent plus en maîtresses absolues et que des millions d'êtres humains refusent de subir la loi d'airain du plus fort sur le plus faible, alors que les formidables avancées de la science permettent aux femmes, pour la première fois, de maîtriser leur destin, la situation d'infériorité qui reste la leur, dans bien des nations, ne peut plus apparaître fatale et immuable.

Nous vivons le temps des révolutions. Le monde bouge dans le bon sens. Le rapport des forces évolue en faveur des forces de progrès, de démocratie et de paix. Un tiers de l'humanité construit le socialisme. Le colonialisme s'est effondré. Les régimes fascistes se sont pour la plupart écroulés et dans certains pays capitalistes, se pose concrètement la question d'un changement de société.

Opprimées parmi les opprimés, les femmes enrichissent ces grands mouvements de leur présence et de leurs aspirations. Sans elles, ils ne pourraient avoir la force et la richesse qu'ils ont.

Stimulé par les trois grandes forces révolutionnaires que sont les pays socialistes, le mouvement de libération nationale, et les luttes ouvrières et démocratiques dans les pays capitalistes, l'essor de la lutte pour la pleine égalité des femmes se place au premier rang des grands courants de lutte actuels contre l'ignorance et l'oppression, contre l'exploitation et la guerre.

Ce livre veut en apporter le témoignage. Témoignage modeste car comment cerner en quelques pages la vie, la lutte de la citoyenne soviétique, de l'américaine, de la vietnamienne ? Mais dans le même temps, témoignage ambitieux puisqu'il s'efforce de rendre compte de l'universalité des luttes des femmes, de leur diversité et d'éclairer les raisons profondes de leur développement.

Comment s'exprime le mouvement en avant des femmes, de l'URSS aux USA, du Japon au Vietnam, de l'Iran au Sénégal ? Quelles sont ses conquêtes ? Quel est le chemin encore à parcourir ?

Les réponses ne sont ni complètes ni définitives et laisseront sans doute nombre de lectrices et de lecteurs sur leur faim.

Mais ce livre aura atteint son but s'il éveille attention et solidarité, s'il donne soif de connaître et de lutter encore.

PROGRÈS ET CONDITION FÉMININE

Une idée force traverse les différentes expériences évoquées dans ces pages : la libération de la femme est inséparable du niveau de vie et des libertés. Évidence pourrait-on rétorquer, et pourtant en avons-nous assez lu de ces écrits d'une volontaire cécité dans ces domaines.

Comment en effet parler de libération de la femme lorsque sévissent la faim, les épidémies, la maladie, l'analphabétisme, fléaux dont les femmes sont les premières victimes ?

Comment parler de la libération de la femme quand l'espérance de vie est de 25 ans, quand un enfant sur deux meurt avant l'âge de deux ans, quand une femme sur dix meurt en couches ?

Comment parler de libération de la femme quand tout un peuple est asservi, alors que sont légalisées les tortures et les arrestations, alors que prisonnières et prisonniers disparaissent à jamais ?

Comment, de la même façon, ignorer et même nier l'importance du développement économique et social ?

Le retour à l'état de nature, le rejet du progrès sont des thèses que d'aucuns n'ont pas hésité à développer.

Et pourtant, les conséquences d'un tel choix seraient non seulement catastrophiques pour toute l'humanité, mais doublement catastrophiques pour les femmes.

D'une part, parce que la lutte contre la faim, la maladie, pour le droit effectif à l'instruction et au métier pour les femmes, est liée au progrès économique. D'autre part parce que, précisément, le développement des sciences et des techniques permet aux femmes de ne plus être cantonnées dans leur fonction biologique qui a, sans doute, contribué de façon essentielle à leur infériorisation à l'aube de l'humanité.

Les progrès de ce dernier quart de siècle ont ouvert aux femmes d'immenses possibilités.

La démonstration est faite que les femmes peuvent accéder à tous les niveaux de l'instruction, et qu'elles peuvent exercer des responsabilités au plus haut niveau. Mesure-t-on ce qu'a représenté pour l'histoire des femmes, l'envol de Valentina Terechkova, première cosmonaute ?

Le développement de la mécanisation diminue l'importance de la force physique. L'automation va plus loin. Le travail devient de plus en plus maîtrisé par le cerveau. Ainsi peuvent s'atténuer considérablement les différences entre force de travail féminine et force de travail masculine.

La diminution spectaculaire de la mortalité infantile réduit le nombre de grossesses indispensables au renouvellement des générations. La meilleure connaissance des besoins du bébé et du jeune enfant fait intervenir le sevrage beaucoup plus tôt. Le mode d'éducation du jeune enfant a profondément évolué avec les crèches, les maternelles.

Le rôle spécifique de la mère s'exerce donc dans des conditions différentes, qui ne s'opposent plus à une activité professionnelle, ni à sa présence dans toute la vie sociale.

Enfin, la maîtrise de la conception aujourd'hui rendue possible est un élément d'une très grande importance pour permettre à chaque femme de dominer son destin.

Aujourd'hui, on le voit, le progrès peut permettre d'envisager de nouveaux rapports entre les êtres humains et la nature, entre les hommes et les femmes.

Et les conséquences de cette nouvelle étape du développement humain sont incalculables.

LA RACINE DE L'INÉGALITÉ

Cependant, il est important de dire que toutes ces possibilités sont loin d'être à la portée de toutes les femmes — non seulement dans les pays sous-développés, mais également dans les pays capitalistes industriellement développés.

L'action pour que les progrès scientifiques ne soient ni dévoyés ni confisqués mais mis au service de l'humanité tient une place de premier plan dans les enjeux du combat de classe.

Le sous-développement résultant de la domination impérialiste fait régner la misère sur des continents entiers, avec les conséquences aggravantes qu'elle a sur les femmes. Dans les pays capitalistes développés, des millions de femmes et d'hommes vivent dans la pauvreté et le dénuement, écartées du bénéfice de progrès pourtant bien réels.

Le système d'exploitation prive les travailleuses, les travailleurs du fruit de leur travail. Des millions d'entre eux, et surtout les femmes, n'arrivent pas à vivre décemment avec leurs bas salaires. Toutes leurs conditions de vie sont marquées par les inégalités, les injustices. De plus, ce système asservit l'avancée des techniques au profit maximum et au détriment des intérêts des travailleurs et de la rentabilité sociale.

Il en va ainsi, par exemple, de l'informatique. Son application peut rendre le travail moins dur, plus court et plus intéressant, elle appelle des salariés plus qualifiés. Mais l'utilisation qui en est faite par le patronat est synonyme de chômage, d'un travail aux horaires plus contraignants. En bref, le patronat se sert de l'informatique pour imposer de nouvelles formes de surexploitation dont les femmes sont bien souvent les premières victimes. Seules les luttes peuvent limiter cette orientation néfaste et imposer des succès et des changements.

On le voit, si le développement des sciences et des techniques constitue un facteur important en faveur de la libération de la femme, il ne peut, à lui seul, être déterminant.

Ainsi, les États-Unis d'Amérique, le pays le plus riche, le plus développé industriellement du camp impérialiste, sont loin d'offrir aux femmes une situation d'égalité, le Japon non plus.

Ce qui est déterminant pour la libération de la femme, c'est la nature du système politique, c'est la finalité qu'il assigne à la production et au progrès : recherche du bien-être pour tous, ou bien recherche du profit maximum pour quelques-uns. Ou bien l'utilisation des techniques modernes tend à libérer l'individu, ou bien au contraire à le surexploiter.

C'est la classe sociale au pouvoir qui décide de tout cela. La racine de l'inégalité vécue par les femmes est bien une racine de classe. Car si cette situation d'inégalité des femmes existait avant l'apparition de la division de la société en classes sociales il n'en demeure pas moins que le capitalisme l'a, profit oblige, maintenue et organisée dans tous les domaines.

Quand les femmes exigent la reconnaissance de leur droit au travail, réclament une formation professionnelle, une promotion, revendiquent leur dignité, elles trouvent en face d'elles les exploiteurs et tous ceux qui les servent. Ce sont les mêmes qui entretiennent les vieilles mentalités, refusent l'égalité des droits pour préserver leurs objectifs de profits. Comme tout combat, le combat des femmes pour leur émancipation ne prend son efficacité qu'à condition d'être dirigé contre les véritables responsables de la situation d'infériorité qui est la leur. La lutte pour la libération de la femme est partie intégrante de la lutte de classes qu'elle enrichit de sa spécificité.

FEMMES EN LUTTE

L'irruption ample et combative des femmes dans la vie politique et sociale est un trait marquant des dernières décennies qui s'affirme d'autant plus qu'existent de grandes organisations de classe, en particulier un fort parti communiste, pour les aider à prendre conscience du caractère de leur oppression et à poser la question du changement de société.

Dans les pays capitalistes

Ainsi, les revendications qu'expriment les femmes mettent en cause, sur le fond, les rapports de production, mais elles comportent aussi des aspirations relatives à la vie personnelle et familiale, aux droits de l'individu, aux rapports entre les êtres humains, à la recherche de valeurs nouvelles. Elles ne débouchent pas simplement sur la revendication d'une égalité des femmes avec les hommes comme ils vivent aujourd'hui, mais tendent à un dépassement des mutilations actuelles, à la fois pour les femmes et pour les hommes.

De même, l'action d'un parti communiste influent permet d'appréhender dans tous leurs aspects la communauté d'intérêt, mais aussi les contradictions existant entre les femmes des différentes couches sociales de façon à les surmonter, pour unir et agir efficacement.

De façons diverses, en fonction de bien des facteurs, la situation des femmes dans les pays capitalistes développés est marquée par l'inégalité dans les faits et en droit dans le travail, la famille, la société, malgré leur entrée massive dans la production intervenue depuis la Seconde Guerre mondiale.

Mais les luttes qu'elles déploient ont pris dans la dernière décennie une dimension beaucoup plus ample qui porte leurs revendications sur le devant de la scène et leur permet de remporter des succès dans maints domaines et d'affirmer leur volonté de paix, comme en RAF ou en Israël.

Pour la libération nationale

Dans les mouvements de libération nationale qui bouleversent l'ordre du monde, les femmes jouent aussi un rôle considérable.

Avec leurs peuples, elles luttent pour conquérir leur indépendance, pour exiger la maîtrise de leurs richesses ; elles réclament de se faire entendre. Comme celles du Sahara occidental, elles agissent pour libérer leur nation de l'oppression et pour se libérer elles-mêmes.

Or, il nous apparaît clairement, à la lecture des textes qui suivent, que, pour elles, la priorité des priorités est de lever le handicap dramatique du sous-développement économique. Sans la base matérielle indispensable pour survivre et pour sortir de la nuit de l'ignorance, rien n'est possible. L'exemple du Sénégal nous le montre bien.

On voit aussi que cette priorité n'exclut pas, au contraire, l'affirmation jusqu'au bout et à tous les niveaux de la présence des femmes. Elle n'exclut pas non plus la nécessité de faire évoluer leurs droits et de surmonter la pesanteur des vieilles idées et des vieilles traditions d'autant plus tenaces que le développement économique n'en est qu'à ses débuts. L'exemple de l'Algérie, que ce problème préoccupe, l'illustre.

La participation des femmes aux luttes libératrices de leur peuple les amène à exprimer leur aspiration à l'égalité. Certes, de façon complexe et parfois contradictoire, comme on le voit avec l'Iran.

La réflexion sur le Vietnam est exemplaire de l'évolution des pays qui se libèrent du colonialisme. Elle démontre que dans le contexte du socialisme, à l'édification duquel participe un parti communiste, la question de l'égalité des femmes — en droit et en fait — est posée, quel que soit le niveau de l'économie. Bien sûr, le faible développement de celle-ci jointe au poids des traditions ancestrales, ne rend pas la tâche facile et bloque parfois la mise en œuvre des décisions prises par le nouveau pouvoir.

Féminisme et socialisme

Dans les pays socialistes, au-delà de la diversité des situations d'origine, la question de l'égalité de la femme est traitée d'emblée. Elle est traitée de front et en profondeur. Tout d'abord et avant tout parce que le socialisme supprime l'obstacle primordial à l'émancipation féminine, le système d'exploitation de l'être humain par l'être humain.

Par les transformations économiques et sociales qu'il opère, le socialisme résoud définitivement de grands drames humains, qui touchent en premier lieu les femmes, tels que l'ignorance, la surexploitation, la surmortalité ou bien la famine, comme on le voit en Chine. Cela d'autant mieux aujourd'hui que les pays socialistes ont assuré un puissant développement de leurs économies et une considérable avancée du niveau et des conditions de vie de leur peuple.

Il faut mesurer l'ampleur et l'audace qu'ont représenté les toutes premières décisions du nouveau pouvoir soviétique issu de la Révolution d'Octobre en 1917 : pour la première fois dans le monde, le principe de l'égalité totale des sexes était instauré ! Cela sur un sixième du globe, peuplé de 130 groupes ethniques avec des traditions religieuses et culturelles différentes.

Et il ne s'agissait pas là d'une décision formelle, mais de la mise en place d'instruments juridiques permettant l'application de l'égalité des droits politiques et civils, du droit au travail avec l'égalité de rémunérations, des congés de maternité de huit semaines avant et huit semaines après, de l'allocation maternité.

Alors même que, sous l'Empire tzariste, les femmes connaissaient la misère et l'analphabétisme pour 90 % d'entre elles.

Souvenons-nous qu'à la même date, en France, dans l'une des premières puissances développées du monde, les femmes n'avaient pas le droit de vote — il a fallu attendre la Libération —, et n'avaient pratiquement pas accès aux études supérieures.

En quelques décennies, et partant de points de départ différents, mais en général inférieurs à ceux des pays capitalistes industrialisés, les pays socialistes, de façon diverse et inachevée, ont réalisé une considérable avancée vers l'égalité complète des femmes affirmant dans ce domaine aussi la supériorité du socialisme sur le système capitaliste.

Cela se vérifie aussi bien dans un pays en voie de développement comme Cuba, que dans toutes les Républiques d'une grande puissance comme l'URSS.

D'ailleurs, comparons ce qui est comparable et constitue une réalité incontestable : il n'est que de voir la différence entre le sort terrifiant des femmes de Turquie, et leur sort au Tadjikistan soviétique, alors qu'elles ont en commun des traditions séculaires et un point de départ semblable quelques décennies plus tôt : d'un côté l'extrême pauvreté et l'asservissement, de l'autre le développement, la promotion, l'avancée effective vers l'égalité.

Qu'il s'agisse de la place des femmes dans les métiers qualifiés, ou bien aux échelons les plus élevés, qu'il s'agisse des crèches, des centres pour les enfants, des droits des femmes dans la famille ou bien encore de leur nombre dans les assemblées élues, les pays socialistes peuvent présenter un acquis qu'aucun pays capitaliste ne peut approcher de près ou de loin.

Ces faits sont indéniables, ils ne signifient pas pour autant que les pays socialistes aient tout résolu, qu'ils ne connaissent ni contradictions ni difficultés ; des problèmes demeurent — ainsi la féminisation de certaines branches d'activité avec les différences de rémunérations qui en résultent globalement — ou bien la question du partage des tâches, si débattue actuellement en URSS.

D'autres questions surgissent, fruits même du développement de ces pays, qui créent de nouveaux besoins humains. Le socialisme est porteur d'une démocratie plus poussée, d'une véritable libération de l'initiative dont seule la prise en compte, alliée avec le progrès social et l'efficacité économique, peut permettre de résoudre les problèmes nouveaux. Les femmes ont sans nul doute beaucoup à apporter dans ce sens.

Notre propos n'est donc pas de faire la démonstration que tout est ou a été parfait dans le système socialiste. Mais incontestablement, la situation de la femme est l'une de ses grandes réussites. Cette réalité est trop niée de toute part pour détourner les femmes du seul chemin vers leur libération, pour qu'il ne soit pas nécessaire de l'affirmer haut et fort : pour la cause des femmes et pour le socialisme.

EN FRANCE

A cette évolution des femmes dans le monde, la France apporte une contribution originale.

Par l'ampleur des luttes que les femmes y ont menées dans les dernières années ; et par le sens qu'elles leur ont donné.

Avec le Parti communiste français, des centaines de milliers de femmes sont engagées dans la lutte pour le socialisme. Un socialisme qui ne copie aucun modèle — un socialisme à la française, démocratique, autogestionnaire.

Ce choix des communistes, femmes et hommes, n'est ni arbitraire ni doctrinaire. Simplement, le socialisme est la seule réponse qui vaille aux grandes questions posées à notre peuple, la seule solution à la crise profonde que traverse notre pays.

La crise au féminin

La crise, on l'a vu et on le voit, aggrave les inégalités. En ce sens, on a pu dire que les femmes étaient les premières victimes de la crise.

Le bilan du septennat de M. Giscard d'Estaing est éloquent : 60 % des femmes parmi les chômeurs, 80 % des ouvrières sont des OS, 33 % d'écart moyen entre les salaires féminins et les salaires masculins, moins de 3 000 francs de salaire mensuel pour les 3/4 des femmes.

Que de drames, d'humiliations, de misères imposés à des millions de femmes et de familles! Ces chiffres démentent catégoriquement toutes les affirmations sur l'égalité de la femme et jouent incontestablement un rôle négatif au plan des mentalités. Il faut ajouter à cela la persistance d'une image dégradante de la femme constamment renouvelée, dont le développement de la pornographie est la plus scandaleuse expression.

Lutte de femmes

Les femmes n'ont pas accepté passivement cette situation. Elles ont mené de nombreuses luttes.

Rappelons-nous ce fait si nouveau des usines occupées par leurs ouvrières, les Saint-Joseph, les Sonolor, les Amisol et bien d'autres. Rappelons-nous la lutte victorieuse des vendeuses des grands magasins contre le travail du dimanche, ou encore celle des ouvrières d'Essilor pour l'égalité des salaires, ou de chez Ducellier pour les conseils d'atelier. Sans oublier la participation nouvelle des femmes de sidérurgistes ou de marins-pêcheurs dans la lutte.

Les luttes des femmes ont pris un essor particulier depuis 1968, qui a été le premier grand affrontement de classe sous la Ve République. Un affrontement qui a fait surgir des questions profondément nouvelles, jaillies de l'évolution de la société française, et qui a porté à l'ordre du jour dans notre pays, le changement de société.

Durant toute la dernière décennie, les luttes menées par les femmes se sont situées sur tous les terrains : niveau de vie, droit au travail, respect de leur dignité, libre choix de la maternité, évolution des mœurs et des mentalités. Dans le même temps, la place des femmes dans la vie intellectuelle et la création, a pris une nouvelle dimension.

Il s'agit d'un véritable mouvement de fond exprimant comme jamais l'immense volonté des femmes à vivre mieux et à être égales, libres et responsables.

Faut-il ajouter que l'ampleur, les implications de ce grand mouvement n'ont pas de commune mesure avec les quelques groupuscules qui s'efforçaient de le récupérer et de le dévoyer vers l'impasse de la guerre des sexes.

Avec les communistes

Le Parti communiste français a multiplié les efforts pour que se développent les luttes des femmes. Certes, le retard pris dans les années 50-70 pour analyser ce qui évoluait en profondeur dans la société française et pour définir une voie française au socialisme ne lui a pas permis de déployer dans toute leur ampleur les positions novatrices dont il était depuis toujours le porteur.

Il a néanmoins puissamment contribué au progrès des luttes féminines en apportant un total soutien aux actions des femmes pour le mieux vivre et l'emploi et en formulant de nombreuses propositions : pour l'amélioration des conditions de vie des femmes et des familles, pour l'égalité des droits des travailleuses, pour l'égalité de la femme dans la famille, pour l'abrogation de la loi de 1920 réprimant l'avortement, pour la participation des femmes à la vie politique.

En 1970, lors d'une Rencontre nationale intitulée *La Femme aujourd'hui demain,* faisant le bilan de l'action des communistes et de leurs propositions en faveur des femmes, Georges Marchais déclarait : « La condition féminine est à l'ordre du jour. Cette question est posée par la vie, par l'évolution de l'humanité, et par la place que les femmes y tiennent. »

En 1974, puis en 1978 et en 1980, le Parti communiste français a été le seul à présenter au Parlement un projet global pour l'égalité, la promotion, la liberté de la femme dans le travail, la famille, la société, avançant tant des droits nouveaux que la nécessité de la lutte contre les mentalités rétrogrades. Projet global enrichi de propositions spécifiques sur l'égalité, sur l'image de la femme dans les manuels scolaires, la répression du viol, sur les droits de la maternité.

Il a aussi été le seul en tant que parti a mener des campagnes publiques pour le remboursement de l'IVG par la Sécurité sociale, pour l'augmentation des Allocations familiales, pour l'égalité.

Des succès ont été remportés par ces luttes multiples, soutenues ou impulsées par le PCF. Ainsi, des entreprises occupées par les ouvrières ont redémarré : Tesa à Gentilly, Grandin à Montreuil et bien d'autres.

Le gouvernement de M. Giscard d'Estaing a dû lâcher des primes de rentrée, renforcer certaines lois contre les discriminations à l'égard des femmes. La légalisation de l'avortement et l'adoption en 1979 d'une loi définitive en progrès sur la précédente sont aussi le produit de l'action.

Tout ceci n'a pas renversé la tendance à l'aggravation des inégalités sous Giscard, mais a permis d'en limiter certaines conséquences et surtout de faire grandir la volonté de changement.

Le PCF n'a pas ménagé ses efforts pour démontrer que la crise n'était pas fatale et qu'il était décisif que les femmes se mêlent de la politique pour que ça change.

Des campagnes d'action, de multiples réunions, délégations ont été organisées avec les femmes. Des milliers de tracts, de journaux, tel *Femme Aujourd'hui Demain,* spécialement édités pour elles, ont été diffusées.

La campagne de Georges Marchais pendant l'élection présidentielle a connu la participation active et enthousiaste de centaines de milliers de femmes qui trouvaient dans les paroles du candidat communiste l'écho profond de leur révolte.

LA SITUATION NOUVELLE

Toutes ces batailles ont contribué à ces événements considérables pour la France et dans le monde qu'ont été l'échec de Valéry Giscard d'Estaing, la victoire de François Mitterrand et d'une majorité de gauche, la participation de ministres communistes après 34 ans d'exclusion du gouvernement.

Les femmes ont joué un grand rôle pour que ces changements interviennent, elles ont un grand rôle à jouer pour qu'ils répondent à leurs espérances.

Certes, les femmes comme les hommes n'ont pas donné au Parti communiste une place suffisante. Leur choix s'est porté sur un programme plus limité que celui proposé par les communistes en raison de l'insuffisante prise de conscience des moyens nécessaires pour sortir le pays de la crise.

Le Parti communiste respecte le choix des Françaises et des Français. Tout d'abord, il a apporté une contribution décisive à la victoire de François Mitterrand en appelant ses 4 millions et demi d'électrices et d'électeurs à voter pour lui. Ensuite, il a d'emblée proclamé sa volonté de tout faire pour réussir dans le cadre choisi par les Françaises et les Français.

C'est sur cette base que des ministres communistes travaillent au gouvernement. C'est sur cette base, et en faisant preuve d'esprit constructif, que le PCF fait connaître ses propositions. Son objectif est de favoriser tout pas en avant, tout progrès.

Avec le gouvernement de la gauche, le rapport des forces est davantage en faveur des travailleuses et des travailleurs qui ont de grandes possibilités de remporter des succès.

Avancer avec les femmes

Chaque position conquise constitue un point d'appui pour aller plus loin, pour progresser vers la libération de la femme, vers le socialisme avec bien entendu l'accord de la majorité de ce peuple qui devra s'exprimer à chaque étape. Car c'est aux Françaises et aux Français de décider du rythme du changement et de son contenu.

C'est cela que nous appelons la voie démocratique au socialisme. Ce choix n'est ni tactique ni circonstanciel. Il correspond à l'intérêt immédiat et d'avenir de notre peuple. C'est la seule voie possible pour l'avancée de la France vers une société débarrassée de toute oppression, de toute injustice, vers un socialisme à la française. Ce choix nous l'avons fait non pas après la victoire de François Mitterrand, mais dès 1976, à notre 22e Congrès, et l'avons approfondi en mai 1979, lors de notre 23e Congrès.

On le sait, il ne s'agit pas pour les communistes français d'attendre un « grand soir » pour instaurer, du jour au lendemain, le socialisme. Ce serait totalement illusoire compte tenu de ce qu'est notre pays.

A notre époque, les grandes transformations sociales, surtout dans un pays comme la France, ne peuvent être que l'œuvre d'une majorité du peuple ayant conscience des réformes profondes à entreprendre pour construire une société nouvelle bâtie sur la justice, les libertés, la démocratie. Elles s'étendent forcément sur toute une période.

C'est aussi la voie la moins coûteuse pour notre peuple, une voie qu'autorise l'évolution du rapport des forces à l'échelle internationale en faveur du progrès des peuples, de la démocratie et de la paix.

Cette démarche est nécessairement fondée sur la participation massive des femmes à la lutte, autour d'objectifs qui sont les leurs et qui contribuent au progrès de toute la société.

CHANGER LA VIE DES FEMMES

Le socialisme que nous voulons et dans la perspective duquel nous travaillons dès maintenant dans la situation nouvelle de notre pays, prend pleinement en compte l'aspiration des femmes au bonheur, à l'égalité, à la paix.

La justice sociale est le premier impératif pour changer la vie des femmes. Il est vain de parler de libération de la femme tant que des millions d'entre elles sont dans une situation de pauvreté, d'angoisse.

Il faut donner à chacune les moyens de vivre, avec l'augmentation des salaires, principalement les plus bas, la hausse des Allocations familiales, une fiscalité plus juste, l'arrêt de la hausse des prix. Le droit à la santé, au logement doit être le bien de tous. La sécurité du lendemain doit être assurée.

Le droit au travail des femmes doit être garanti. Cela implique le développement de l'emploi, de la formation professionnelle féminine, l'interdiction des discriminations à l'embauche, dans le salaire, la promotion, l'accès à tous les emplois à moins qu'ils ne portent atteinte à leur santé.

L'égalité dans le travail suppose en premier lieu l'égalité de salaires. Il faut donc à la fois revoir les grilles de rémunérations, corriger les inégalités et revaloriser le travail féminin en fonction de ses qualités propres. De réelles sanctions doivent être prises à l'encontre de ceux qui enfreignent la loi.

La dignité de la femme doit être respectée — les brimades, les injures, les humiliations doivent faire partie du passé, tout comme le travail au rendement qui rend l'ouvrière esclave de la machine. Le travail de nuit et les travaux pénibles doivent être interdits pour les femmes.

Le temps de vivre doit être conquis avec la réduction du temps de travail hebdomadaire pour parvenir aux 35 heures, avec la cinquième semaine de congés payés, et aussi l'abaissement de l'âge ouvrant droit à la retraite, à partir de 55 ans pour les femmes.

La maternité doit être à la fois un libre choix et une joie. Chaque femme, chaque couple, doit pouvoir décider du nombre d'enfants qu'ils veulent et quand ils le veulent. L'éducation sexuelle et la contraception doivent être développées, la loi sur l'IVG correctement appliquée. Les femmes, les couples doivent pouvoir accueillir les enfants qu'ils souhaitent.

Une politique familiale hardie est nécessaire, elle doit accorder des Allocations familiales correspondant au coût de l'enfant et attribuées dès le premier. Les crèches, les écoles, les centres de loisirs doivent exister en nombre suffisant. Le droit à un logement accessible dont le coût ne devrait pas excéder un quart des ressources pour les familles modestes devrait être assuré pour tous.

Dans la famille, la femme doit jouir des mêmes droits que son mari. Les progrès techniques doivent être utilisés à plein pour alléger les tâches domestiques qui doivent, de toute évidence, être partagées.

La mise en œuvre de toutes ces dispositions peut permettre aux femmes de concilier vie professionnelle et vie familiale. C'est une grande nouveauté de notre temps qui amènera non pas la disparition de la famille, mais son évolution plus harmonieuse.

Le développement des libertés et des droits autogestionnaires est essentiel pour les femmes qui, plus que quiconque, sont écartées de tout et scandaleusement sous-représentées.

Des mesures de promotion aux échelons les plus élevés peuvent être prises dans l'administration, le secteur public et nationalisé pour ouvrir réellement les postes de hautes responsabilités aux femmes. Pour favoriser leur accès aux fonctions électives et à la vie associative, du temps libre payé doit leur être accordé.

Les exploitantes agricoles, les artisanes et les commerçantes qui exercent leur activité avec leur mari doivent disposer d'un statut reconnaissant leur rôle.

La société se doit de prendre des dispositions concrètes pour faire évoluer les mentalités, changer l'image de la femme, mettre fin aux images dégradantes, combattre la pornographie.

Dans les écoles, des cours sur l'égalité pourraient être dispensés, les manuels scolaires devraient être encouragés à donner de la femme une image correspondant à son rôle dans la société.

Ces propositions sont avancées depuis des années par les communistes avec les choix économiques et politiques qu'elles impliquent. Elles correspondent à ce que veulent la majorité des femmes. Elles ne visent pas à imposer un stéréotype, un modèle ou un contre-modèle de femme, mais à ouvrir aux femmes de notre pays toutes les possibilités qu'offre notre époque afin qu'elles puissent choisir librement leur mode de vie et épanouir pleinement leur personnalité.

Une place nouvelle des femmes dans la société est inséparable d'une nouvelle croissance française, du développement de la démocratie et des libertés, de l'instauration de nouveaux rapports entre les hommes et les femmes.

C'est une nouvelle croissance française qui amènera le plein emploi et un meilleur emploi pour les femmes, leur permettant d'être partie prenante dans la révolution scientifique et technique. Le fait qu'elles soient tenues en dehors de ces grands progrès est en soi un gigantesque gâchis de compétences et d'intelligence.

Pour cela, des réformes économiques profondes doivent être entreprises pour que la nation maîtrise l'économie, telles les nationalisations ; il faut développer la France, reconquérir le marché intérieur, relancer la consommation populaire, faire payer les riches. Les travailleurs, et singulièrement les travailleuses, doivent avoir davantage de droits, davantage de pouvoirs.

Le développement de la démocratie et des libertés est inconcevable sans la participation massive des femmes. Pour s'épanouir la démocratie a besoin des femmes aussi bien au niveau de l'entreprise, que de la région ou du Parlement.

Nécessaire pour étendre les droits économiques, sociaux et politiques des femmes, la lutte pour l'égalité passe aussi par une action spécifique pour combattre les idées rétrogrades, les comportements marqués par l'esprit de domination et le mépris à l'égard de la femme qui imprègnent les mentalités depuis des siècles, pour encourager le partage de tâches domestiques.

Un idéal : la paix

Tous ces choix en impliquent un autre : celui d'une place nouvelle de la France dans le monde, pour la paix, le désarmement, pour la justice et la solidarité, pour un nouvel ordre mondial fondé sur l'intérêt mutuel.

L'attachement des femmes à la paix et à l'amitié entre les peuples traverse l'histoire. Parce qu'elles donnent la vie, parce que depuis toujours elles ont vu ceux qui leur étaient chers partir à la guerre et parfois ne pas en revenir, les femmes veulent de toutes leurs forces un monde sans guerre, un monde où chaque être humain, chaque enfant ait le droit de vivre.

A notre époque précisément, on peut y parvenir : et c'est pour cela que des millions de femmes se sont battues et se battent aujourd'hui contre la terrible bombe à neutrons.

Ce gigantesque appareil de mort fabriqué pour anéantir les êtres vivants, notre Continent devenu un champ de bataille nucléaire, des sommes énormes englouties dans ce projet monstrueux tandis que cinquante millions d'hommes, de femmes et d'enfants meurent chaque année de faim... Toutes ces idées sont intolérables pour les femmes de notre pays.

Aussi sont-elles nombreuses à mener cette grande lutte : contre la bombe N, pour le désarmement, la paix. Pour la vie. Une lutte qui peut et doit être gagnée. Une lutte menée aux 4 coins du monde et qui a rassemblé en cet automne des centaines de milliers de femmes européennes.

L'INTERVENTION DES FEMMES

Sans la réalisation de tous ces objectifs, il ne peut y avoir de véritable émancipation de la femme. Mais cela ne pourra s'imposer de soi-même. Il faut, et pour longtemps encore, la lutte des femmes et de toutes les forces progressistes pour obtenir la mise en œuvre des moyens indispensables.

La victoire de la gauche crée des conditions plus favorables qu'elles ne l'étaient sous le pouvoir réactionnaire de Giscard.

C'est un grand espoir qui se lève pour les femmes, l'espoir de voir leurs aspirations satisfaites, leur voix entendue, leur rôle reconnu.

Ce chemin n'est pas pour autant sans obstacle. Il y a tout d'abord le lourd héritage d'un pouvoir sans partage de la droite pendant 23 ans, qui a aggravé toutes les inégalités et notamment celles qui pèsent sur les femmes. Il y a la résistance coriace des idéologues réactionnaires ; la résistance plus coriace encore des patrons qui craignent le progrès de la condition féminine car ils sentent que leurs privilèges sont ainsi menacés.

Il n'est que de voir comment ils se sont opposés aux premières mesures positives prises par le gouvernement et comment ils ont réclamé la suppression des acquis ouvriers datant de plus de 40 ans.

Ceux qui ont fait leur fortune en surexploitant les travailleuses, poussent de hauts cris. Ils s'organisent pour s'opposer aux grandes réformes démocratiques qu'ils refusent et qui sont indispensables pour sortir le pays de la crise.

La lutte des classes continue.

Mais de leur côté, les travailleuses disposent également de moyens, et il est un moyen capital pour elles, c'est l'action. Elles en ont déjà fait la preuve à de nombreuses reprises en obtenant des succès en faveur de leurs salaires, de leurs droits.

Il y a les cigarières de la Manufacture de tabac qui ont obtenu en août 1981 que les frais de garde de leurs enfants soient remboursés, il y a celle de Mavest dans la Loire qui ont gagné jusqu'à 10 % d'augmentation des salaires, il y a aussi les employées de Roissy qui ont obtenu la création de 40 emplois...

LE PARTI DE LA LIBÉRATION DE LA FEMME

Avec le PCF, elles disposent d'un instrument de lutte irremplaçable.

Le danger serait que les travailleuses, ouvrières, employées, intellectuelles considèrent qu'une fois les élections passées, une fois la droite battue, elles n'aient qu'à s'en remettre à la nouvelle majorité, au nouveau gouvernement qui devraient tout régler à leur place et pour elles. Ce qui est et sera décisif, c'est la participation active de chacune d'elles à la vie sociale, économique et politique ; c'est-à-dire à l'action syndicale, et à la vie associative qui selon nous doit prendre une place plus importante dans la vie démocratique. C'est le soutien qu'elles apporteront au PCF.

Pour battre Valéry Giscard d'Estaing et assurer la victoire de François Mitterrand il a fallu les communistes.

Aujourd'hui leur participation est indispensable pour aller de l'avant.

Au gouvernement où l'on peut mesurer la compétence et le sens de l'intérêt général des ministres communistes.

Au Parlement, où les communistes font la preuve de leur dévouement à la cause des travailleurs, des plus défavorisés et avancent des propositions.

Et dans tout le pays, l'entreprise, la commune où les travailleurs, les femmes, les trouvent depuis toujours et en chaque occasion à leur côté pour défendre leurs intérêts.

Avec leur parti, les communistes sont porteurs d'un idéal au service du peuple et de la nation.

Ce sont les combattants les plus résolus contre le capital et les forces conservatrices qui s'opposent à toute réforme. Ils font des propositions originales et sérieuses pour sortir le pays de la crise.

Ils mettent toute leur énergie à mener à bien le changement, et à le mener jusqu'au bout en ouvrant au pays une grande perspective : le socialisme pour la France.

Pour toutes ces raisons, la remontée de l'influence du PCF après son sérieux revers électoral, est une condition indispensable à l'avancée démocratique vers un socialisme lui-même démocratique, autogestionnaire, seule voie vers la libération de la femme.

Conquérir dès maintenant tout ce qui peut l'être. S'appuyer sur chacun de ces acquis pour aller de l'avant dans le respect des engagements pris avec tout notre peuple, telle est la stratégie des communistes. Une stratégie qui offre aux femmes la garantie que leur volonté sera prise en compte à chaque moment et qui appelle leur pleine et entière participation.

Parti du socialisme, défenseur depuis toujours des intérêts des femmes, le PCF met en accord ses paroles et ses actes, ce qui lui vaut d'être véritablement le parti de la libération de la femme.

De plus en plus nombreuses sont les femmes qui le reconnaissent comme tel. En 12 ans, le nombre de ses adhérentes a doublé. Aujourd'hui, 250 000 femmes sont membres du Parti communiste français et en font le parti le plus féminin, avec plus de 36 % de femmes parmi ses membres. Les femmes occupent des responsabilités à tous les niveaux de son organisation. Un conseiller communiste sur trois est une femme. Sur 5 femmes maires de grandes villes, 4 sont communistes. C'est une femme qui est président du groupe communiste au Sénat. Ce qui ne s'était jamais vu dans toute l'histoire du Sénat. C'est une femme que le groupe communiste à l'Assemblée européenne a désignée pour le représenter à la vice-présidence.

Avec le Parti communiste, les femmes ont la possibilité de s'affirmer, de faire progresser pas à pas leur libération, de conquérir une société socialiste dans laquelle leur place sera pleinement reconnue parce qu'elles auront contribué à y parvenir.

Ce combat se mène dès aujourd'hui. Son issue dépend de l'engagement des femmes dans la lutte pour une société nouvelle.

*
* *

Dans les pages qui suivent, Minh la Vietnamienne, Haleh l'Iranienne, Wilma la Cubaine, Mansour la Tadjik, Haïdian la Chinoise et d'autres, témoignent du prix qu'il a fallu payer pour que les femmes de leur pays se libèrent de la domination impérialiste et frayent la voie à une société plus humaine.

Le chemin de la libération de la femme n'a rien d'une allée bordée de roses, rien d'une idylle avec l'histoire. Il est aussi éloigné des réflexions méprisantes de certains « vieux crabes » réactionnaires, que des pédantes conversations de salon sur « l'indépendance érotique des femmes ». C'est d'une partie du mouvement du monde qu'il est question pour libérer la femme et la société tout entière.

Le courage magnifique dont témoignent, pour toutes les

autres, les femmes présentées dans ce recueil de textes, ne peut que stimuler notre propre lutte et renforcer notre solidarité à l'égard de toutes celles qui, dans le monde, souffrent, luttent et espèrent.

Iran

Sous le tchâdor, une révolution
par Dominique Bari*

HALEH : « COMME UNE MURAILLE »

Lundi 4 septembre 1978. Le monde musulman célèbre la fin du Ramadàn. La fête de l'Aït el Fitr. A Téhéran, ce jour-là, l'aube se levait. Et l'Iran s'embrasait. Téhéran, la ville sans mémoire, la capitale de la Perse moderne entrait à son tour dans l'histoire d'une révolution qui ne disait pas encore son nom. Pourtant, en cette année 1978, le grondement s'était déjà fait entendre aux quatre coins du pays. De Qom à Tabriz, de Chiraz à Ispahan, d'Abadan à Machad, les manifestations noyées dans le sang rappelaient au monde que l'Iran vivait sous la dictature. Depuis le coup d'État de 1953 fomenté par la CIA qui renversa le gouvernement national de Mossadegh et remit sur le trône Reza Chah Pahlavi, 25 ans de terreur et de répression. Et jamais la lutte ne s'est éteinte...

L'Aït el Fitr est un jour de fête. Mais les quelque 500 000 manifestants portent le deuil des innombrables victimes du régime impérial. Aux cris de « Liberté », « Mort au chah », « A bas l'impérialisme », « Vive Khomeiny », l'hétérogène marée humaine coule dans les larges avenues de Téhéran. Le glas

---

* Journaliste à *l'HUMANITÉ*. Envoyée spéciale en Iran où elle a effectué de nombreux reportages tout au long des événements.

des Pahlavi a sonné, parmi les glaïeuls et les œillets rouges lancés vers les soldats aux mitraillettes pointées sur le cortège interdit. Ce jour-là, ils ne tireront pas. Et ce sera la première grande victoire du peuple aux mains nues. Le deuil deviendra fête. Mais qui sait cela en ce matin d'automne ?

L'air est encore doux à l'aube du 4 septembre. Sur la colline de Kasarieh des milliers de Téhéranais ont commencé à se rassembler pour l'ultime prière du Ramadàn. Une immense tenture blanche a été tirée pour séparer les hommes des femmes. Ces dernières sont toutes drapées dans un long voile noir qui recouvre leurs cheveux et laisse libre leur visage. Masse sombre des tchâdors sur lesquels les photographes occidentaux focaliseront l'attention.

Signe de deuil mais surtout, pour ces femmes, symbole de rébellion contre le régime impérial. « Nous le portons comme une muraille. »

Haleh n'a pas 20 ans. Sa voix, toute de douceur, tranche avec la fermeté, la détermination de ses paroles. Étudiante, elle est de celles pour qui l'Islam chiite est le levain de la lutte. D'une famille de la bourgeoisie moyenne nationaliste et comme beaucoup d'autres jeunes filles et femmes qui ont étudié, Haleh s'est vite sentie déchirée entre deux mondes : celui de l'occidentalisation imposée à l'université, et celui de la recherche de l'identité iranienne, confondue pour elle avec l'identité islamique. Elle a repris le voile : « Il y a un an, devant l'université, les policiers empêchaient les filles voilées d'assister aux cours. Nous avons été tout un groupe d'étudiantes à discuter de ce problème et nous avons décidé de reporter le tchâdor traditionnel. C'était un acte profondément politique. Nous savions que nous étions dès lors soumises à une surveillance plus grande. A l'université, plus particulièrement, c'était un signe de reconnaissance de l'opposition à la dictature et à la fausse libération de la femme qu'au nom du progrès le chah voulait imposer. Beaucoup d'entre nous ont été arrêtées pour avoir accompli ce geste. Certaines de mes camarades se sont heurtées à leurs familles qui ont eu honte de ce qu'elles qualifiaient de « retour en arrière ».

Haleh se défend d'un tel retour et insiste sur la complexité du contexte politique iranien qui fait, estime-t-elle, que « notre libéralisation politique passe par là ». « Plus tard, poursuit-elle, quand le despotisme aura disparu, la vraie liberté, la vraie justice ne pourront-elles pas transformer les mentalités ? »

Dans le tumulte des jours qui ont suivi, je n'ai pas pu revoir Haleh. Bravant la surveillance de la Savak, la police politique du chah, elle tenta de venir me voir à mon hôtel. Le portier lui en interdit l'accès. Son fichu, son ample blouse sombre lui ont fermé les portes d'un lieu réservé sous l'Empire, aux touristes et aux hommes d'affaires étrangers. Elle me téléphona son aventure. Je lui fixai rendez-vous pour le lendemain lors de la troisième grande manifestation de la semaine. Vendredi, à huit heures, place Jahle : « Demain, je serai peut-être morte », répondit-elle simplement.

Le lendemain, 8 septembre, aux lieu et heure dits, les mitrailleuses crépitent. L'armée impériale abat les manifestants qui pour la plupart ignorent que la loi martiale a été proclamée dans la nuit. Les femmes mises en confiance par les deux précédentes manifestations où s'était exprimée la fraternisation du peuple et des soldats, sont venues avec leurs enfants. Quand éclatent les rafales, elles se couchent à terre pour protéger leurs bébés. Geste souvent inutile. Au milieu des cadavres déchiquetés, les blessés disent encore : « Ils ont osé, ils ont tué. » Les tirs continuent. Le « Vendredi noir » a commencé. Aux massacrés de Jahle vont s'ajouter des centaines d'autres. Le pouvoir annonce 186 victimes. Selon l'opposition, il y en a quelque 3 000. Jusqu'au soir, Téhéran est le théâtre d'un vaste carnage. Parmi les tués, 450 femmes.

Behecht-Zahra. Le paradis de Zahra c'est le cimetière de la capitale. Tandis que les arrestations se multiplient, que Carter félicite le chah par téléphone, le peuple de Téhéran inhume ses morts. Pendant plus d'une semaine, après la tragédie du « Vendredi noir », les corps affluent encore à Behecht-Zahra, et les toilettes mortuaires s'effectuent à la chaîne. A la morgue des femmes, à côté des cadavres alignés, des corps d'enfants percés de balles... Dans les allées de cyprès, l'armée veille. Elle ne peut cependant empêcher que renaissent, parmi les tombes fraîchement recouvertes, les cortèges de manifestants. Une autre résistance se forge sur les sépultures des martyrs. Sous leur voile, narguant les fusils qui les tiennent en joue les femmes sont là. Elles reviennent, des jours durant, puiser dans la terre jaune de Behecht-Zahra, une force nouvelle contre le chah, jusqu'à sa chute.

La haine du régime est si forte que rien désormais n'arrête le cours de la révolution. Au « Vendredi noir » répond une mobilisation populaire sans précédent. Pendant trois mois, la grève générale paralyse le pays et tisse la toile de fond des multiples manifestations. Les derniers sursauts de la dictature font encore de trop nombreuses victimes. Le soutien des États-Unis à l'Iran des Pahlavi, l'un des principaux points d'appui du dispositif stratégique de Washington dans la région, reste inébranlable. Les Iraniens ne l'ignorent pas et la lutte contre la mainmise américaine sur leur pays est un facteur essentiel du déclenchement du mouvement de libération nationale.

ZAHRA :
LES FEMMES DANS LA RUE, QUELLE VICTOIRE!

Les mots d'ordre qui fleurissent sur les murs de Téhéran — ou sont scandés lors des manifestations — sont à ce titre révélateurs de la volonté du peuple d'Iran de mettre un terme à l'emprise étrangère, non seulement au plan politique et économique, mais aussi au plan culturel. « En ignorant l'aspect culturel de notre lutte, vous ne pouvez pas la comprendre », déclaraient avec insistance aux journalistes bon nombre d'opposants.

C'est par le biais de l'Islam chiite qu'une majorité d'Iraniens ont pu affirmer leur identité nationale, compte tenu des conditions historiques de leur lutte et de la répression féroce exercée par le régime impérial à l'encontre des organisations démocratiques laïques. L'étouffement de toute vie politique a conduit à faire de la religion un catalyseur du mouvement populaire, des mosquées des foyers d'opposition, et de la République islamique l'alternative à la dictature. La Savak et l'armée faisaient régner la terreur. Les libertés fondamentales étaient inexistantes, et les progressistes pourchassés. Le chah avait en main tous les organes d'information. Il n'avait pas toutes les mosquées.

« Religion de combat, l'Islam chiite se définit comme la religion des opprimés, celle des victimes de l'injustice. Née de la résistance du peuple perse à l'envahisseur arabe (musulmans sunnites) puis, plus tard, étranger en général. »Zahra a la trentaine et revendique bien haut son appartenance à l'Islam : « Un Islam politique, moteur de progrès social », tel que l'a défini quelques années plus tôt le philosophe et penseur iranien Ali Charriati qui compte beaucoup d'adeptes parmi la jeunesse étudiante iranienne. Zahra est professeur de physique à l'Université de Téhéran. Elle porte un fichu noir et ses vêtements sombres sont suffisamment amples pour dissimuler toutes ses formes. Du quartier nord de la capitale, où elle habite avec ses parents et son frère, elle se rend chaque jour à la faculté au volant de sa voiture qui lui sert également à transporter tracts et affiches au nez et à la barbe de la Savak. Son anglais parfait' rappelle qu'elle a résidé à Londres plusieurs années.

« Quand je suis revenue en Iran, j'ai été saisie d'une sorte de vertige : la misère de la majorité, le luxe tapageur d'une infime minorité, la corruption à tous les niveaux, à commencer par la Cour, la répression, notre culture étouffée au profit des schémas et des modes de pensée occidentaux. Je ne refuse pas le progrès, mais les aspects les plus négatifs de l'Occident, ceux de la société de consommation et de gadgets. Je ne refuse pas la modernisation de mon pays, mais pourquoi la technologie devrait-elle être américaine et nos usines implantées par des sociétés étrangères ».

Zahra parle longuement de l'humiliation ressentie par les Iraniens qui « tiennent avant tout à être eux-mêmes ».

« Je ne sais pas ce qui arrivera dans l'avenir, ni ce que pourra être le gouvernement islamique que nous réclamons. Ce que je veux, c'est une société où les gens ne seront pas exploités. Mais nous devrons créer une telle société qui n'a rien à voir avec celle de l'Arabie Saoudite », précise-t-elle.

— Et quels y seront les droits de la femme ?

— Les droits de chacun devront être respectés. Mais il existe un clergé réactionnaire que nous devons combattre. Nous avons nos ultras, nos intégristes (elle refuse de donner des noms). Certains sont liés au régime des Pahlavi et à la CIA. »

C'est parmi eux, explique Zahra, que l'on trouve les défenseurs des « mauvaises traditions de l'Islam », en vertu desquelles « on voile les femmes, ou on les cloître à la maison. Le tchâdor n'est pas une tradition islamique. Sous les Kadjar, seules les aristocrates le portaient. Quant au travail de la femme en dehors du foyer, il est nécessaire pour son émancipation. »

Cette émancipation exclut toutefois, pour elle, les relations sexuelles en dehors du mariage. Mais, précise Zahra, « aussi bien pour les hommes que pour les femmes ». Elle déplore l'autoritarisme des hommes, leur intolérance qu'elle impute « au régime du chah qui a faussé toutes relations sociales ».

Au début de la Révolution, beaucoup de femmes n'ont pas eu le droit d'aller manifester. Elles sont malgré tout descendues dans la rue. Elles ont même participé en grand nombre aux cortèges célébrant le grand deuil chiite du mois de Moharram, (décembre 1978), manifestation religieuse à la mémoire du martyre de Hussein, jusque-là réservée aux hommes. « Les femmes dans la rue, leurs cris mêlés à ceux des hommes, c'était une victoire. Leur mort, même aux côtés des hommes, était une victoire. »

SADEGHI : « LE LONG CRI DES TORTURÉES »

La participation des femmes à la lutte menée en cette fin du XXᵉ siècle contre le despotisme et les ingérences étrangères a des racines profondément enfoncées dans l'histoire de l'Iran.

En 1890, la concession des tabacs iraniens, accordée par un des derniers souverains Kadjar à une société britannique, suscite un fort mécontentement populaire. Pendant plusieurs mois, une « grève des fumeurs » fut observée pendant laquelle les femmes jouèrent un rôle de premier plan, faisant respecter les consignes de grève au sein des familles. On vit même les épouses du harem royal refuser de préparer le narguilé du monarque, afin que nul n'enfreigne le boycottage. Quelques années plus tard, la Constitution, arrachée aux ultimes rois Kadjar en 1906, excluait les femmes de tous les droits civiques essentiels...

Entre 1920 et 1930, différentes organisations féminines voient le jour. Créée en 1922 à Rachte, sur la mer Caspienne, l' « Association du message des femmes » a célébré pour la première fois en Iran la journée du 8 mars. En 1926, une autre organisation l' « Association de l'éveil des femmes » est fondée. Dues à l'initiative de femmes de la petite bourgeoisie, ces formations inscrivent à leur programme le droit de vote pour les femmes (que la Constitution leur déniait) et l'éducation des filles, mais aussi la défense de la souveraineté et de l'intégrité territoriale tant est forte l'aspiration des Iraniens à l'indépendance.

La prise du pouvoir par Reza Pahlavi père, avec le total appui du colonialisme britannique, a marqué un coup d'arrêt à l'essor du courant féministe. Comme tous les autres mouvements de nature progressiste, celui des femmes est réprimé. Il faudra attendre la chute du premier Pahlavi, en 1941, pour qu'il retrouve son élan. Fondée cette année-là, l'Organisation démocratique des femmes iraniennes (ODFI) ne peut militer au grand jour qu'en 1943, par son insertion dans le courant antifasciste. Interdite en 1948, l'organisation poursuit son combat dans la clandestinité. Le coup d'État de 1953 réduit à nouveau son activité.

Paysannes, ouvrières ou étudiantes, croyantes ou marxistes, la chappe de plomb de la dictature ne parvient pas à leur imposer silence.

Des grèves éclatent dans les usines où la main-d'œuvre féminine est nombreuse, souvent même majoritaire. Elles sont toujours violemment réprimées. En juillet 1959, l'un des exemples les plus meurtriers est sans doute celui d'une briqueterie au sud de Téhéran où, en juillet 1959, les 30 000 ouvriers — en majorité des femmes — cessent le travail et revendiquent une hausse des salaires. L'armée envoie des chars. 50 ouvrières sont tuées. Quelques semaines plus tard, les travailleuses de l'usine de tissage de Vatane (dans la banlieue de Téhéran), puis celles de l'usine Chahbaz à Ispahan et de la raffinerie de sucre à Varanine, déclenchent à leur tour des mouvements réprimés dans le sang.

Assassinats, enlèvements, emprisonnements, tortures sont

pour Reza Chah Pahlavi des moyens de régner. La police politique, la Savak, dont les principaux agents sont formés aux États-Unis, au quartier général de la CIA, à Langley, est chargée de broyer toute opposition.

Novembre 1979. Au siège de l'Association pour la défense des libertés et des droits de l'homme, des femmes attendent, en tchâdor noir. Quelques-unes fument. L'ambassade américaine de Téhéran vient d'être occupée. Une cinquantaine de diplomates US sont retenus en otages. L'Iran réclame l'extradition du dictateur déchu, réfugié aux États-Unis.

Zahra Rezaï, première des deux épouses d'un modeste commerçant, est le symbole même de la « Mère ». Des huit enfants qu'elle mit au monde, quatre seulement sont encore vivants. Son fils Mehdi n'avait pas 20 ans quand il est mort entre les mains des savakis. Ahmad et Reza ont été abattus dans la rue par la police. Sadighi, sa fille, avait tout juste 18 ans quand elle a succombé sous la torture. Les archives retrouvées après la révolution à la « prison du Comité » lui ont permis de savoir qu'elle avait été enterrée anonymement à Behecht-Zahra.

Zahra Rezaï a été elle-même arrêtée en 1974 avec une autre de ses filles, Fatemieh, alors prête à accoucher. Un récit plein de pudeur : « Ils m'ont tellement battue pour savoir où étaient cachés mes fils que les os de mes pieds étaient à nu. Fatemieh a mis son enfant au monde à hôpital de la police. Il lui fut enlevé 6 jours plus tard. A son tour, elle fut torturée. On la frappa si fort qu'elle en eut le tympan déchiré. Elle a été condamnée à quatre ans de prison.

Madame Kabiru a été torturée devant ses deux fils. Puis ses enfants devant elle. Elle a été battue sur tout le corps, fouettée, pendue par les poignets, attachée sur une table... Les tortionnaires exigeaient toujours la même chose : des noms... A l'issue de quatre ans et demi d'emprisonnement, elle a été condamnée à mort. Au cours d'un second procès, cette peine fut commuée en prison à vie. Sous les coups de boutoir de la Révolution, elle fut libérée en janvier 1979, souffrant de violents maux de tête, les côtes brisées mal remises, les jambes déformées, marchant difficilement, et ne pouvant pas oublier...

« Je veux témoigner aujourd'hui au nom de toutes les victimes du chah », écrivait Zahra Rezaï au secrétaire général de l'ONU, Kurt Waldheim.

Les 10 et 11 février 1979, jours de l'insurrection populaire à Téhéran, les femmes ont empilé les sacs de sable, fabriqué les cocktails Molotov et même directement participé aux affrontements.

Silhouette mince, couteau de combat sur la hanche, fusil sur un bras, veste militaire, fichu bleu retenant une masse de cheveux sombres, c'est Maryam, 21 ans. Je l'ai rencontrée sur une des barricades de la place Fawsieh, à Téhéran. Seule femme d'un groupe de neuf, sympathisants des Moudjahiddin. La révolution était déjà victorieuse. La carcasse d'un tank au milieu de la chaussée témoignait de la violence qui avait eu lieu à cet endroit. Des coups de feu claquaient encore dans des quartiers proches. Dans un abri de fortune, Maryam a parlé de sa vie, de sa lutte, de ses espoirs. De ses deux frères tués au cours de la première nuit de l'insurrection, de sa sœur tombée place Jahle le « Vendredi noir », où elle-même avait été blessée à la cheville.

D'une famille religieuse, « mais pas trop », Maryam est employée dans une société privée. « Ce sont mes frères, dit-elle, qui m'ont sensibilisée à leur lutte politique. Ils étaient proches des Moudjahiddin. Nous nous sommes heurtés à mon père. Il travaille comme camionneur aux États-Unis. Il revenait un mois par an en Iran et ne comprenait pas notre opposition au chah. Mes frères ont dû partir de la maison. Je me suis fâchée avec mon père. Heureusement, ma mère me soutenait. C'était dur aussi pour elle quand mon père était là. Mais en apprenant la mort de mes frères, elle a craqué. Elle m'a interdit de sortir, et m'a enfermée dans ma chambre. Je me suis sauvée et le soir (les filles ne sont pas autorisées à rester sur les barricades) je vais coucher chez une amie et je reviens au petit matin. » L'avenir ? « Je ne sais pas ce qu'il sera, avoue Maryam. Mais nous avons réussi, nous avons vaincu le Chah. Rien ne peut plus être comme avant. »

MEHRNAZ : « INTERDIT AUX IRANIENNES »

« Un monarque éclairé, soucieux de tirer son peuple abâtardi, arriéré et fanatique vers les bienfaits de la civilisation et du progrès. » Tel voulait apparaître à l'Occident le dictateur de Téhéran. Imposée d'abord par Londres puis par Washington au peuple iranien, la dynastie Pahlavi faisait œuvre de « déculturation ». Sous prétexte de modernisation, c'était en fait un moyen fondamental de violer le pays, de l'ouvrir aux multinationales. Une bonne partie des profits tombait dans les coffres des nombreuses sociétés dans lesquelles la famille impériale détenait des parts. Telles étaient les motivations du « progrès à marche forcée » dont parlait le premier ministre Hoveyda et dont les exégètes créditaient le chah.

Pour la femme, cette politique s'est notamment traduite par une sorte de culte du modèle occidental. « Pour le chah et son entourage, les femmes iraniennes devaient paraître se libérer de l'oppression séculaire de la religion. Des femmes ingénieurs, médecins, avocates, éduquées et habillées à l'européenne faisaient partie de la vitrine moderne du régime. » Leila, 30 ans, architecte après plusieurs années d'études aux États-Unis puis en France, ne cache pas avoir appartenu à ces très minoritaires « privilégiées » de l'ancien régime. Issues pour une part des couches sociales du secteur tertiaire que le chah, grâce à l'augmentation des revenus pétroliers (après 1973, ils passent de 5 à 20 milliards de dollars par an), a pu artificiellement gonfler, et dont il pensait qu'elles constitueraient une assise durable pour son pouvoir. « Objectivement progressistes, les mesures prises par le chah en faveur de la femme, telles la loi sur le divorce, la contraception libre, la libéralisation de l'avortement sur le modèle français (interdit quelques mois avant la révolution par concession aux religieux), ne concernaient en fait qu'une minorité de femmes économiquement et culturellement favorisées. La majorité des Iraniens étant laissés à l'écart. La création d'un ministère de la condition féminine tout comme le droit de vote et l'éligibilité accordée par Reza Pahlavi étaient aussi en trompe l'œil. Dans un pays où les élections étaient truquées et l'expression politique réprimée, toutes ces mesures étaient de faible portée. D'ailleurs, le jour du scrutin, nous avons boycotté les élections comme les hommes. »

Quelle image déformée de la femme occidentale recevaient les Iraniens à travers le mode de vie et le gaspillage de la Cour et de ses proches ? Quelle idée pouvaient-ils s'en faire sous le matraquage des mauvais films et feuilletons américains diffusés sur tout le territoire et à la télévision ? Comment pouvaient-ils adhérer à l'émancipation de la femme, quand celle-ci était prônée par la princesse Achraf, sœur jumelle du chah, l'un des personnages les plus corrompus et les plus haïs du régime ? Mêlée aux spéculations les plus juteuses, à des détournements de fonds en passant par le trafic de drogue. C'est justement cette trop fameuse princesse que le dictateur délègue aux Nations Unies pour parler au nom des Iraniennes pendant l'année internationale de la femme !

Leila a participé aux manifestations contre le chah. Mais, comme la minorité à laquelle elle appartient, déracinée dans son propre pays, elle ne perçoit pas la lame de fond que représente le mouvement populaire iranien : « Je ne suis ni croyante, ni marxiste, et je ne veux ni de la République islamique ni du système communiste. J'ai manifesté en mars dernier quand les religieux ont voulu imposer le port du voile. Je n'ai jamais porté le tchâdor et je ne le porterai à aucun prix. Je ne sais pas si je resterai en Iran. »

Symbole d'oppression de la femme ? Symbole de l'identité nationale contre la dictature ? Les réponses sont multiples, complexes, en fonction des origines sociales des intéressées et de la façon dont a été reçue l'agression culturelle promue par les Pahlavi.

Dans les années trente, le père du chah déchu a voulu « l'enlever au couteau », selon l'expression populaire persane. Ses soldats dévoilaient les femmes en pleine rue. « Durant toute mon enfance, j'ai entendu mes grand-mères, mes tantes, raconter encore avec effroi cette période. Leurs récits traduisaient le grand choc éprouvé par toute une génération de femmes iraniennes et témoignaient de la brutalité du premier des Pahlavi », me dit Mehrnaz, 29 ans, étudiante en biochimie. « On a assisté alors à un retour en arrière spectaculaire. Les femmes qui avaient l'autorisation de sortir ont refusé de quitter leur maison par peur des soldats. Certaines sont restées cloîtrées chez elles durant deux ou trois ans. Celles qui ont continué à porter le tchâdor, l'immense majorité, se sont vues par la suite interdire les lieux publics et les transports en commun. L'important pour le régime n'était pas de combattre l'analphabétisme qui englobait environ 85 % des femmes, mais de faire croire au progrès en faisant extérieurement de l'Iranienne une femme européanisée. »

Abandonné par les femmes de la bourgeoisie, le voile reste un signe de classe. S'il porte le poids de la tradition, il porte aussi celui de la pauvreté. Pour la majorité de la population le problème du tchâdor ne se pose pas. Il est là, et on s'en sert comme cache-misère. C'est une seconde peau qu'on ne conteste pas, mais à la question de son port, que j'ai posée à des ouvriers d'un atelier du sud de Téhéran, la réponse est claire : « Que nous importe le vêtement, nous qui vivons de pain sec. Ce que nous voulons, c'est une meilleure vie. »

RAZIEH : « L'OPIUM POUR OUBLIER »

Une meilleure vie. C'est ce à quoi aspire le peuple iranien, et plus particulièrement les 54 % des familles qui vivent au-dessous du seuil de la pauvreté, comme le signale un rapport de la Banque mondiale.

« Les lois ne sont pas douces pour les femmes chez nous »,

me déclarait en décembre 1979 Maryam Firouz, présidente de l'Organisation démocratique des femmes iraniennes, condamnée sous le chah, par contumace, à la prison à perpétuité. « L'oppression existe à tous les niveaux, mais elle est plus durement ressentie encore chez les pauvres où elle s'ajoute aux conditions d'existence misérables, à l'analphabétisme, à la maladie, à la vie chère et, pour " remédier à ces maux ", à l'utilisation de la drogue. Moins chère que le médecin et la nourriture, la drogue est la potion des déshérités contre les douleurs de l'accouchement, les maladies ou les affres de la faim. »

De ces Iraniens-là, le chah n'a que faire. En 20 ans, il augmentera de 53 fois le budget de la santé, mais de 1 066 fois celui de la Savak. Ce même mépris glacé a fait écrire en octobre 1978 à un quotidien du régime, *Etelaat :* « En ce qui concerne les nouveau-nés, plus il en mourra plus le programme du planning familial sera appliqué. » Ainsi, reconnaissait elle-même la princesse Achraf au cours d'un séminaire pour la santé, un enfant iranien sur quatre meurt avant un an et un autre reste constamment malade du fait de carence alimentaire. Cette détresse vous saute à la gorge quand vous parcourez les bidonvilles du sud de Téhéran où s'entasse près de la moitié de la population de la capitale. Plus de deux millions de personnes. Sans eau potable, ni électricité, dans un dédale de ruelles souillées d'immondices. Ce sont pour la plupart d'anciens paysans chassés des campagnes par la politique agricole du chah. Royaume de la faim, de la prostitution et de la drogue.

— « J'ai été mariée à 13 ans, et voilà six ans que je fume de l'opium, déclare Khatoun, 24 ans. J'avais des douleurs dans les reins et dans le ventre, des hémorragies. J'ai acheté de l'opium pour me calmer.

— Tu ne veux pas arrêter ?

— Si. Mais comment ? Nous n'avons même pas de quoi manger ? »

A son tour, une autre femme, Razieh, 40 ans, témoigne : « Mon mari est éboueur. Je ne travaille pas. Il y a douze ans que je prends de la drogue. J'ai perdu tous mes enfants. Ma fille de 16 ans est morte chez ses patrons où elle était placée comme domestique. Je m'étais dit : chez eux, au moins, elle sera logée et nourrie, loin de l'opium et de la prostitution. Je ne sais pas de quoi elle est morte. Mes trois autres enfants sont tombés malades. Je n'avais pas d'argent pour les faire soigner. Je fume pour oublier... »

Habibeh a 60 ans. Elle se drogue depuis sa jeunesse. « J'ai commencé lors de mon premier accouchement. Puis j'ai perdu mon mari et mes quatre enfants, de maladie. Je suis seule, je travaille de temps en temps, quand je trouve un emploi. » Dans le voisinage de Habibeh, on affirme qu'elle est pourvoyeuse d'opium...

Une misère générale qu'illustre aussi la situation des ouvrières du tapis. Que ce soit dans les grandes fabriques commerciales ou dans les petits ateliers domestiques, après le travail principal de la terre, le tissage des femmes et des petites filles permet à la famille paysanne d' « améliorer » un revenu de famine.

Aucune règle d'hygiène ou de sécurité n'est respectée dans l'un et l'autre cas et, à chaque étape de fabrication, correspond une maladie spécifique : asthme, bronchite, inflammation des yeux, affections de la peau... Et, chez les enfants, rachitisme et déformation osseuse, aggravés par la malnutrition.

Autre illustration de la misère : le nettoyage des pistaches, cultivées dans la région du Kerman, au sud-est de l'Iran. Les femmes kermani perdent leurs dents très tôt : leur tâche est d'entrouvrir la coque du fruit avec leurs incisives et leurs canines qui ne résistent pas à deux ou trois années de ce « travail ».

« En 1975, Année internationale de la femme, déclare Maryam Firouz, nous avons publié une revue, *La Réalité de la femme iranienne*, dans laquelle nous dénoncions le dénuement des femmes, la répression qui les frappait. Nous avons rencontré peu d'écho en occident, à l'exception des organisations démocratiques. La révolution victorieuse, l'impérialisme battu en brèche, nous — femmes iraniennes — sommes devenues soudainement pour ce même occident, le centre d'intérêt et de préoccupation : d'un coup on s'inquiète du tchâdor, on s'insurge contre les coutumes. Nous savons que le statut de la femme iranienne ne se définit pas simplement, qu'il ne peut changer du jour au lendemain, et que la lutte contre les traditions séculaires est de longue haleine. Dans les couches les plus défavorisées, et largement majoritaires dans le pays, ce que veut la femme c'est se loger, avoir du pain, pouvoir se soigner et faire soigner son enfant. Ces problèmes résolus, elle comprendra mieux sa situation et formulera les revendications qui la concernent personnellement en tant que femme. Les questions aujourd'hui posées sont celles-ci : quelle va être l'évolution du statut de la femme après la révolution ? quelle va être la participation de l'Iranienne à l'économie du pays ? quelle sera sa position dans le travail ? »

Pour Maryam Firouz, de la consolidation de la révolution, de l'évolution économique et sociale de l'Iran dépend l'avenir de la femme iranienne : « Nous sommes conscientes, déclare-t-elle, que la Constitution [1] ne prend pas suffisamment en compte les droits des femmes, principalement en ce qui concerne leur position au sein de la famille : Nous voulons qu'elle soit amendée

1. Votée en décembre 1979.

et nous avons fait des propositions en ce sens : retarder l'âge légal du mariage de la fille, établir l'égalité des droits du père et de la mère sur les enfants, interdire la polygamie. »

La Constitution comportant un article relatif à la liberté du choix de la profession pour tout citoyen, l'Organisation démocratique des femmes réclame la scolarisation obligatoire des filles jusqu'à la fin du secondaire, le libre choix des études universitaires. En dépit des lacunes de la Constitution, l'Organisation démocratique des femmes a appelé à voter pour, « car nous avons estimé qu'elle était de nature à consolider la révolution et la lutte contre l'impérialisme. Elle préconise une économie saine et équitable, dans le but d'assurer le bien-être, de faire disparaître la pauvreté et toutes sortes de privations dans les domaines de la nutrition, du logement, du travail et de l'hygiène ».

Anti-impérialiste, anticapitaliste, la Révolution iranienne, issue d'un profond mouvement populaire, n'en présente pas moins des aspects contradictoires dus notamment à l'absence de démocratie durant un quart de siècle, à l'hétérogénéité du clergé chiite et à la diversité des couches sociales qui ont participé à la lutte contre la dictature et dont les intérêts restent aujourd'hui antagonistes.

« Mettre fin aux séquelles de l'impérialisme, approfondir le contenu de classe de la révolution, améliorer les conditions de vie économiques et sociales du peuple sont les grandes orientations définies par l'ayatollah Khomeiny dans le cadre de la République. Orientations que nous soutenons », m'a déclaré le premier secrétaire du Parti communiste d'Iran, le Toudeh, Nourredin Kianouri. « Deux éléments freinent le processus : la grande bourgeoisie et l'extrême droite religieuse, anticommuniste et rétrograde, responsable des excès. C'est sous l'influence de cette dernière, déplore Nourredin Kianouri, qu'a été rédigé dans la Constitution le chapitre concernant les femmes. »

Les différents courants de pensée qui traversent le mouvement islamique rendent plus complexe encore la compréhension de la révolution nationale iranienne. Le poids important du clergé intégriste se fait durement ressentir dans certains domaines, celui de la démocratie, celui des femmes, et dans l'application des mesures les plus progressistes, telle la réforme agraire. La position d'un des plus grands ayatollas iraniens, l'ayatollah Golpayegani, mérite à ce titre d'être rappelée. S'étant déjà déclaré hostile au vote des femmes, il mène campagne « pour le respect au nom de l'islam de la propriété privée », s'opposant ainsi à la confiscation des terres des grands propriétaires fonciers, et à leur partage entre les paysans. La collusion entre les féodaux et certains membres du clergé est dénoncée par les forces progressistes, religieuses et laïques. Des responsables chiites ont à plusieurs reprises attaqué « ces religieux qui coopèrent, sous couvert de l'Islam, avec les féodaux et les chefs de tribus, afin d'ébranler les fondements de la révolution islamique en Iran ».

Les inacceptables excès de certains tribunaux islamiques ont permis à la propagande occidentale de fausser l'image d'ensemble du mouvement iranien. Ce que l'on se garde de dire, c'est que les condamnations fondées sur les règles de conduite de la femme, étaient déjà de rigueur du temps du chah et couvertes par la dictature. « Le code pénal condamnait l'adultère, et un homme qui tuait sa femme ou sa sœur, n'était condamné qu'à six mois de prison. »

L'Organisation démocratique des femmes iraniennes a dénoncé ces actes inadmissibles et a posé la question des manœuvres de la contre-révolution et notamment des anciens membres de la Savak, infiltrés dans certains tribunaux qui se sont créés « spontanément ». Un cas est cité, celui d'un tribunal qui a condamné à mort une femme adultère et dont on a jamais pu, par la suite, retrouver les juges.

C'est aussi sous l'influence de la réaction qu'a été prise — sous le gouvernement Bazargan — la décision d'interdire aux femmes l'accès à la magistrature. Les étudiantes en droit ont vivement protesté. Dans une adresse à Khomeiny, elles rappelaient que les femmes aussi avaient donné des milliers de martyrs : « Malheureusement, après la révolution, on n'a pas pris en compte leurs droits. En ce qui nous concerne, notre statut actuel n'est pas digne de notre révolution. Le Coran n'interdit nulle part aux femmes de juger. Pourquoi les priver de ce droit ? »

HALEH, MEHRNAZ, SADIGHE...

Novembre 1979. Devant l'ambassade des États-Unis occupée. La nuit tombée depuis plusieurs heures n'empêche plus des groupes de jeunes filles de manifester devant les grilles de la chancellerie américaine. Une main se pose sur mon épaule. « Me reconnaissez-vous ? » Plus d'un an avait passé. « Je serai peut-être morte », m'avait-elle dit. Je retrouve Haleh.

Nous nous sommes revues le lendemain à mon hôtel où, cette fois, personne ne lui a barré le passage. Pour moi, elle a fait son premier bilan de la révolution : « Ce qui a changé : nous sommes devenues responsables et nous devons maintenant construire. Ce n'est pas un petit changement. Il a des effets sur notre vie, notre caractère. Nous n'avons pas oublié la lutte contre la dictature.

Nous avons choisi la voie de la liberté, de la justice et de l'égalité. L'Islam que nous voulons n'est pas celui de nos grands-pères. L'Islam est aussi une idéologie, pas seulement une religion. Nous réussirons notre révolution si nous améliorons l'existence du peuple. L'élévation du niveau de vie conditionne l'établissement des libertés pour tous, les hommes et les femmes. »

Haleh explique alors sa participation à la « croisade pour la reconstruction du pays », grâce à laquelle, avec des crédits du gouvernement et une main-d'œuvre d'étudiants volontaires, des routes ont été ouvertes dans les campagnes, et des villages dotés de l'eau et de l'électricité.

La révolution iranienne s'est voulue aussi la révolution des Mostazafin (les déshérités). La fondation qui porte leur nom a été chargée de gérer les biens des privilégiés de l'ancien régime, réquisitionnés, et d'installer dans de luxueuses villas des quartiers résidentiels du nord de Téhéran des familles démunies.

Une autre organisation « pour le développement du sud de Téhéran » a pour tâche d'améliorer la vie dans les bidonvilles en aménageant des points d'eau potable, en amenant l'électricité, en organisant des dispensaires, en construisant des logements et des écoles. Enfin, dans de nombreuses usines, des comités d'ouvriers sont fondés. Des hausses de salaires, allant jusqu'à 50 % pour les plus bas, sont intervenues et le travail hebdomadaire a été réduit de 72 à 40 heures.

Été 1981. Deux ans et demi après l'éviction du chah, deux jeunes Iraniennes donnent leur opinion. Mehrnaz, 29 ans, est biochimiste. Elle a étudié en France durant sept ans. Sadighi, 31 ans, est étudiante en urbanisme.

— *Mehrnaz :* « Deux ans de manifestations permanentes et cinq mois de grèves contre le chah ont provoqué une série de mutations. Dans ma famille, j'ose dire maintenant à mon père, à mes frères, à mon mari que j'ai des idées différentes des leurs et que je milite. Ce n'était pas pensable avant la révolution. Même après mon retour de France, en ayant obtenu des diplômes. Dans la rue, je peux aujourd'hui discuter avec un homme sans être immédiatement prise pour une prostituée. Même à l'Université, les rapports entre les garçons et les filles souffraient de cette pesanteur. On voit maintenant des femmes de tous âges militer, vendre des journaux dans les rues... Depuis l'agression irakienne, il y a un an, les femmes participent aux tours de garde dans les mosquées transformées en centres d'information et de secourisme. L'absence de la mère au foyer est une rupture avec la tradition. »

— *Sadighi :* « Il y a un an, en août 1980, j'ai suivi des cours de maniement d'armes dans la mosquée de mon quartier. Cela a duré deux mois, tous les jours. Des femmes de toutes conditions et de tous âges y participaient, croyantes et non croyantes, voilées ou non. J'ai été étonnée de leur degré de conscience politique et de la nature des rapports entre elles. »

— *Mehrnaz* : « La mosquée est traditionnellement un centre de contact social pour les femmes des milieux modestes. Tout un mouvement d'échanges concernant les affaires domestiques s'y produisait. A défaut de médecins on y consultait les anciennes. On y prenait conseil pour surmonter les détresses. De ce passé, la mosquée tient le rôle social et politique qui est encore le sien aujourd'hui. »

Rôle complexe. Notamment en raison de la composition du clergé qui détient la suprématie du pouvoir. L'action des intégristes, depuis le haut de la hiérarchie chiite jusqu'au niveau local, freine les progrès de la révolution iranienne. Progrès dont dépend aussi le statut de la femme.

L'avenir de cette révolution, qui a d'évidentes difficultés à se structurer, reste précaire. Assaillie par les nostalgiques de la dictature et par les complots que trame avec eux la CIA, affaiblie par les clivages et les contradictions internes, la révolution en Iran court des risques. Elle a pourtant fait incontestablement œuvre politique en renversant la dictature, en retirant l'Iran du dispositif stratégique de l'impérialisme et en prenant des mesures sociales progressistes.

Elle a aussi bousculé nombre de tabous...

Union soviétique

et la femme créa le socialisme
par Danielle Bleitrach*

Quelles sont les images privilégiées de la femme soviétique : d'un côté la blonde jeune fille aux longues tresses de l'ancienne Russie tsariste, une fille de boyard, d'aristocrate, qui joue les bergères ; de l'autre une énorme travailleuse, sans âge ni individualité, qui manie la pelle et la pioche, en faisant fi de toute coquetterie, un simple doublet d'une puissance barbare et menaçante : l'Union soviétique.

L'image largement répandue dans nos pays d'une femme soviétique mal fagotée, se livrant aux travaux les plus rudes, traduit et déforme la manière dont, dans un climat de sang et de tempête, des millions de femmes sont entrées dans la production, leur irruption sur la scène de l'histoire alors que la Russie tsariste les maintenait dans un état de claustration et d'asservissement. A cause de cette situation, les femmes étaient, selon le mot de Lénine, « l'élément le plus arriéré et le plus inerte » de l'ancienne société et pourtant elles ont construit le socialisme en se transformant dans le même temps.

* Maître assistant de sociologie à l'Université de Provence. Rédactrice en chef adjointe à l'hebdomadaire *Révolution*.

LES GUERRES ET LA CONQUÊTE DE L'ÉGALITÉ

L'entrée des femmes dans la production a été voulue par l'État soviétique. Les bolcheviks considéraient que la base de l'émancipation des femmes résidait dans le « passage du travail en exploitation privée, domestique, au travail social ». F. Engels écrivait que « l'affranchissement de la femme a pour condition première la rentrée de tout le sexe féminin dans l'industrie publique »[1], et Clara Zetkin se battait pour « l'indépendance économique des femmes »[2]. Ces thèses, développées par Lénine, ont servi de base à la politique de l'État soviétique à sa naissance. Une telle politique se heurtait à toute la réalité de la condition des femmes, non seulement dans les pays à tradition musulmane de l'Asie centrale, mais dans l'ensemble de l'Union soviétique où la situation des femmes était sans comparaison possible avec celle des femmes de notre pays à la même époque.

En 1922, le taux d'activité des femmes salariées ou faisant leurs études était de 27 % et, dans certaines régions d'Asie centrale comme le Tadjikistan, de 5 %. Selon le recensement de 1897, 55 % des femmes salariées travaillaient comme domestiques chez les propriétaires fonciers et chez les capitalistes, 25 % étaient filles de ferme, 13 % seulement travaillaient dans les entreprises et chantiers et 4 % dans les établissements d'enseignement ou la santé publique.

Aujourd'hui, 92,5 % des femmes d'âge actif de l'ensemble de l'Union soviétique travaillent dans l'économie nationale ou font leurs études et seulement 7,5 % s'occupent du ménage ou du lopin de terre privée. Elles sont présentes dans toutes les branches de la production, majoritaires dans certains secteurs d'activité comme l'enseignement, la médecine, l'architecture. Leurs salaires sont égaux à ceux des hommes.

C'est le résultat à la fois d'une politique volontaire de l'État soviétique et des effets de la Deuxième Guerre mondiale. Après la guerre civile qui avait ruiné une économie nationale déjà sous-développée, entraînant famine et chômage, le projet de faire entrer des femmes dans la production n'allait pas sans difficultés : il a fallu, par exemple, que l'État soviétique définisse d'autorité un quota obligatoire d'emplois féminins pour les entreprises industrielles, cette mesure étant destinée à combattre

---

1. F. Engels, *L'origine de la famille, de la propriété et de l'État,* Éditions sociales.
2. Clara Zetkin, *Bataille pour les femmes,* Éditions sociales, Paris 1980.

certains administrateurs qui ne voulaient pas engager des femmes en arguant le chômage des hommes. On ne peut avoir une politique d'émancipation féminine aussi volontariste par rapport à l'état réel de développement économique et culturel que dans le cadre d'un effort global d'industrialisation. Ce fut le cas à partir de la NEP (Nouvelle économie politique) et des années trente.

On ne comprend rien à l'Union soviétique si l'on ne saisit pas l'impact qu'a eu la Deuxième Guerre mondiale sur ce pays qui émergeait à peine de la guerre civile. La manière dont elle a pesé sur le sort des femmes soviétiques et dont elle continue, encore aujourd'hui, à modeler leurs aspirations. Durant la Deuxième Guerre mondiale, les pertes humaines ont été effrayantes, plus de vingt millions de morts, surtout des hommes jeunes. Dans la tranche d'âge de 35 à 40 ans, on comptait en 1959 quatre hommes pour sept femmes. Dans les républiques occidentales, le potentiel industriel péniblement édifié aux lendemains de la guerre civile était à nouveau réduit à néant. C'est pourquoi l'on peut dire que l'Union soviétique telle que nous la connaissons aujourd'hui a été largement l'œuvre de ses femmes.

Le déséquilibre entre les hommes et les femmes a eu de multiples incidences sur l'accélération de l'entrée des femmes dans la production, sur la mixité des emplois, sur la natalité et plus généralement sur les conditions de vie. La guerre a accéléré, jusqu'à l'insoutenable, la politique de l'État sur l'emploi féminin, sur la mixité de ces emplois : les femmes sont descendues dans les mines, à la campagne elles ont dû parfois tirer la charrue comme des bêtes de somme. Les femmes soviétiques sont aujourd'hui les femmes du monde qui participent le plus à l'économie de leur pays, celles qui connaissent la plus grande égalité profession-nelle, mais de la guerre civile à la Deuxième Guerre mondiale, elles ont conquis cette égalité dans des conditions dramatiques.

Si les conséquences de la guerre sur l'emploi des femmes sont évidentes, qui pourra jamais mesurer les effets de la perturbation du marché matrimonial, les tragédies personnelles des femmes condamnées au célibat, à la non-maternité, leurs efforts physi-ques dans le froid et la faim. Cette tension douloureuse a permis à un peuple de sortir du sous-développement tout en affrontant la plus terrible des guerres. Il y a quelque tartuferie à analyser la réalité de la démocratie en URSS aujourd'hui sans vouloir tenir compte de cette accélération de l'histoire dans la construction du socialisme.

C'est aujourd'hui que cette démocratie devient une exigence, à cause du développement même et des individus nouveaux qu'il produit. Cette exigence démocratique n'est pas seulement politi-que, elle concerne les modes de vie, les rapports entre les hommes et les femmes, la création d'une nouvelle famille. La femme soviétique aspire à un peu moins d'héroïsme et un peu plus de douceur de vivre et surtout à la paix mondiale, condition indispensable à la réalisation de cette nouvelle étape.

Un jour, une héroïne biélorusse qui, à dix-huit ans, était à la tête d'un régiment de partisans, m'a dit : « Nous voulons de vrais hommes et de vraies femmes ! » J'ai été choquée par cette phrase que j'ai vécue comme un retour en arrière, un refus de son propre passé. Mais après avoir écouté le récit de sa vie, sa solitude, après avoir vu dans toute la Biélorussie les traces du martyr subi pendant la Seconde Guerre mondiale, j'ai compris et je n'ai pas eu envie de sourire quand elle m'a dit : « Nous avons besoin de l'odeur des hommes, de leur voix. Notre beauté ça a été notre courage. »

LA MIXITÉ DES EMPLOIS

C'est pourquoi les femmes soviétiques considèrent comme un acquis la possibilité qui leur est offerte de céder les places dures et dangereuses. L'interdiction de certains métiers pénibles ou dangereux pour la « fonction maternelle » est vécue comme un progrès. Une liste de ces métiers a été établie en 1932 et revue en 1978. Les interdictions n'ont été appliquées qu'en 1981 pour permettre, durant ce laps de temps, la reconversion. La liste est d'ailleurs revue : quand un métier se mécanise, il est admis que des formations correspondant à ce métier, donc des emplois, sont alors offerts aux femmes. Excepté cette liste, la mixité est théoriquement totale.

Les Soviétiques sont toujours étonnés des réticences des femmes françaises devant l'existence d'une liste de métiers interdits, ils ne se rendent pas compte que dans un système où règne l'exploitation capitaliste la non-mixité des emplois s'exerce le plus souvent aux dépens des femmes. Il est vrai que notre suspicion à l'égard de cette limitation est beaucoup plus le fait des intellectuelles que des femmes qui travaillent directement dans la production et qui ont une conscience plus aiguë du caractère pénible et dangereux de certains travaux.

La vie professionnelle des femmes en Union soviétique est différente de la nôtre. D'abord, il n'y a pas de chômage et une jeune fille qui fait des études sait qu'elles aboutiront à un métier et qu'elle ne sera pas confrontée, sur le marché de l'emploi, à une quelconque discrimination sexuelle touchant ses capacités à l'assumer en tant que femme. Une autre caractéristique de la société soviétique réside dans le fait que le travail va de soi pour une femme et que celle-ci n'imagine pas de réalisation personnelle sans la prise en compte de cette dimension de sa personnalité. Toutes les enquêtes faites auprès des femmes soviétiques montrent que leur définition de la « féminité » place au premier plan les responsabilités professionnelles de la femme. C'est seulement après que viennent d'autres qualités comme la beauté ou la douceur.

Il y a eu une enquête parallèle en France et en URSS. Interrogées sur la réussite qui leur paraît la plus importante pour une femme, à savoir la réussite familiale ou professionnelle, 86 % des femmes soviétiques ont répondu « les deux parce qu'elles se complètent ». Les femmes françaises ont choisi majoritairement « la réussite familiale ».

Un sondage d'opinion effectué dans quatre entreprises textiles de Kostroma a montré que de nombreuses femmes ne voudraient pas abandonner leur travail pour s'occuper entièrement du ménage et de l'éducation des enfants. A la question : « Continueriez-vous de travailler si votre mari gagnait à lui seul autant que vous gagnez à deux en ce moment ? », 70 % des femmes interrogées ont répondu affirmativement ; 22 % négativement. [3] Selon les données d'une enquête analogue effectuée en Moldavie, 70 % des femmes ne voudraient pas cesser de travailler même en jouissant d'une totale aisance. Parmi les jeunes, ce pourcentage est encore plus élevé. [4]

Il y a eu une augmentation considérable de la durée du congé de maternité : il est aujourd'hui de 112 jours payés intégralement et on a commencé à mettre en œuvre le paiement partiel pour une année pleine, avec l'assurance de retrouver son travail et son ancienneté. Mais on s'est aperçu que la plupart des femmes refusaient cette année entière, préférant se rendre à leur travail. On s'oriente désormais vers un accroissement du temps libre des femmes ou des hommes ayant des enfants en bas âge, mais sans interrompre l'activité.

Quant à la mixité des emplois, elle atteint des proportions inconnues en France. 77 % des opérateurs de machine transferts et 42 % des ingénieurs et mécaniciens occupés dans des usines automatisées sont aujourd'hui des femmes. L'automatisation joue un grand rôle dans l'accession des femmes à des métiers et à des branches d'activité considérées comme « masculines ». Car la mixité des emplois est en fait moindre que ce que les statistiques peuvent laisser croire : il y a beaucoup de femmes

3. Communion au VIIᵉ Congrès international de sociologie de Varna en 1970.
4. N. Chichkan, *Problèmes sociaux et économiques du travail féminin dans les villes de Moldavie*, Kichinev, 1969.

ajusteurs, ouvriers d'entretien, ce qui est impensable en France. Mais l'observation montre que cette présence féminine est liée à un matériel de faible dimension, facilement maniable par des femmes. Ainsi, dans l'atelier de polissage de la première usine d'État de roulements à billes, 30 % des ajusteurs sont des femmes, mais dans la même usine, aux tours où l'on produit des paliers à billes de grande dimension, il y a peu de femmes ajusteurs.

L' « ÉTERNEL FÉMININ » ?

Il existe une non-mixité spontanée qui pousse les filles vers les professions littéraires et artistiques, l'enseignement mais aussi la médecine (71 % de femmes). Le gouvernement tente de corriger cette tendance en favorisant l'accès des garçons à des métiers « féminins ». La généralisation de l'enseignement général de dix ans, qui est à peu près totale, devrait également se traduire par une modification de tendance puisque les filles qui ne font pas le service militaire considèrent qu'elles ont plus de temps d'étude et répugnent à entrer dans les cycles courts (huit ans) de l'école technique et professionnelle, préférant l'enseignement général. C'est ainsi que même les travailleuses de l'industrie âgées de moins de trente ans ont en moyenne 9,8 ans de scolarité. Il n'en demeure pas moins que toutes les femmes que j'ai rencontrées m'ont déclaré vouloir exercer des métiers qu'elles considéraient comme « féminins », en général plus intellectuels et moins manuels.

Cette propension des femmes à choisir des « métiers intellectuels » peut engendrer des disparités de salaire puisqu'en général les métiers intellectuels sont en début de carrière moins bien rémunérés que les métiers manuels (170 roubles mensuels pour un médecin, 200 roubles pour une trayeuse de vaches). La différence s'estompe et même se renverse quand le travailleur intellectuel acquiert spécialisation et même ancienneté. Mais les charges familiales empêchent les femmes d'acquérir des spécialisations plus poussées et cela peut se traduire par des blocages de carrière et donc peser sur les salaires.

J'avais étudié en France les conditions de travail d'ouvrières travaillant à la fabrication des transistors, j'ai demandé à rencontrer leurs homologues en Union soviétique. Les différences étaient de taille : en France, des femmes fixent des pièces à travers le binoculaire, tandis qu'elles passent devant elles à une cadence accélérée, chaque femme soudant toujours le même point. Le travail à la chaîne. Ces femmes étaient des OS sans qualification officielle. Mais la plupart d'entre elles mettaient en œuvre, sans le savoir, des compétences de couturière, de brodeuse, de tricoteuse, acquises dans la sphère domestique et donc non reconnues par le patronat. Leur résistance à ce travail monotone dépendait de leur capacité à accomplir des gestes précis en rêvant à leur foyer, à leurs amours. Il n'était plus question de penser, mais de supporter solitude, fatigue nerveuse et automaticité du geste, en laissant la pensée flotter. La chaîne, comme le travail au foyer, supposent le photo-roman.

En URSS, il n'y a plus de chaîne, un petit train contenant les pièces à souder passe et repasse devant les travailleuses qui montent un ensemble complet dans le temps qui leur convient. J'ai interrogé une de ces travailleuses, calme, maquillée, et je lui ai demandé si elle aimait son travail, elle m'a répondu : « Oui ! parce qu'il est féminin ! », « Pourquoi, parce qu'il vous permet de rêver ? » Elle a éclaté de rire en me disant « Oui ! »

S'agit-il d'une revanche de la jeune fille aux longues tresses, de « l'éternel féminin » ou d'un modèle de la femme qui a la vie dure. Qui peut savoir ? Ce qui est sûr c'est que cette définition du masculin et du féminin court dans toute la société soviétique. Une amie me racontait que sa fille avait beaucoup de peine à mener de front ses études et sa formation musicale : « Elle veut abandonner parce qu'elle ne se servira pas professionnellement de la musique, mais je l'encourage à continuer car une jeune fille musicienne est toujours très appréciée en société. » Cet exemple est peut-être mal choisi, puisque l'ensemble de la formation musicale des jeunes est considérée comme très importante. Dans toutes les crèches et jardins d'enfants, il y a un professeur de musique qui a reçu une formation spécialisée. L'enfant est initié à la musique dès l'âge de un an afin de développer son oreille musicale et son sens du rythme. Le merveilleux « don » des soviétiques pour le chant et les langues vivantes n'a peut-être pas d'autre origine.

De toute façon, dès que l'on parle de l'URSS il faut toujours corriger la minute d'après ce que l'on vient d'avancer. Cette tendance spontanée à la définition de ce qui est féminin et de ce qui ne l'est pas, ne coïncide pas nécessairement avec nos propres critères. Il faut comprendre que dans ce pays que nous connaissons si mal se sont écrites et continuent de s'écrire des pages importantes de la libération des femmes et donc de celle de l'humanité. Une nouvelle image de la femme, de ses possibilités, a surgi de cette Révolution. Depuis les années trente apparaissent des femmes océanographes, pilotes, géologues, diplomates, capitaines au long cours, directrices d'entreprises, jusqu'à Valentina Téréchkova qui a montré que le cosmos n'était pas interdit aux femmes ; j'ai eu l'occasion de discuter avec Valentina, nous avons parlé de la conquête de la Sibérie, de la domestication des fleuves d'Asie centrale. Cette femme fragile, très « féminine », au sens traditionnel du terme, s'animait en évoquant les réalisations techniques et la conquête des terres vierges.

Car, non seulement l'Union soviétique en a terminé avec l'analphabétisme des femmes, leur claustration dans l'univers domestique, — ce qui est déjà un immense progrès par rapport à la situation générale des femmes dans le monde —, mais elle a su créer un nouveau rapport des femmes aux sciences, aux techniques, à la production matérielle, ce qui constitue une grande avancée par rapport à la situation des femmes françaises qui sont le plus souvent amputées de cette part essentielle de la connaissance et de l'aventure humaine.

J'ai visité à Moscou une usine de tapis, très automatisée. J'ai, à cette occasion, discuté avec le P-DG, les ingénieurs, toutes des femmes. Notre discussion a exclusivement porté sur l'introduction des robots et des automatismes, sur l'élévation de la productivité grâce à la réorganisation du travail, grâce à l'allègement de la peine des travailleurs. Elles étaient étonnées de mon intérêt pour ces questions : « Les françaises ne veulent pas visiter les entreprises ; quand elles acceptent, le plus souvent elles se promènent sans voir ce qui s'y passe, on sent qu'elles n'en perçoivent ni les enjeux, ni les innovations, ni les problèmes. »

Je leur ai expliqué qu'il s'agissait des effets de l'exploitation capitaliste dans la mesure où en France, comme dans la plupart des pays capitalistes, l'essentiel de la production est dominé par cette exploitation. Les capitalistes n'engagent pas de femmes à des postes de responsabilité, leur réservant les postes monotones, pénibles, sous-qualifiés. Ce qui fait que peu de femmes choisissent des carrières d'ingénieurs pour lesquels elles n'ont pas de débouchés. L'essentiel de la promotion récente des femmes françaises s'est faite grâce à l'extension de la fonction publique. Tous les métiers qui ne dépendent pas de cette fonction publique échappent largement aux femmes dès qu'il s'agit de postes impliquant décisions et responsabilités : c'est ainsi qu'une profession qui, en URSS, est considérée comme particulièrement « féminine », celle de médecin, n'est pas en France occupée majoritairement par des femmes, mais par des hommes.

LE RÔLE DE L'ENTREPRISE
DANS LA VIE QUOTIDIENNE

De fait, dans notre pays, l'exploitation capitaliste entretient une conception de la personnalité féminine qui paraît très réactionnaire aux soviétiques puisqu'elle présuppose une coupure entre la femme et le travail par excellence, celui de la transformation de la matière. C'est une approche différente à la fois philosophique et morale puisque pour les Soviétiques l'individualité consciente naît de la complexification de la matière et l'individu ne devient une personnalité que lorsqu'il comprend sa fonction sociale, quand il est conscient de sa participation à l'histoire. C'est par le travail que l'homme, en transformant la nature, se transforme lui-même. Si l'homme est en guerre contre son travail, s'il n'en perçoit pas la fonction sociale, si celui-ci ne favorise pas des relations harmonieuses, il est amputé d'une part essentielle de sa personnalité.

Ces raisons philosophiques sont relayées dans la réalité soviétique par l'organisation de la vie quotidienne à partir du lieu du travail. Pour une femme soviétique, les amitiés de travail, les bonnes relations dans l'atelier ou le bureau, sont aussi indispensables à son équilibre que sa vie familiale ou personnelle. Tous ceux qui ont visité des entreprises soviétiques ont noté l'atmosphère de flânerie qui s'en dégage. La plupart des observateurs l'ont attribué à une incapacité productive du système socialiste, alors qu'il s'agit en réalité d'une tout autre conception de ce qu'est la vie au travail, de ce qu'un individu peut en attendre.

Aujourd'hui, non seulement il n'y a pas de chômage en URSS, mais la main-d'œuvre est rare, les entreprises cherchent à la stabiliser. C'est pourquoi elles ont pris l'habitude de faire face aux nouvelles exigences de consommation des travailleurs. Traditionnellement, il est admis que l'entreprise doit fournir des services sociaux collectifs, mais face à la rareté de la main-d'œuvre, elle a été conduite à élargir ses domaines d'intervention pour compléter la planification étatique et souvent en corriger les insuffisances.

Les entreprises créent des logements, des écoles, des crèches, des dispensaires, des colonies de vacances, etc. Dans les kolkhozes, on tente de regrouper les logements isolés autour d'écoles, de centres culturels, de crèches, à l'isba succède le petit immeuble collectif. Si ce regroupement favorise les transports et l'organisation des équipements, cela entraîne une modification des modes de vie : les jeunes couples ne veulent plus être astreints à s'occuper de leur lopin privé et de leur cheptel personnel, ils veulent prendre des vacances. Et quand l'on sait le rôle joué par cette économie privée dans la distribution, la manière dont elle en corrige les insuffisances, on conçoit que cette évolution pose de nouveaux problèmes. Car suivant les républiques, les problèmes de distribution sont plus ou moins aigus.

Si les républiques baltes et celles de l'Asie centrale connaissent une situation privilégiée, la Russie et la Biélorussie sont moins favorisées, en particulier dans le domaine de l'approvisionnement en fruits et légumes. Il n'y a pas d'inflation et les prix connaissent une remarquable stabilité ; il n'y a pas pénurie des produits de première nécessité, mais désormais les Soviétiques veulent plus de choix et de variété. Ce sont les femmes qui font la plupart du temps les courses et elles sont à la recherche des produits qui leur paraissent sortir de l'ordinaire, plus raffinés. Elles y passent beaucoup de temps. Pour répondre à ces difficultés de distribution, les entreprises ont créé des centres commerciaux où l'on trouve alimentations, drogueries, laveries, cordonniers, etc. Une innovation récente, qui a connu un grand succès, a été la création de salons de coiffure dans les grandes entreprises et les administrations à dominante féminine. Non seulement la cantine est gratuite, mais elle fournit souvent les repas du soir pour la famille sous forme de plats tout préparés.

Car il faut comprendre que si la société socialiste soviétique a choisi l'entrée massive des femmes dans la production, la mixité des emplois, c'est à travers des préoccupations sociales et idéologiques mais aussi comme une nécessité pour le développement du pays, l'utilisation maximale de ses capacités productives. Cela n'a pas été sans mal. Dans les secteurs ruraux, où la résistance à la mixité des emplois a été la plus forte, « on organise des campagnes pour donner du prestige à la profession d'opératrice de machines, on s'efforce d'attirer les femmes avec la promesse de leur confier des tracteurs où leur nom serait inscrit (...). Beaucoup de bruit accompagne les compétitions pour le titre de meilleur opérateur de machines, notamment quand il s'agit d'hommes et de femmes qui sont opposés (...) dans le district de Kirov, 225 femmes ont été attirées par les conditions ainsi créées, mais dans le district de Lipetsk, plus de 1 000 combinés étaient à l'arrêt faute d'opérateurs. »[5]

Cet exemple, comme la plupart de ceux qui sont donnés ici sur les campagnes idéologiques, peut frapper par la naïveté des moyens mis en œuvre, pourtant il nous renseigne en fait sur l'existence d'une autre conception des rapports de l'individu à son travail. Les stimulants matériels jouent un rôle important, mais ils s'accompagnent toujours d'une valorisation sociale, dont le meilleur exemple est fourni par les tableaux d'honneur où sont affichées les performances des travailleurs avec leurs photos. Il s'agit d'abord de ne pas laisser tourner l'appareil de production, les machines, en deçà de leur capacité. La mixité des emplois joue un rôle essentiel.

D'où l'importance des crèches. Il ne faut pas exagérer la

5. *Revue d'études comparatives Est-Ouest,* 1979, n° 3.

diffusion de ces réalisations dans l'ensemble du pays puisque l'on sait qu'en 1970 l'utilisation des services par les paysans n'atteignait que 39 % de celle des citadins. Elles dépendent de la richesse de l'entreprise industrielle ou agricole. Christine Revuz dans son livre *Ivan Ivanovitch écrit à la Pravda* cite la lettre de mères de la province de Donetsk qui réclament l'ouverture d'une crèche : « Pendant de longues années, il n'y a pas eu de crèche dans notre village. Mais voilà qu'on construisit un nouveau bâtiment pour abriter les bureaux du kolkhoze et qu'on décida de mettre l'ancien à la disposition des tout-petits. » La lettre ajoute que les mères s'étaient réjouies un peu tôt puisque la maison fut utilisée successivement comme séchoir pour les grains, logement pour les travailleurs saisonniers, centre médical et les mères de conclure : « Bien sûr, c'est très bien d'avoir un médecin, une infirmière. Mais la direction du kolkhoze, le comité exécutif du soviet de district doivent quand même se préoccuper des tout-petits. Du fait que des dizaines de femmes n'ont personne à qui confier leurs enfants, le kolkhoze est privé du bénéfice de leur travail. »[6]

Une telle lettre prouve que l'observateur de la société soviétique ne saurait se contenter de visites dans des entreprises de pointe pour connaître la vie quotidienne des travailleuses. Mais elle témoigne également du fait de la diffusion, dans l'ensemble de la société, de certaines revendications quant aux conditions de travail des femmes. Peut-on imaginer, en France, un groupe de paysannes écrivant à la télévision pour se plaindre de l'absence de crèche dans leur hameau et la télévision prenant en compte leur revendication ?

Les crèches sont couplées avec les jardins d'enfants. L'ensemble accueille les enfants de trois mois à six ans. En 1977, il y avait 12 672 000 places dont 3 679 000 pour les moins de trois ans. Le rythme d'accroissement des places est d'environ 500 000 par an. La contribution aux frais versés par les parents se monte à 5 % du salaire du chef de famille. Un effort particulier est fait actuellement pour multiplier ces établissements dans les campagnes.

C'est pourquoi l'entreprise assume souvent la création de ces crèches et jardins d'enfants, mais également des colonies de vacances où les enfants peuvent passer leurs vacances pendant que les parents continuent à travailler. Pour ses propres travailleurs, elle prévoit de plus en plus des zones de repos et de loisirs.

Ce lien privilégié que l'entreprise tisse avec les familles va encore plus loin puisque, pour accroître la stabilité des travail-

6. Christine Revuz, *Ivan Ivanovitch écrit à la Pravda,* Éditions sociales, Paris 1980, p. 46.

leurs, elle encourage la formation de *dynasties,* ce terme monarchique désignant les familles de travailleurs dont plusieurs membres et générations travaillent dans la même usine. Cet encouragement a lieu non seulement grâce à l'embauche, mais aussi par l'attribution de bourses qui permettent à un enfant d'ouvrier d'être ingénieur dans la même usine que ses parents. Les implications sur la hiérarchie sont évidentes.

L'entreprise apparaît comme le lieu où la lutte contre les pesanteurs bureaucratiques de la vie quotidienne a le plus d'efficacité. Il y a, dans nombre d'entre elles, l'amorce de tendances autogestionnaires que l'on imagine mal en France dans la mesure où l'on ignore tout du rôle réel des travailleurs, des syndicats, du parti, dans la gestion d'une entreprise soviétique, dans la mesure aussi où dans notre pays l'entreprise organise sa rupture avec le reste de la société, devient un monde abstrait pour ses travailleurs.

En URSS, la gestion des fonds sociaux de l'entreprise concerne directement ses employés puisque, grâce à eux, s'organise une consommation parallèle à celle que l'on trouve dans les magasins d'État. Mieux, c'est le plus souvent grâce à ces fonds sociaux que le travailleur peut obtenir les deux « objets » de consommation les plus prestigieux du moment : *la datcha* ou résidence secondaire pour laquelle l'entreprise fournit les terrains qui appartiennent à la collectivité, et la voiture puisque c'est l'entreprise, en étroite collaboration avec les syndicats, qui établit les listes d'attente. Et comme de la gestion des fonds sociaux, de leur plus ou moins grande importance, dépendent de la productivité de l'entreprise, on conçoit l'intérêt des travailleurs pour sa bonne marche. D'où l'exaspération devant les pièces qui manquent, les passe-droits, l'incompétence de certains gestionnaires que reflète le courrier des lecteurs des différents journaux.[7] La lecture de ces courriers, auquel il est obligatoire de répondre et qui aboutissent souvent à des enquêtes, témoigne à la fois des insuffisances bureaucratiques de cette société et de l'intérêt passionné que les citoyens de ce pays portent au monde du travail, leur volonté d'intervention systématique.

La communication entre une femme soviétique et une femme française est souvent rendue difficile quand la femme soviétique se rend compte que la vie dans l'entreprise n'intéresse pas les françaises puisque, pour elle, une part essentielle de sa vie sociale, de ses relations passe nécessairement par cette connaissance. Ce que nous considérons en France comme des sujets de discussion typiquement « féminins » — à savoir la mode, les relations sexuelles ou sentimentales — intéressent les femmes

---

7. Cf. *Ivan Ivanovitch écrit à la Pravda,* ouvrage cité.

soviétiques, mais il ne s'agit que d'une partie de leur propre vie qu'il s'agit d'abord de concilier avec les investissements professionnels.

La dernière fois que je suis allée à Moscou, par exemple, toutes les femmes échangeaient leurs régimes amaigrissants. Les enfants sont omniprésents dans leurs préoccupations. Les questions les plus difficiles à aborder sont celles qui ont trait à la vie sexuelle car elles apparaissent toujours sur un fond d'affectivité et de sentimentalité. Les femmes russes sont très pudiques et elles ne supportent pas de détacher les problèmes sexuels de l'investissement moral et affectif qui leur paraît largement prioritaire. Je ne suis pas sûre que cette pudeur, au demeurant parfaitement légitime, ne soit pas le signe également d'une difficulté à maîtriser l'évolution des relations sociales et leur incidence sur le couple et la famille. Car le véritable problème pour les femmes des républiques occidentales demeure leurs difficultés à concilier leur vie de femme, la maternité avec leur vie professionnelle.

COMMENT CONCILIER LA MATERNITÉ ET LA VIE SOCIALE?

Le faible taux de natalité et l'augmentation des divorces dans les grandes villes apparaissent aujourd'hui comme les deux problèmes importants qui se posent aux républiques occidentales : la famille serait-elle en crise ?

Pour expliquer le faible taux de natalité, ici aussi, il faut parler de la guerre. La disparition de millions d'hommes jeunes a essentiellement frappé les républiques qui ont subi l'invasion nazie, peu d'enfants sont nés entre 1941 et 1946. Au recensement de 1970, on constatait que dans le centre de la Russie et en Biélorussie, la population n'avait pas retrouvé son niveau de 1940. L'URSS est un pays très jeune : plus de la moitié de la population a moins de trente ans, c'est-à-dire n'a pas connu la Deuxième Guerre mondiale, et les quatre cinquièmes sont nés après la Révolution, mais ces événements sont constamment présents dans les mémoires et les discours. Dans les écoles, dans les entreprises industrielles ou agricoles, une pièce est le plus souvent consacrée à une sorte de mémorial de la collectivité.

Quand vous discutez avec une femme soviétique, au bout de quelques minutes, elle vous parle de sa famille, de la manière dont elle a été frappée par la guerre civile et par la Deuxième Guerre mondiale. Cette dernière est omniprésente en Biélorussie qui a payé le plus lourd tribut à la lutte contre le nazisme.

Le taux de natalité de l'URSS se maintient à un chiffre très supérieur à la moyenne des pays occidentaux, mais cette croissance globale masque un profond déséquilibre entre les pays européens et les républiques transcaucasiennes, celles d'Asie centrale, où le taux de natalité est particulièrement élevé.

Mais les effets de la guerre ne sont pas seuls en cause dans l'explication de ce faible taux de natalité en Occident. La raison prioritaire semble en être la difficulté pour les femmes des zones européennes à concilier leur vie familiale et leur vie professionnelle. La question est plus cruciale dans la mesure où l'Union soviétique est un pays qui manque de main-d'œuvre pour conquérir ses terres vierges. La société soviétique socialiste est désormais condamnée à innover, à créer une nouvelle famille.

Un démographe soviétique, que j'interrogeais sur ces phénomènes, m'a déclaré : « La participation des femmes à la production a été un des buts de l'État soviétique en vue de leur émancipation, elle a été un moyen de l'industrialisation du pays. Mais des faits particuliers comme les guerres sont venus accélérer ce processus qui s'est déroulé sur la vie d'une génération. Cela a créé des tensions à l'intérieur de la famille. Les femmes soviétiques ont vécu une contradiction de plus en plus douloureuse entre leur rôle de mère, d'épouse et leur participation à la vie sociale. Pendant très longtemps nous n'avons pas été très conscients de l'existence de cette contradiction, de son approfondissement : le taux de natalité est resté bon jusqu'à la fin des années cinquante, la famille paraissait solide. En fait, les gens réagissaient en fonction de modèles antérieurs à une situation pourtant nouvelle. Aujourd'hui, nous sommes confrontés à un risque de diminution de la population active à l'horizon 86, qui risque de peser sur notre développement et cela nous amène à réfléchir à ces questions. »

L'hypothèse générale de travail est que la femme ne doit renoncer ni à ses rôles familiaux ni à ses rôles professionnels et qu'il faut donc transformer le partage des tâches à l'intérieur de la famille. On se doute qu'un tel projet se heurte à la réalité concrète, aux modèles culturels. Il y a d'abord ceux que le discours officiel stigmatise sous le vocable de « couples réactionnaires », c'est-à-dire ceux qui considèrent que l'essentiel du travail domestique doit peser sur les épaules féminines. Mais le problème dépasse ces « brebis galeuses » et touche l'ensemble des ménages.

Je nous revois toutes les trois, Galina la Russe, Mansour la Tadjik et moi la Française, nous étions allées au cirque de Duchambé, capitale du Tadjikistan, en Asie centrale. Il y avait une femme-clown, une artiste moscovite, une sorte d'Auguste intervenant entre chaque numéro. [8] Son partenaire, Monsieur Loyal, l'interrogeait : « Aimez-vous le théâtre ? le cinéma ? la lecture ? », etc. A chacune de ces questions la femme-clown répondait invariablement : « Non ! » et à la fin elle disait : « Je vais vous expliquer : nous les femmes, nous préférons *les loisirs actifs.* » Et elle faisait le tour de la piste au pas de course, en prenant au passage des filets à provision chargés de légumes et de produits de nettoyage. Monsieur Loyal se contentait de lui fournir un joug pour la charger plus commodément. Scène suivante : elle arrivait en tenue de soirée, en se regardant dans une glace, et déclarait : « J'ai reçu le prix de beauté ! » Monsieur Loyal mettait un genoux à terre et lui déclarait son amour. Elle acceptait en minaudant. Le temps de se retourner et elle se retrouvait avec le joug sur les épaules. Le public tadjik riait beaucoup. Galina, Mansour et moi en faisions autant : un langage universel en quelque sorte.

Ces derniers temps, les enquêtes sociologiques sur le terrain se sont multipliées pour analyser ce problème du travail domestique. L'une d'entre elles montre que dans les familles interrogées le mari et la femme s'occupent en commun, dans 49,7 % des cas, des soins à donner aux enfants et de leur éducation, dans 32,3 % de préparer à manger, dans 55,6 % de laver la vaisselle, dans 34,2 % de faire le ménage, dans 16,1 % de faire la lessive, dans 35 % d'acheter des objets d'usage ménager, d'apporter le linge à la blanchisserie, dans 25 % des cas de nettoyer à fond le logement. En outre, dans de nombreuses familles, les hommes font tout seuls les différents travaux énumérés : les pourcentages s'échelonnent alors de 12 à 30 %. [9]

On voit que la situation des femmes des républiques occidentales est dans le domaine du partage des tâches plus favorable que la nôtre. Mais il faut aussitôt ajouter qu'il est quasiment impossible d'avoir une femme de ménage en Union soviétique, aucun particulier ne fournissant les salaires et surtout les avantages sociaux des entreprises. De surcroît, pour une travailleuse soviétique, les relations sociales à l'intérieur de l'entreprise jouent un rôle prioritaire. Choisir la profession de femme de ménage chez des particuliers lui paraît sans doute relever de la schizophrénie ou du masochisme domestique.

---

8. Notre orgueil national dût-il en souffrir, nous devons constater que, malgré les dires de nos journaux, Annie Fratellini n'est pas la seule femme clown du monde. Il est vrai que sur ce point les Soviétiques sont aussi chauvins que nous puisqu'ils affirment également que leur femme clown est la seule au monde...

9. L'enquête a été menée de 1969 à 1974 à Moscou et dans les villes de la région moscovite (Egorivsk, Doubna). Elle a touché environ 2 500 femmes travaillant dans la production.

Les enquêtes sociologiques ont montré que dans les familles où la femme avait une vie professionnelle plus intense [10], la coopération des autres membres de la famille aux tâches domestiques était meilleure : chacun participe au travail domestique. On a plus recours aux établissements de service, on utilise mieux les appareils ménagers. Les travailleuses hautement qualifiées qui dirigent les machines et l'ensemble des processus technologiques, ainsi que les ingénieurs et les techniciens, les chefs d'atelier, de secteur et d'équipe « passent 2,5 à 3 heures par jour au travail ménager, à la préparation des repas ». L'enquête ajoute que « chez les travailleurs ayant un travail de moindre importance et une qualification peu élevée cette perte de temps est de 3,5 à 4 heures ». Mais à la question : « Vous est-il difficile de faire face à diverses obligations familiales ? », 10 % des femmes ont répondu « très difficile », 38 % « difficile », 52 % « passablement ».

LE PARTAGE DES TÂCHES MÉNAGÈRES :
UNE AFFAIRE D'ÉTAT

C'est pourquoi un des problèmes qui se pose désormais avec acuité dans les couples est celui des tâches ménagères. Il y a eu création d'entreprises de nettoyage des appartements, mais elles n'arrivent pas à faire face à la demande. Les femmes supportent de plus en plus difficilement d'assumer la double journée : « Nous travaillons comme nos maris, nous avons reçu la même formation, pourquoi est-ce que nous nous occuperions de la maison tandis qu'ils restent assis ! » m'ont-elles déclaré avec une belle unanimité.

Les gouvernements des républiques occidentales ont été alertés par la baisse inquiétante du taux de natalité et ils ont décidé non seulement de prendre des mesures d'encouragement à la maternité, de multiplier les services ménagers, mais encore de lancer de grandes campagnes idéologiques sur le partage des tâches domestiques à l'intérieur de la famille. En Biélorussie, le gouvernement organise des compétitions entre les garçons et les filles à propos des travaux ménagers, des soins à donner aux jeunes enfants. Ces concours sont retransmis à la télévision. Dans les écoles d'Estonie, de Lituanie, de Lettonie, d'Ukraine,

10. La définition de la vie professionnelle intense regroupe un certain nombre de critères : intérêt de la tâche, responsabilités syndicale et politique, dépassement des normes de production, relations sociales harmonieuses, etc.

les leçons d'arts ménagers qui s'adressent également aux filles et aux garçons « embrassent un vaste cercle de questions, commençant par l'éthique, les règles de bon ton et finissant par l'économie du ménage ». La palme revient sans doute à la Lituanie qui a créé des « facultés de culture familiale et domestique ». Il est vrai que dans ces républiques fédérées baltes — qui sont également celles dont le niveau de vie est le plus élevé de l'Union soviétique — environ 56 % des familles ont un enfant, et environ 34 % deux enfants. Mais la vague réformatrice qui prétend modifier les comportements masculins s'étend au-delà des zones qui connaissent des problèmes de natalité : par exemple au Daghestan, où le nombre moyen des enfants par famille est traditionnellement de 5 à 6, des conférences spéciales pour les hommes sont organisées sur le thème : « L'affection et l'estime pour nos mères, sœurs, fiancées et compagnes. » Il y a des assemblées de jeunes mariés et de jeunes pères au cours desquels ont lieu des concours d'Arts ménagers parmi les hommes. L'introduction du self-service dans tous les types d'établissements d'enseignement de l'URSS s'est faite au nom d'impératifs moraux : habituer les jeunes à se servir eux-mêmes sans attendre que la mère le fasse.

On peut sourire et douter de l'efficacité de telles campagnes, il n'en demeure pas moins que l'État soviétique, face à des problèmes de baisse du taux de natalité, ne fait pas pression sur un retour des femmes au foyer mais tente d'inventer une nouvelle famille. Il se bat contre une conception de la virilité dominante dans la plupart des pays qui composent l'URSS, conception qui jadis autorisait la brutalité, l'ivrognerie, voire le viol. Il encourage surtout les hommes à mieux assumer leur paternité en valorisant leur rôle de père.

C'est toute une conception nouvelle de la famille que l'on tente de dégager : celle-ci aurait des tâches « utilitaires » — le ménage, les courses, la cuisine — et une tâche « noble » ; l'éducation des enfants. Il faut réduire les tâches utilitaires et les partager également entre les membres de la famille, parents mais aussi enfants. Il faut utiliser les services développés par la collectivité mais aussi les appareils ménagers, pour que la famille puisse consacrer plus de temps à la tâche noble d'éducation des enfants. Cette tâche admet des rôles à la fois semblables et différents.

J'ai assisté à la rentrée des classes le 1er septembre à Moscou. C'est une véritable fête nationale : les enfants arrivent les bras chargés de fleurs. Ils portent l'uniforme des écoliers soviétiques : une robe noire pour les filles, un costume sombre pour les garçons. Les filles ont, pour les circonstances exceptionnelles comme la rentrée, un petit tablier blanc à volants qui forme cache-cœur sur la poitrine et d'énormes rubans blancs dans les cheveux. Un orchestre joue. La directrice fait un petit discours, puis elle passe la parole à une jeune vendeuse d'un magasin voisin qui est jumelé avec l'école. Celle-ci déclare que le magasin tout entier a les yeux fixés sur les écoliers, sur leurs résultats. Pour entrer en classe, la directrice tend aux nouveaux arrivants une grosse clé (la clé du savoir). Les élèves de la dernière classe prennent alors la main des tout-petits et tout le monde entre en chantant dans l'école. Les familles sont là, pères, mères avec les appareils photographiques. Nul ne va à son travail avant d'avoir accompagné sa progéniture à cette fête, les hommes comme les femmes. La directrice d'école m'a confiée qu'elle demandait — en cas de problèmes — à voir les deux parents, « car les deux ont un rôle à jouer ». Elle a ajouté qu'elle avait plus de mal à discuter avec les pères, bien que ceux-ci viennent autant chercher les enfants que les mères.

Les nombreuses revues pédagogiques qui s'adressent aux parents insistent sur la nécessité pour le père comme pour la mère de suivre l'enfant. Mais l'on met dans le même temps en évidence le rôle irremplaçable de la collectivité : il y est affirmé que les enfants dans les crèches ou les jardins d'enfants sont souvent plus éveillés que ceux qui restent à la maison ou sont gardés par la grand-mère. La collectivité, c'est-à-dire la réunion d'enfants d'âges différents est un facteur favorable à leur développement, et un des arguments en faveur de l'augmentation de la natalité, c'est justement la nécessité que les enfants d'une même famille s'élèvent mutuellement.

Il n'en demeure pas moins que le refus des familles nombreuses traduit sans doute l'émergence de nouvelles individualités, beaucoup moins centrées sur la collectivité et beaucoup plus sur l'épanouissement de leur personnalité. Les recherches démographiques consacrées au problème du planning familial ont relevé qu'en moyenne, en URSS, 42,5 % des travailleuses ont l'intention de n'avoir pas plus de deux enfants, et seulement 11,7 % quatre enfants. [11] Et encore, de tels chiffres regroupent les républiques occidentales et celles de la Caucasie ou de l'Asie centrale. La question du partage des tâches est importante, mais je crois que c'est l'ensemble de la personnalité, de son rapport à la vie sociale qui est en train de se transformer au fur et à mesure que le socialisme se développe.

Nous avons dit que les divorces étaient fréquents, les statistiques leur attribuent trois causes principales : l'alcoolisme du

---

11. G. Kisselva, « Un ? Deux ? Trois ? », *Littératournaïa gazeta* du 4 juillet 1973.

mari, la mésentente du couple et la cohabitation avec les parents. L'alcoolisme n'a pas augmenté, au contraire, mais le niveau culturel des femmes, leur indépendance et leurs exigences se sont accrus. Malgré les efforts accomplis dans le domaine du logement, subsistent des problèmes de cohabitation avec les beaux-parents. La cohabitation avec les belles-mères, veuves de guerre, a eu un moment un tel caractère de masse que les entreprises accordaient indifféremment un congé parental pour soigner un enfant malade à la mère, au père ou à la grand-mère. Mais désormais les jeunes ne veulent plus entendre parler de cette cohabitation. Une demande accrue de logements et de crèches se fait jour, comme d'ailleurs une soif plus grande d'objets de consommation. Les problèmes que les hommes et les femmes rencontrent dans leur vie de couple et que l'on regroupe sous le titre large de mésentente sont bien sûr multiples, mais ils sont souvent liés à l'évolution très rapide de la situation des femmes et au fait que les mentalités ne suivent pas le rythme.

Je me souviens d'une discussion que j'ai eue un soir d'automne dans les jardins qui entourent le Kremlin. Mon interlocutrice, Marina, une femme épanouie, aimant son métier et entourée de beaucoup d'amis, m'expliquait les raisons de son divorce et de son récent remariage : « Parfois, je me demande si nous les femmes soviétiques, nous ne sommes pas allées trop loin dans notre émancipation. Avec mon mari, nous avons fait les mêmes études à l'Université ; mais alors que moi je prenais de plus en plus de responsabilités, lui piétinait ou du moins, par rapport à moi, avait l'impression de piétiner. Peu à peu, il s'est renfermé, même face aux enfants. Ses amis, qui avaient fait ma connaissance, téléphonaient à la maison pour lui demander si j'étais là. Il est devenu jaloux. Un jour, il m'a dit qu'il était amoureux d'une toute jeune fille et il m'a quittée. Je l'ai vue, elle me ressemblait quand j'avais dix-huit ans. J'ai compris que c'était moi à cette époque qu'il croyait retrouver, mais c'était une illusion. Maintenant, il vit seul et moi je suis remariée. Je l'aimais énormément et je me sens coupable, je me demande si j'avais su si je n'aurais pas freiné mon propre succès pour rester à ses côtés ?... Je ne sais pas ?... J'adore mon métier et je ne pourrais pas le sacrifier à un homme !... »

Il ne s'agit pas seulement de la vie professionnelle mais aussi des loisirs. Si l'on compare le loisir des hommes et des femmes, on constate qu'ils dépensent à peu près la même quantité de temps libre, la différence entre eux ne dépassant pas 5 % de la totalité de ce temps libre. Mais les loisirs ne sont pas les mêmes et par exemple les femmes passent moins de temps devant les téléviseurs et fréquentent davantage les théâtres. Sept millions de personnes participent aux activités artistiques d'amateurs et la majorité sont des femmes [12]. Sans exagérer l'importance de tels indicateurs, on peut se demander si l'élévation du niveau culturel et intellectuel des femmes — qui subit, il est vrai, un incontestable coup de frein au moment de la maternité — ne vient pas accentuer les effets de l'accélération de leur participation à la vie professionnelle. Les cas semblables à celui de Marina ne sont pas rares et j'ai entendu plusieurs fois cette phrase : « Nos hommes souffrent ! »

La soif de « féminité » que manifestent les femmes des républiques occidentales s'explique à la fois par une revendication générale au mieux être et par la prise de conscience que les relations entre les hommes et les femmes doivent encore évoluer.

INSUFFISANCE RELATIVE DE LA PARTICIPATION A LA VIE POLITIQUE

Un autre signe de la difficulté éprouvée par les femmes à résoudre cette contradiction entre leur vie sociale et familiale est, sans doute, leur relativement faible participation aux responsabilités politiques. Là encore, ce qui est dit doit être aussitôt corrigé : la participation des femmes à la vie politique de leur pays est bien supérieure à celle des femmes françaises, mais elles sont inégalement représentées aux postes de responsabilité et, surtout, leur place dans la vie politique ne correspond pas à leur rôle économique.

S'il y a en effet 32 % de femmes députées au Soviet suprême de l'URSS, il n'y a pas de femmes au Bureau politique du Parti communiste, même s'il est vrai que l'âge de ses membres correspond à celui de l'époque héroïque où se construisait les conditions de l'égalité entre les hommes et les femmes. Il n'y a pas non plus de femmes ministres, mais seulement des femmes vice-ministres. En revanche, dans tous les soviets des républiques, il y a non seulement des femmes ministres mais souvent — comme dans la musulmane Kirghizie — leur proportion atteint et parfois dépasse les 50 %. Il y a seulement 30 % de femmes au Parti communiste ; chez les komsomols, en revanche, la parité est respectée. En règle générale (cf. tableau) plus on se rapproche des organisations de base, plus la présence des femmes est en augmentation, plus leur activité est réelle.

Les Soviétiques sont conscients de ce problème et, lors du

12. V. Bolgov, *Budgets de temps sous le socialisme. Théorie et méthodes d'investigation.*

dernier congrès du Parti communiste, Brejnev a souligné que l'on ne pouvait pas se contenter d'un tel état de fait. Il est attribué à la « fonction maternelle » qui éloigne les femmes jeunes des responsabilités. Pourtant, la plupart des enquêtes concernant en particulier la lecture des journaux et des revues montrent que les femmes soviétiques s'intéressent autant à la politique que les hommes et beaucoup plus que les femmes françaises. Car il faut bien souligner que ces chiffres — que nous considérons, avec les Soviétiques, comme insuffisants comparés à la situation française — témoignent d'une incroyable avancée de la participation des femmes à la vie politique. Ils ne sont insuffisants qu'en regard de la place des femmes dans la vie économique et culturelle de l'Union soviétique.

Si la moyenne de participation des femmes à la vie politique et aux postes de responsabilité s'établit entre 30 et 40 %, il y a là probablement encore plus un problème de générations que de rapport entre les hommes et les femmes. Et aussi une question de spécialisation : dans les Soviets des républiques, j'ai constaté que les femmes étaient fréquemment ministre de la Santé ou de l'Éducation ou encore du Développement industriel, mais leur participation aux problèmes concernant la politique étrangère ou la défense, qui se situent au niveau de l'URSS, est inexistante. S'agit-il là d'une « féminisation » spontanée qui pousse les femmes vers les implications les plus quotidiennes de la vie politique ou des effets d'un modèle culturel tellement présent que plus personne ne le voit ?

Dans aucun pays on ne peut isoler la question de la condition féminine de celle de la participation démocratique des citoyens. Dans la mesure où les femmes cumulent le plus d'obstacles objectifs et subjectifs à cette participation, leur présence témoigne de la plus ou moins grande réalité de cette vie démocratique. Sans vouloir forcer la démonstration, il ne me paraît pas inutile de noter que dans l'économie, la culture, tout ce qui a trait à la vie quotidienne, le rôle des femmes est l'égal de celui des hommes ; mais la vie politique a du mal à refléter cette égalité. Comme si, en URSS, la politique accusait un temps de retard sur le développement social.

Mais en notant ce retard, il faut également souligner l'importante contribution que ce pays a apporté à l'avancée de la démocratie en ce qui concerne l'égalité entre les hommes et les femmes : contribution quantitative puisqu'elle touche la moitié du genre humain, mais aussi contribution qualitative puisqu'elle élargit l'idée de démocratie jusqu'au travail et la famille au-delà du rapport du citoyen à l'État.

J'ai, jusqu'ici, surtout parlé des femmes des républiques occidentales, mais pour bien analyser ce que le socialisme apporte à l'émancipation des femmes, il nous faut également parler des républiques d'Asie centrale musulmanes. La manière dont, dans ces pays, le socialisme a su résoudre — souvent dans les pires difficultés — la question de l'accès des femmes à la vie sociale, suffirait à elle seule à expliquer ce que nous entendons par bilan globalement positif des pays socialistes.

L'ASIE CENTRALE : PLANTONS LE DÉCOR !

L'Union soviétique est un immense territoire qui s'étend de l'Europe à l'Extrême-Orient et du pôle Nord aux régions subtropicales. Des peuples, des nationalités différentes y coexistent, entre les républiques baltes (les plus européanisées) et les républiques d'Asie centrale, il existait au départ la même différence qu'entre les pays scandinaves et l'Afghanistan. C'est pourquoi, si l'on veut comprendre la richesse, la diversité de ce pays il nous faut élargir notre vision dans le temps et dans l'espace. Imaginez que vous avez pris l'avion à Moscou, survolé la steppe russe, les zones désertiques du côté de la mer d'Aral : des croutes brunes sur lesquelles des lacs salés se dessèchent en laissant une pellicule blanche, des zones de sable où des oasis comme celui de Tachkent font désormais d'immenses taches vertes qui gagnent sans cesse sur le désert. C'est la route fabuleuse des caravanes et des invasions, jalonnées de villes au nom prestigieux comme Samarcande. Nous atterrissons à Duchambé, la capitale du Tadjikistan. Regardez cette vieille photo : il y a un peu plus de cinquante ans, ici, il n'y avait qu'un marché rural avec quelques maisons en terre battue, des ornières sur lesquelles chevaux et ânes avançaient péniblement. Un pays dominé par les espaces désertiques : ceux des montagnes avec le Pamir dont certains sommets culminent à 7 000 mètres, mais aussi ceux des vallées creusées par de grosses rivières torrentielles, trop sauvages pour être domestiquées par le paysan. Le Tadjikistan est le château d'eau de l'Asie centrale, le lieu de naissance des deux grands fleuves capricieux que sont l'Amou-Daria et le Syr-Daria, mais cela ne l'empêchait pas d'être le lieu de prédilection des chacals, d'araignées et de scorpions monstrueux, de serpents venimeux.

Au niveau politique, la « faune » qui dirigeait ce pays n'était guère moins venimeuse : ce territoire, situé aux confins de l'empire tsariste, limitrophe de l'Afghanistan, était laissé à la juridiction de l'Émir de Boukhara, le tsar se contentant d'y entretenir des garnisons. L'Émir était un monstre de cruauté ;

tout son règne a résonné du cri des suppliciés. On raconte que lorsque, devant l'avancée des Bolcheviks, il a dû s'enfuir en Afghanistan, il exigeait tout au long de sa route que dans chaque village où il passait la nuit, il lui soit livré pour son plaisir un garçon ou une fille de neuf à onze ans. Il faut lire un des plus grands auteurs tadjiks dont l'œuvre, qui appartient à la littérature universelle, est trop mal connue en France, Sadriddin Aïni, pour comprendre la misère et la douleur qui régnaient dans ces contrées à la veille de la Révolution bolchevique. [13]

L'Émir s'appuyait sur une poignée de seigneurs féodaux qui, eux-mêmes, avaient comme relais dans chaque village un ou plusieurs propriétaires fonciers, contrôlant les canaux d'eau (ariks) desquels dépendent la vie dans ces zones désertiques. Quelques Tadjiks immigrés dans les chemins de fer ou les filatures de coton de Tachkent formaient une très faible amorce de prolétariat.

L'extension de la Révolution dans ces zones s'est faite plus tardivement que dans le reste du pays et, surtout, elles sont restées déchirées par les incursions de seigneurs féodaux réfugiés en Afghanistan jusqu'à la veille de la Deuxième Guerre mondiale.

La République du Tadjikistan naît seulement en 1929. L'histoire du Tadjikistan, de son essor économique comparable à celui de l'Ouzbékistan son voisin, est lié au développement du coton grâce à l'irrigation des zones désertiques. La première germination de graines de coton égyptien — sur une terre considérée comme maudite, celle de la Vallée du Vakhch (Le Sauvage) — a eu lieu en 1927. En 1931, débute une folle entreprise à laquelle participent 20 000 travailleurs venus de toute l'URSS : la domestication de ce fleuve impétueux qu'est le Vakhch. En 1934, la première tranche des travaux était achevée. Une véritable oasis naissait, produisant du coton, des fruits et des légumes savoureux.

Aujourd'hui, sur la même rivière, on construit une série de barrages de lacs artificiels qui fournissent eau et électricité. J'ai visité l'un d'entre eux, le Nurek, récemment achevé, qui est le plus haut barrage du monde avec ses trois cents mètres d'altitude. Désormais, chaque Tadjik, chaque Ouzbek bénéficie de 15 400 KWH contre 14 600 en France.

On a souvent dit que, dans ces régions, la masse du peuple avait été au départ contre la Révolution. Ce qui est vrai c'est qu'hormis une petite poignée de militants révolutionnaires, la grande masse du peuple était dans un tel état de misère et

13. Une partie de son œuvre a été traduite en français et publiée aux Éditeurs Français Réunis. Le stock est épuisé, une réédition s'imposerait.

d'analphabétisme (98 % de la population) qu'il lui était difficile de choisir son camp. Quant à l'idée de nation indépendante face à la Russie colonisatrice, elle ne concerne qu'une minuscule part d'intellectuels dont la majorité rejoint le nouveau pouvoir soviétique, tandis que la minorité se range dans le camp de l'Émir, des beys et des khans et aussi celui... du tsar et des Russes blancs. Les nations Ouzbeks, Kirghizes, et surtout Tadjiks sont l'œuvre du pouvoir soviétique et des pouvoirs locaux qui s'installent à partir de la Révolution. Comme le souligne un auteur peu suspect de complaisance à l'égard de l'Union soviétique : « Il faut insister sur ce point : la guerre civile larvée, inconnue en Europe, qui couve dans certaines régions d'Asie centrale jusqu'aux approches de la Seconde Guerre mondiale, n'oppose pas à Moscou des nationalistes musulmans mais des princes immigrés et leurs mercenaires à des révolutionnaires Kazakhs, Ouzbeks, Tadjiks, Kirkhizes souvent commandés par des officiers russes de l'Armée rouge. La décolonisation est admise par l'écrasante majorité des musulmans comme un postulat, et la guerre civile ne peut aboutir qu'à la victoire de la nation musulmane souveraine sur ses terres, dans sa politique intérieure, dans son économie, dans le respect de sa religion, de ses coutumes, etc. » [14].

Cette naissance d'une nation passe par un processus contradictoire : la fin des coutumes féodales au profit de la Loi qui est celle de l'État soviétique et, dans le même temps, la mise en évidence de l'identité nationale, de son histoire, de ses traditions, de sa langue. La contradiction se résoud grâce au mouvement, celui du développement économique et celui qui transforme la tradition culturelle en pratique vivante, par exemple l'effort pour donner aux langues parlées une écriture qui en fait un instrument d'acquisition des connaissances. Mais l'exemple le plus frappant est sans doute celui de la condition féminine.

LA SITUATION DES FEMMES EN ASIE CENTRALE AVANT LA RÉVOLUTION

L'évolution de la situation des femmes en Asie centrale fournit une excellente illustration à la fois de ce que le socialisme a apporté et des difficultés qu'il a rencontrées.

Les femmes tadjiks étaient exclues de toute vie sociale, les symboles de cette exclusion étaient *la parandja* et le *tchatchvan*.

---

14. Jean Marabini, *URSS,* « coll. Petite Planète », 1976, p. 101.

J'ai vu au musée de Duchambé ces deux vêtements féminins que portent aujourd'hui encore la majeure partie des femmes d'Afghanistan : *la parandja* est un véritable carcan, un épais tissu qui enveloppe les femmes des pieds à la tête et qui les fait ressembler à de lourdes chrysalides. Quant au *tchatchvan,* il s'agit d'une sorte de grillage de crin qui masque le visage. Aucun autre homme que son mari ne doit voir une femme tadjik, dès qu'elle sort elle s'enferme dans la *parandja* et le *tchatchvan.* Même dans sa maison, elle est confinée dans un domaine réservé : l'*ichkari.* La femme est achetée et le *kalim* est la redevance que son époux doit payer aux parents ; s'il ne peut pas en acquitter la totalité, la *kaitarma* permet à la famille de la fiancée de la reprendre et de l'enfermer jusqu'au paiement complet. Pour acquitter le *kalim,* le tadjik pauvre s'endette auprès du propriétaire foncier. Il travaille gratuitement pour lui et sa dette ne s'éteint jamais car les arriérés s'ajoutent aux arriérés, les intérêts des intérêts à la dette principale. Les enfants sont à leur tour contraints de participer au remboursement en devenant bergers, en faisant des corvées pour le propriétaire.

Pour connaître la vie du paysan tadjik avant la Révolution, j'ai dû aller au musée de Duchambé, à la bibliothèque de cette ville (bibliothèque dont le conservateur est aujourd'hui une femme), j'ai interrogé des femmes âgées car il n'existe plus rien de semblable dans la vie des femmes tadjiks d'aujourd'hui.

J'aurais également pu franchir la frontière et voir ce qui se passe encore en Afghanistan, la lutte que mène le gouvernement de ce pays non seulement contre les propriétaires fonciers et leurs mercenaires — soutenus par les pays impérialistes et des pays comme la Chine, le Pakistan, l'Égypte —, mais aussi contre des coutumes obscurantistes qui sont la meilleure arme des féodaux.

Nos belles âmes qui soutiennent les rebelles afghans font silence sur le système social que ces derniers défendent. Les mêmes farouches défenseurs des droits de l'homme et de la femme en Iran sont prêts à accepter une exploitation féodale sans limites et une humiliation permanente des femmes en Afghanistan. Si l'impérialisme y trouve son compte, vive *la parandja* et le *tchatchvan, le kalim,* le sous-développement, l'analphabétisme !

Pourtant — je vais sans doute choquer certaines féministes françaises — *la parandja* et *le tchatchvan* ne m'indignent pas à priori, c'est l'ensemble de la situation qui est faite aux femmes mais aussi aux hommes et aux enfants qui est insupportable : la misère, la malnutrition, la mortalité infantile, le semi-servage qui commence dès l'enfance, l'analphabétisme qui frappe 98 % de la population et 100 % des femmes. C'est ça qui crée la douleur et pas la coutume vestimentaire. Celle-ci n'est que la clé de voûte d'un système social qui exclut les femmes d'une vie sociale, au demeurant catastrophique pour elles autant que pour les hommes et les enfants.

Le kalim, l'endettement du paysan tadjik hier et du paysan afghan aujourd'hui a des effets tout aussi nocifs sur la vie de ces femmes que *la parandja.* Il les condamne à être des objets dans une transaction qui parfois les attribue à des vieillards. Il pousse les hommes jeunes et pauvres, leurs enfants vers le servage, vers l'immigration, renforçant la solitude des femmes, leur abrutissement.

Au Tadjikistan, comme dans l'ensemble de l'Asie centrale, dès ses débuts la Révolution a proclamé l'égalité entre les hommes et les femmes, interdit le *kalim,* la polygamie, affirmé la nécessité du consentement mutuel des époux. La fin de la propriété privée a joué également un rôle important puisque les femmes étaient exclues de toute propriété (en dépit des lois de l'Islam qui leur accordent un tiers de l'héritage réservé aux hommes), en particulier de la propriété du sol et de l'eau, base de toute la hiérarchie sociale.

La lutte contre le voile a été plus progressive, elle est souvent partie des femmes elles-mêmes, dans le contexte plus général de la lutte contre l'analphabétisme et leur participation à la production. Seules les révolutions impulsées par un Parti communiste ou dans lesquelles il joue un rôle important ont su poser la question de l'émancipation des femmes. Cette préoccupation était d'autant plus remarquable que l'état de développement du pays, la part essentielle qu'y jouait l'artisanat domestique, rendait apparemment cette question secondaire. Mais, l'histoire de l'Asie centrale est là pour le prouver : si, dans un premier temps, poser le principe de l'égalité des droits des hommes et des femmes dans une situation de sous-développement peut apparaître comme une utopie et même un frein à l'adhésion des populations, l'application de ce principe devient rapidement une des bases indispensables de la transformation politique, économique et culturelle du pays, une étape nécessaire pour sortir du sous-développement.

En Asie centrale les proclamations du gouvernement bolchévique, concernant l'égalité des hommes et des femmes, se sont heurtées à la résistance des populations, à l'influence des musulmans fanatiques et des propriétaires fonciers[15], mais aussi parfois au refus des femmes elles-mêmes.

---

15. Sacriddin Aïni dans une de ses œuvres traduite en Français, *Odina ou les aventures d'un Tadjik pauvre,* raconte comment Odina a réussi à se faire passer pour mort pour échapper au servage. A son retour d'immigration, il souhaite partir définitivement avec sa mère et sa fiancée, mais les propriétaires veulent que les femmes restent au village pour assurer le retour périodique des immigrés qu'ils peuvent dépouiller du produit de leur travail.

Une militante du Parti communiste, envoyée dans l'Azerbaïdjan pour y organiser les clubs de femmes, raconte : « Je me souviens de l'été 1923. Chargée d'une mission par le Comité central du Parti communiste de l'Azerbaïdjan, je partis pour un district. Dans un village à proximité de la frontière iranienne, je dus changer de chevaux. Non sans peine, je trouvai le Soviet rural. A cet instant, j'entendis des cris sauvages et un sourd gémissement... Sur le chemin poudreux, je vis un vieil homme à cheval qui cravachait une fille attachée à la selle. Elle avait à peine seize ans. La face, les bras et les jambes de la jeune femme étaient couverts de sang. Des vieilles voilées de noir se tenaient le long du chemin, elles battaient des mains, et criaient avec approbation en marquant les coups du vieux. Il se trouvait que le père punissait sa fille qui, mariée de force à un vieillard, s'était enfuie pour la troisième fois de chez son mari. Je me penchais sur la malheureuse. Ses lèvres desséchées chuchotaient trois mots : " Lénine, Liberté, club des femmes... " (...) J'ai convoqué les femmes du village. Seules les vieilles femmes étaient venues. Elles restèrent longtemps sourdes à mes paroles sur les droits données aux femmes par le pouvoir des Soviets. Mais quand elles se mirent à parler, c'était pour me dire que cette femme avait violé les lois du chériat et de l'adat (coutumes des ancêtres). Le père était en droit de la tuer. Les coutumes, les préjugés, tels de lourdes entraves, liaient les femmes de l'Azerbaïdjan. »

Les femmes qui, en Asie centrale, tentent de mettre en œuvre les droits que proclame l'État soviétique sont battues, parfois tuées. Dans ses souvenirs, Elizabeth Ross (organisatrice de clubs de femmes en Turkménie) raconte l'assassinat d'une jeune turkmène militante, Anna Djamal : « Anna était une paysanne pauvre, son mari était un vieillard et un térakech (fumeur d'opium) par-dessus le marché. Elle habitait une pauvre yourte à l'écart, presque à un kilomètre du village. Elle portait toute seule le poids du ménage. Bravant les menaces, elle aida à créer une école dénonçant hardiment les violations des lois soviétiques. Par une nuit noire de printemps, quatre cavaliers arrivèrent à la yourte de Djamal. Parmi eux, il y avait aussi son frère. Ils la tuèrent, mais pas simplement. Ils l'avaient cruellement torturée. Les assassins n'avaient pas remarqué la fille de leur victime, une adolescente, qui s'était cachée sous des couvertures. Elle avait tout vu et, plus tard, reconnut les assassins. C'étaient les baïsaksals (chefs de clan) qui avaient été les organisateurs de l'assassinat. Ils avaient persuadé le frère d'Anna Djamal que sa sœur avait déshonoré la famille et le clan, et, qu'en tant que chef de famille, il devait la tuer... »

Appliquer dans l'Asie centrale les principes de l'État soviétique concernant l'égalité de droits entre les hommes et les femmes, l'entrée des femmes dans la production donc leur instruction, supposait des méthodes originales comme les clubs de femmes. Ces lieux étant réservés aux seules femmes, la coutume ne pouvait rien trouver à redire. Elles y apprenaient non seulement à lire mais aussi l'amorce d'un métier, à partir de l'artisanat domestique. Elles puisaient dans ces rencontres collectives la force de leur résistance et de leur transformation. Certaines femmes étaient volontaires mais d'autres étaient conduites par leurs maris, des militants communistes. La liquidation de l'analphabétisme ne consistait pas seulement à apprendre à lire et à écrire, il s'agissait d'une lutte pour un nouveau mode de vie : parallélement aux travaux d'irrigation, à l'extension des champs de coton, à la mécanisation, au développement industriel, s'opéraient la transformation des individus, de leurs relations, la libération des femmes de l'antique soumission.

Une femme, aujourd'hui vice-présidente du présidium du Soviet suprême du Tadjikistan, m'a raconté sa propre expérience : « J'avais treize ans, les bolcheviques sont passé dans mon village. Ils ont demandé : " Qui veut apprendre à lire ? " J'ai levé la main et j'ai dit : " Moi ! " J'étais la seule fille. Ma mère s'est mise à pleurer en disant que j'allais devenir mauvaise. Et ça a été le commencement de l'aventure : j'apprenais au club des femmes et dès que j'avais appris, je transmettais ce que je savais aux autres, j'étais à la fois professeur et élève. Il ne s'agissait pas seulement de la lecture mais aussi de la préparation à la production industrielle. Dès que je quittais le club, je remettais *la parandja*. Un jour, on a décidé d'envoyer une délégation à Moscou, j'en faisais partie. Quand ma mère a su que je partais et que je serais dévoilée, elle a dit que pour elle j'étais morte et que je ne reviendrai jamais. A mon retour, j'ai remis *la parandja* et je me suis rendue dans mon village. Tout le monde s'est rassemblé, j'étais assise dans un coin, le voile sur le visage et je disais à voix basse à mon oncle tout ce que j'avais vu à Moscou, l'accueil qui avait été réservé à la délégation tadjik. Mon oncle répétait mes paroles à la foule. Je sentais qu'ils étaient tous flattés et que quelque chose était en train de changer, la partie était gagnée ! »

Cela se passait au début des années trente, à l'époque où le Tadjikistan avait acquis le statut de république mais aussi au moment où l'on domestiquait le fleuve Vakhch et où l'on introduisait le coton. La fin de la claustration des femmes signifiait aussi une main-d'œuvre nouvelle qui envahissait les champs, l'industrie et devenait la base d'une nouvelle prospérité. On envoyait les jeunes filles d'Asie centrale apprendre un métier dans les filatures d'Ivanovo et Moscou. Il y eut des contrats d'émulation entre l'Ouzbékistan et le Turkménistan pour la formation de femmes cadres d'entreprises : cinquante femmes Ouzbèkes et dix femmes Turkmènes furent ainsi formées en 1933 à être directrices de l'industrie. Une lutte idéologique et politique fut menée contre le voile en 1926. De nombreux meetings et réunions publiques au cours desquels les femmes enlevaient et brûlaient le voile eurent lieu. Pour encourager les femmes à cette rupture avec leurs anciens modes de vie, des poètes chantaient la beauté de leurs visages, des danseuses dévoilées reprenaient le rôle des femmes jusqu'ici tenu par de jeunes hommes.

Au Tadjikistan, on accueille les hôtes avec de la musique, femmes et hommes les invitent à entrer dans la danse : les femmes tadjiks dansent avec de gracieux mouvements de bras et de mains, le visage fixe, toute la mobilité résidant dans le regard et le cou. Cela fait songer aux miniatures persanes, voire aux danses cambodgiennes. Car, dans ces « républiques musulmanes », la reconquête de l'identité nationale s'est opérée en mettant à l'honneur la multiplicité des influences culturelles subies par ces peuples nés des invasions sur la route des caravanes. Des arabes, plus encore que l'Islam, il a été exalté l'humanisme scientifique avec le nom prestigieux d'Avicenne. Le peuple tadjik est un des peuples indo-européens les plus anciens, sa langue en témoigne. Des fouilles archéologiques, des manuscrits ont exhumé des civilisations antérieures sur lesquelles ne pesaient pas l'interdit de la représentation des corps et des visages. Le port du voile a été combattu grâce à la mise en évidence des origines du peuple. Car le paradoxe de ce bouleversement social, c'est qu'il s'est traduit par une résurrection de la mémoire nationale des républiques asiatiques. Aujourd'hui, le développement de ces républiques est tellement spectaculaire qu'il entretient un fantasme occidental : celui d'un « Empire éclaté » où, à terme, les républiques asiatiques tendraient vers l'indépendance par rapport à la Russie ancienne, puissance colonisatrice. C'est faire bon marché de la véritable naissance de ces nations qui sont passées du stade tribal à l'identité nationale grâce à la création de l'État soviétique.

L'ASIE CENTRALE AUJOURD'HUI

Qui parle du colonialisme russe ne connaît pas la réalité soviétique. Le visage le plus attrayant de l'Union soviétique, les niveaux de vie les plus développés se trouvent dans les républiques baltes, dans l'Asie centrale. La République socialiste soviétique de Russie apparaît au contraire comme celle où se posent les problèmes de distribution les plus aigus. A notre retour de l'Asie centrale vers Moscou, l'avion débordait de fruits et de légumes que chaque passager ramenait. Nous étions poursuivis en particulier par l'odeur entêtante du melon.

Prenons le cas du Tadjikistan, un petit pays de quatre millions d'habitants : son industrie, née à partir de l'agriculture, s'est rapidement émancipée. Le Tadjikistan exporte des machines outils, des engrais chimiques[16], des textiles, de l'aluminium. Les femmes ont toute leur place dans ce développement.

J'ai visité des filatures de coton et de soie, une fabrique de confection dont le P-DG était une femme et qui avait 4 100 employés répartis en trois usines, 96 % étant des femmes. J'ai parcouru les ateliers climatisés où régnait une ambiance d'ouvroir. J'ai d'ailleurs appris en dînant le soir chez une ouvrière que, comme dans ma visite, on avait omis de me montrer deux ateliers, les chefs d'équipe étaient venus protester auprès de la direction : « Est-ce que nos ateliers ont démérité pour qu'on évite de les montrer à l'amie étrangère ? Comment voulez-vous que nous travaillions si nous nous sentons méprisées ? »

J'ai même suivi l'embauche d'une ouvrière. Quand elle arrive, on lui demande : « Avez-vous des enfants pour la crèche et le jardin d'enfant de l'usine ? », si oui on lui donne deux jours payés pour qu'elle puisse tout organiser. Elle subit un examen médical complet, y compris des dents, et on établit une fiche de santé que l'on actualise grâce à un examen mensuel. Si elle est malade, le médecin s'en occupe immédiatement.

Ensuite, elle s'entretient avec le sociologue qui discute avec elle pour savoir si elle a bien choisi le métier qui lui convenait, le type de travail qu'elle souhaite. Le sociologue, qui est d'ailleurs une femme, était depuis un an seulement dans l'entreprise mais le P-DG affirmait que son intervention avait permis une réduction du *turn over*, c'est-à-dire de la proportion de travailleurs qui quittent l'entreprise au cours de l'année, qui était passé de 16 à 14 %.

On retrouvait dans cette entreprise tadjik la plupart des réalisations que j'ai déjà énumérées à propos des entreprises soviétiques : maison de repos dans une zone de loisirs, cabinet médical avec docteur et infirmière, alimentation, repas tout préparés, cantines, etc. Mêmes avantages sociaux pour les

16. Le responsable d'un kolkhoze de la vallée du Vakhch me confiait que si le Tadjikistan exporte des engrais jusqu'en Angleterre, il s'intéressait, lui, en tant qu'agriculteur, aux engrais naturels et à la lutte biologique contre les insectes. Il prétendait que ces méthodes avaient été mises au point dans son pays. Je n'ai pas vérifié.

ouvrières des filatures et les paysannes du kolkhoze que j'ai visité [17].

Encore une fois, il s'agit d'entreprises de pointe dont les bons résultats économiques permettent une extension des acquis sociaux et l'on ne peut pas dire que l'ensemble des habitants du Tadjikistan, en particulier ceux qui résident dans les zones montagneuses du Pamir, jouissent des mêmes avantages. Mais le miracle économique du Tadjikistan et de l'Ouzbékistan réside justement dans un meilleur équilibre entre la production des villes et celle des campagnes, ce qui se traduit par une distribution optimale. [18]. La production d'une agriculture de qualité (coton, mais aussi fruits et légumes) est à la base de l'essor de tout le pays. Elle contribue à la résurrection d'une civilisation très ancienne dont les raffinements matériels et culturels se sont étendus à la masse du peuple.

Le mélange de rupture révolutionnaire et de respect des traditions qui caractérise aujourd'hui ces pays d'Asie centrale les rendent très proches de nos habitudes françaises. Le décor lui-même est à une échelle comparable au nôtre : la collectivisation de la production s'accommode très bien du respect de la préférence pour la petite maison individuelle qu'entourent, derrière de hauts murs, des jardins où embaument les fleurs et les fruits, où chantent les fontaines et les cours d'eau [19].

Même les maisons collectives, que l'on trouve dans les villes champignons, respectent le goût des espaces intermédiaires avec leurs immenses vérandas que l'on retrouve à chaque étage de l'immeuble. Au centre des appartements se trouvent des pièces à l'occidentale, réservées aux réceptions, mais tout autour de ces pièces courent des vérandas-balcons dans lesquelles les familles mangent allongées sur de grands divans ou regardent la télévision. Devant les immeubles, le long des tonnelles, poussent des raisins à gros grains blancs comparables à nos raisins d'hiver.

17. J'ai dû goûter le plof (plat national : une sorte de riz pilaf au mouton, oignons et carottes parfumé au cumin et au genièvre) dans une dizaine de maisons de kolkhoziens qui tenaient absolument à se partager ma présence. Outre l'indigestion, l'expérience m'a permis de constater que toutes les familles étaient motorisées (soit une moto avec un side-car, soit une auto).

18. Il s'agit non seulement de l'agriculture, mais de l'artisanat qui reste florissant. Un nombre encore important de femmes des campagnes (10 % environ) manifeste de la résistance à aller travailler hors de leur foyer. On leur confie alors des matières premières pour la fabrication d'objets artisanaux et elles sont considérées comme des femmes actives et salariées.

19. J'ai interrogé les responsables du kolkhoze pour savoir s'ils envisageaient le même regroupement qu'en Russie ou en Biélorussie dans une agglomération unique avec des équipements et de petits immeubles. Ils m'ont répondu « surtout pas ». Il est vrai qu'ils n'ont pas les mêmes conditions climatiques qui rendent les transports difficiles.

Sous les tonnelles, des fleurs et de grands lits en bois ou en fer, avec des matelas, sur lesquels, à plusieurs, on discute entre voisins en buvant du thé vert. Le goût de la flânerie, le plaisir de la contemplation esthétique, la dégustation tout au long de la journée de thé vert et de patisseries ne semblent pas une entrave à l'essor économique.

ÉMANCIPATION MAIS NON-MIXITÉ TOTALE

L'histoire des femmes de l'Asie centrale se confond avec celle de la renaissance économique, politique et culturelle des nationalités. Les jeunes filles tadjiks se promènent en costume traditionnel : des blouses et des pantalons de soie multicolores. Elles ont définitivement abandonné le voile et portent sur la tête le même petit calot que les hommes. Elles ont les plus beaux cheveux que j'ai jamais vus, d'épaisses tresses brunes vivantes comme la crinière d'un cheval. Elles se rendent ainsi vêtues de leurs habits de fête sur les lieux de travail ou d'étude, car le travail reste une conquête, l'endroit privilégié d'épanouissement des relations sociales. Des villageoises m'ont déclaré avec malice que quand certaines femmes refusaient de travailler hors de chez elles, elles allaient les voir avec leurs beaux habits, leurs chaussures et leur expliquaient que si elles travaillaient elles auraient les mêmes vêtements. Est-ce à dire que la mixité des formations, du travail, des loisirs soit totale, égale à celle que l'on rencontre dans les républiques occidentales ? Je ne le pense pas.

En ce qui concerne la formation, il n'y a théoriquement pas de problème puisque les écoles sont mixtes et que garçons et filles y reçoivent les mêmes enseignements, jusqu'à la fin des études secondaires. Au Tadjikistan, ces enseignements ont lieu en deux langues : l'ouzbek et le tadjik. Le russe est seulement une discipline obligatoire comme les mathématiques. Mais si filles et garçons reçoivent la même formation, le mariage et les maternités précoces constituent un indéniable frein à la poursuite des études supérieures et à la qualification des femmes.

Le Tadjikistan a le plus fort taux de natalité des républiques d'Asie centrale, qui elles-mêmes ont un taux de natalité plus fort que les républiques occidentales. J'ai rencontré deux mères de douze enfants et l'on m'a assuré que ce chiffre n'avait rien d'exceptionnel. Ces deux femmes travaillaient, elles avaient l'air jeunes et en pleine forme, si l'on excepte le fait que leurs dents étaient entièrement couronnées d'or. Elles m'ont déclaré qu'élever douze enfants était moins difficile que ce qu'on croyait :

« Les enfants s'élèvent entre eux, chacun a un rôle précis. Et puis, dans les entreprises, dans les kolkhozes il existe des crèches, des jardins d'enfants. » Il n'était pas question pour elles de renoncer à leur vie professionnelle. Il est vrai que la grossesse des femmes qui travaillent est — comme dans l'ensemble de l'URSS — particulièrement surveillée.

Quand j'ai constaté ce nombre impressionnant de familles nombreuses, j'ai cru que cela était dû à l'ignorance des moyens de contraception. Or dans la maison des mariages de Duchambé, il y a une pièce réservée à la discussion avec les jeunes fiancés au moment de la publication des bans. Sur les murs des panneaux avec des dessins reproduisent les grands thèmes de l'entretien. On peut lire les slogans suivants : « Il ne faut pas avorter la première fois qu'une femme est enceinte, elle risque de le regretter si par la suite elle ne peut plus avoir d'enfant. Il vaut mieux employer des moyens contraceptifs. Chaque femme a besoin d'un moyen particulier de contraception, c'est pourquoi elle doit se faire examiner par le docteur avant d'en choisir un. L'enfant doit être voulu par la femme comme par l'homme, etc. » Il est vrai que de telles affiches prouvent également que ces pratiques ne sont pas tout à fait entrées dans les mœurs.

Au Tadjikistan, les premiers médecins ont dû utiliser beaucoup les clubs de femmes. Ils expliquaient ce qu'étaient la médecine, la protection de la grossesse et des enfants. Il leur fallait attirer les femmes pour qu'elles accouchent en clinique ; elles recevaient des cadeaux pour le nouveau-né. Les médecins étaient d'abord des Russes. La première école d'infirmiers dans le Tadjikistan date de 1932 et celle de médecine de 1939. Grâce aux clubs de femmes, les médecins ont répandu les moyens de lutter contre les épidémies par l'hygiène. En même temps que l'on asséchait les marais, on attaquait la malaria et les autres maladies des tropiques dans les foyers. Depuis les années cinquante, ces maladies ont disparu. Aujourd'hui, toutes les grossesses sont surveillées y compris dans les montagnes où il existe 1 200 points médicaux avec infirmière et médecin et des hélicoptères en cas d'urgence[20]. Les médecins examinent la femme dès qu'elle est enceinte pour voir si un enfant n'est pas nuisible à sa santé. Elle doit venir régulièrement et si elle ne le fait pas on va la chercher. Elle reçoit des cours d'accouchement.

Mais si comme nous l'avons vu la grossesse des femmes n'interdit pas leur accès à la vie professionnelle, elle freine la prolongation des études, leur participation aux responsabilités professionnelles et politiques. J'ai pu constater que les femmes

20. Deux chiffres : celui de 1924, 13 médecins et 38 lits d'hôpitaux et celui de 1981, 8 700 médecins et 39 000 lits.

qui ont ces responsabilités ont un maximum de quatre enfants et le plus souvent deux. C'est pourquoi les autorités du Tadjikistan ont interdit le mariage avant dix-huit ans : pour que toutes les filles aient terminé leurs études secondaires avant d'entamer leur vie familiale.

Quant à la mixité des emplois, c'est dans l'agriculture qu'elle paraît la plus respectée puisqu'elles conduisent tracteurs et camions, participent aux mêmes travaux que les hommes. En revanche, la séparation entre branches d'activités industrielles masculine et féminine est nettement plus marquée que dans les républiques occidentales. La non-mixité a d'autre part des origines culturelles manifestes. J'ai été frappée à Duchambé et dans les villages du Tadjikistan par de véritables essaims de jeunes filles ou de femmes, comme si leur accès collectif à la vie sociale avait engendré de nouvelles pratiques de loisirs, une nouvelle manière d'occuper l'espace. Les clubs de femmes existent toujours. Ils n'interviennent plus sur des questions désormais résolues comme l'alphabétisation ou la formation professionnelle, mais ils jouent un rôle original de défense et de regroupement des femmes pour tout ce qui a trait à leur vie quotidienne : demande d'équipements, adaptation au travail et aussi, semble-t-il, en cas de conflit grave entre une jeune fille et ses parents ou entre un mari et sa femme, par exemple si une femme est battue.

En revanche, la population qui fréquente les cafés (où l'on sert du thé vert et des pâtisseries) est dans sa grande majorité masculine. On ne peut parler de discrimination entre les sexes, mais plutôt de pratiques sociales parallèles. La base de cette séparation des rôles semble être une certaine permanence de la famille où se maintiennent un certain nombre de valeurs : le respect des adultes et des personnes âgées est la règle, comme semble l'être la cohabitation dans les campagnes entre certains fils mariés et les parents. La femme, grâce à son indépendance économique, connaît une autre situation mais le mari reste le chef de la famille alors que cette idée est totalement remise en question dans les républiques occidentales. La virginité au moment du mariage reste une valeur sûre même si les groupes de jeunes se connaissent et si les unions sont le fruit d'inclinations réciproques. Enfin, il faut noter que pour la plupart des femmes avec qui j'ai discuté l'amour et le mariage d'amour sont non seulement le but de leur vie, mais des pratiques révolutionnaires de lutte contre les coutumes archaïques.

*
* *

L'émancipation des femmes a été voulue par l'État soviétique alors même que ni la situation des femmes ni l'état de développement économique et culturel de l'Union soviétique ne semblait le permettre. On aura compris que d'un point de vue sociologique je pense que la question de l'émancipation des femmes est liée à un stade de développement des sciences et des techniques : tant que la mortalité infantile impose de nombreuses grossesses, tant que le travail dépend de la mobilité et de la force physique, tant que la survie implique l'existence d'un artisanat domestique, il y a peu de chance que la situation des femmes se transforme, même si celle-ci connaît des degrés différents dans l'oppression qui sont en général liés aux traditions culturelles, religieuses et politiques des peuples. Il est incontestable cependant que la sortie du sous-développement exige la mobilisation de tous dans la production autant que la rupture avec certaines mentalités et la lutte pour l'émancipation féminine apparaît, à terme, comme une condition indispensable. Pourtant, cette lutte, au départ, est un des freins les plus puissants à l'adhésion des populations à la transformation. Changer la condition de la femme, c'est toucher non seulement à la coutume, à la religion, mais à l'identité même des individus. La force du socialisme en Union soviétique c'est d'avoir pris un formidable pari historique : anticiper, au nom d'un idéal de justice et de progrès, sur ses propres exigences de développement, le tout dans des conditions matérielles et morales d'une brutalité inouïe : la guerre civile mais aussi des millions de morts pendant la Deuxième Guerre mondiale.

En écrivant ce texte avec toute la sympathic que j'éprouve pour les femmes soviétiques — sympathie qui me paraît le meilleur moyen de connaître un peuple et sa vie quotidienne —, je n'ai jamais essayé de gommer les difficultés, les problèmes non résolus. Il me semble, en effet, qu'il y a deux manières d'ignorer la réalité de l'Union soviétique. La première, la plus courante, consiste à faire de ce pays un enfer, à partir d'ailleurs de deux visions contradictoires : sous-développement, misère, désordre ou superpuissance menaçante soumise à un ordre policier. La deuxième, qui prétend répondre à la première, veut faire de l'URSS un paradis, la moindre description d'un dysfonctionnement de cette société apparaissant comme un sacrilège. Ces deux visions ont ceci de commun qu'elles prétendent figer l'URSS en une image repoussoir ou vitrine du socialisme. Or ce que ce peuple a de plus intéressant c'est sa formidable capacité à anticiper, à tenter de résoudre des problèmes en en créant d'autres, une sorte de volonté collective vers le changement. Cela va de la capacité populaire à bricoler sa vie quotidienne au discours officiel souvent critique, mais qui donne toujours l'impression de planer même quand il aborde des détails concrets. Quand on partage la vie quotidienne des Soviétiques, on a le sentiment de vivre avec des lauréats du concours Lépine, chacun s'ingéniant à inventer quelque chose de bizarre, le tout sur un fond de discours officiel qui se croit obligé de passer par les classiques du marxisme léninisme ou par la description des rapports de force dans le monde avant d'aborder une question précise.

Au départ, suivant l'humeur, on trouve cette distance irrésistiblement drôle ou au contraire irritante, mais l'on s'aperçoit qu'elle n'a pas que des aspects négatifs. Par exemple, en ce qui concerne la condition féminine, ce mélange de souplesse réaliste et de volonté doctrinale a donné des résultats importants. En 1917, le niveau de développement de l'Union soviétique était sans commune mesure avec celui que nous connaissions en France à la même époque. Les femmes — qui n'appartenaient pas à l'aristocratie ou à la classe capitaliste naissante — vivaient famine, mortalité infantile, analphabétisme, claustration domestique. Elles étaient battues, humiliées et, en Asie centrale, littéralement vendues par leurs parents. Aujourd'hui, ces femmes sont sûres d'avoir une formation et une vie professionnelles. Elles savent qu'il n'y aura ni pour elles, ni pour leurs maris, ni pour leurs enfants de chômage, que les soins seront gratuits et leur vieillesse honorable. Pour arriver à un tel résultat, il a fallu une « volonté doctrinale » qui anticipait sur l'état de développement réel de ces pays. De même, aujourd'hui, quand les républiques occidentales sont confrontées à une baisse du taux de natalité, les solutions pour y faire face témoignent toujours de cette volonté anticipatrice. Et l'on peut observer avec malice, comme je l'ai fait, les campagnes idéologiques pour transformer les hommes, douter de leur efficacité, il n'en demeure pas moins que cette société choisit toujours d'aller de l'avant et ici de transformer la famille. Mais cette tension permanente produit des effets politiques et culturels où l'individu ne trouve pas toujours son compte.

Désormais, la femme soviétique européenne aspire à un autre mode de vie que celui créé par l'effort de guerre, puis la construction du socialisme dans un pays encore sous-développé : elle veut conserver l'égalité professionnelle, les avantages sociaux collectifs, mais elle est à la recherche de relations plus harmonieuses dans sa vie personnelle. La femme d'Asie centrale est encore en pleine conquête, ses acquis extraordinaires lui donnent une sorte d'exubérance joyeuse, une capacité à tout embrasser ; pour le moment, la société vit dans un apparent équilibre entre son essor économique et culturel et le respect de traditions suffisamment vivantes pour s'adapter au changement. Pourtant, il est probable que des nouvelles contradictions sont en train de surgir du développement actuel, que les femmes de la génération suivante affronteront, avec les hommes, de plein fouet.

Mais, pour toutes les femmes soviétiques, l'aspiration au mieux vivre et à l'élargissement de la démocratie sous toutes ses formes passe désormais par la sauvegarde de la paix mondiale, d'où l'aspect parfois obsédant dans leur propos de ce thème : nécessité de la paix mondiale et du désarmement. Pourtant, c'est à cette condition que ce peuple pourra aller de l'avant dans son élan, celui d'une nation jeune qui part à l'assaut de ses terres vierges comme de ses modes de vie.

RFA

la femme et l'héritage
par Pierre Durand*

C'est bien fini, les Gretchen ! De Brême à Munich, de Hanovre à Sarrebruck, les jolies tresses blondes se font rares et la mode est aussi commune que le Marché du même nom. Malgré la vague « nostalgie » (qu'en France on appela « rétro ») qui a secoué la République fédérale allemande ces dernières années, les jeans ont remplacé les frou-frous d'antan et la jeune fille de Francfort, malgré saucisses et charcuteries toujours au menu, est aussi svelte que celle de Paris. Nora, en tout cas, cheveux aile de corbeau coupés court (ils doivent être gris, mais les teintures sont aussi bonnes en RFA qu'en France), porte allègrement ses 55 ans et ses bonheurs de grand-mère. En cet été 1981, ce qui la préoccupe, ce sont ces engins nucléaires nouveaux que l'on prétend installer en RFA pour le compte de l'OTAN, c'est-à-dire des Etats-Unis : « Nous avons déjà rassemblé plus d'un million de signatures sous " l'Appel de Krefeld "... L'hostilité de la population aux mesures envisagées par le chancelier Schmidt, malgré la forte opposition qu'il rencontre au sein de son propre parti, est considérable. Elle atteint les milieux les plus divers et le problème préoccupe particulièrement les femmes, malgré la " dépolitisation " dont elles sont fréquemment frappées. Nous

* Grand reporter.

81

nous en apercevons bien lors de nos tournées de collectes de signatures [1]... »

Nora les connaît bien, ces escaliers des quartiers populaires et ces entrées au luxe bourgeois des maisons paisibles qui s'alignent derrière les haies fleuries des secteurs résidentiels de la grande ville de la Ruhr qu'elle habite. Ce n'est pas d'aujourd'hui qu'elle milite « pour la paix ». « Un jour, raconte-t-elle, c'était il y a une trentaine d'années, nous faisions signer un appel contre la reconnaissance d'une armée allemande... Je sonne à une porte. Une soubrette en tablier blanc à dentelle apparaît. Je lui demande si l'on voudra bien recevoir une représentante du mouvement de la Paix. Elle va se renseigner, revient, et me dit : " Le général von je ne sais plus quoi vous attend. " J'entre. Un beau salon. Dans un fauteuil, un vrai général, en uniforme très vieux, avec à la main un énorme cornet acoustique qu'il porte à l'oreille pour m'écouter. Je lui explique, assez embarrassée, qu'il vaudrait mieux que l'Allemagne n'ait plus d'armée, que la guerre nous a coûté assez cher, que même un officier supérieur comme lui... Il me fait répéter, hoche la tête et finalement dit d'un ton rude : " Donnez-moi votre papier. Je vais signer. Du moment que c'est contre les communistes, je suis toujours d'accord. " Authentique. Il était tellement sourd qu'il n'avait rien compris. Mais son anticommunisme entendait pour lui... »

Nora en rit encore. De l'anticommunisme qui sévit en Allemagne de l'Ouest avec une vigueur et un obscurantisme dont on a difficilement idée en France (c'est dire !), elle ne rit pas du tout. Les interdictions professionnelles (Berufsverbote) qui frappent les militants de la paix et de la démocratie — surtout les communistes — sont une réalité que l'on ne saurait tenir pour acceptable banalité. « Il fut un temps, dit Nora, où le Parti socialiste français s'en était ému et avait protesté auprès de Willy Brandt, alors chancelier. On lui avait fait des promesses. Et puis, pour le fonds, rien n'a changé. Ces jours-ci encore, une jeune femme vient de faire l'objet, en Bavière, d'une mesure d'interdiction professionnelle parce qu'elle a épousé un militant communiste. Cela peut paraître gros, mais c'est vrai. Cette femme n'est pas communiste. Elle est même membre du Parti libéral (FDP) qui gouverne la RFA avec le Parti social-démocrate (SPD). Mais elle est enseignante et l'épouse d'un communiste pourrait contaminer nos chers petits. C'est incroyable, mais c'est comme ça... »

1. Ce reportage a été effectué avant la grande manifestation de Bonn pour la paix, en octobre 1981.

Les femmes de RFA jouent un rôle considérable dans le domaine de la lutte pour la paix et la démocratie. L'une des originalités du mouvement auxquelles elles participent, c'est son extrême diversité. Il existe — et c'est vrai aussi bien pour les hommes que pour les femmes — des milliers de « comités d'initiative » se fixant tel ou tel objectif limité et précis contre l'armement nucléaire, contre les Berufsverbote, contre le service militaire pour les femmes (dont il est question), contre la hausse des loyers, celle des moyens de transport, etc.

En dehors des organisations féminines traditionnelles, ces comités se font et se défont, naissent, grandissent et meurent, mais il y en a toujours de nouveaux et, sans cesse se manifestent des bonnes volontés, des enthousiasmes jeunes, des dévouements admirables. Les communistes, faut-il le dire, y sont parmi les plus ardents, dans les quartiers de villes, et aussi dans les usines. Ils sont souvent à l'origine de ces « Initiatives » qui représentent un éventail de pensées politiques et philosophiques extrêmement large, marqué par l'esprit de tolérance et de liberté, parfois par un idéalisme naïf, mais, dans la plupart des cas, riche d'une tradition démocratique qui a chez les femmes d'Allemagne de très anciennes racines.

Des mouvements comme la DFI (Demokratische Frauen Initiative) ou la DFG-VK (Deutsche Friedensgesellschaft-Verband der Kriegsgegner) se réclament de Bertha von Suttner, de Rosa Luxemburg, Clara Zetkin, Luise Zietz, Käthe Duncker ou Luise Rinser qui fut arrêtée en 1944 pour « opposition à la guerre ». Si Rosa Luxemburg ou Clara Zetkin sont connues comme fondatrices du mouvement révolutionnaire moderne, ce n'est pas le cas de ces autres militantes que l'on peut qualifier de « féministes », encore que ce terme recouvre trop d'ambiguïtés. En tout cas, le mouvement féminin austro-allemand a toujours été marqué par une forte tendance pacifiste, voire antimilitariste. Par exemple Bertha Kinsky, baronne von Suttner (1843-1914), prix Nobel de la Paix en 1905, célèbre pour son roman *Bas les armes* (1889) contribua à la fondation de la Ligue autrichienne de la paix.

Le joug hitlérien et son bellicisme forcené ont accentué dans une bonne partie de la population — notamment féminine — la haine de la guerre et l'amour de la paix. Il ne faut pas oublier que l'Allemagne est le pays qui, après l'Union soviétique et la Pologne, a eu le plus de morts durant la Seconde Guerre mondiale et a connu le plus de destructions et de ruines. Les plans américains de course aux armements nucléaires éveillent en RFA de très vives inquiétudes.

Au cours d'un très important congrès féminin réunissant à Cologne, en septembre 1979, les représentantes de diverses

« Initiatives » pour la paix — elles étaient près de 600 venues de tout le pays —, Esther Dayan Ulivelli, professeur à l'Académie du film et de la télévision de Berlin Ouest, s'en faisait l'écho en des termes qui nous semblent assez significatif d'une opinion de plus en plus partagée : « La RFA, disait-elle, est depuis sa fondation considérée par les Américains comme une base militaire stratégique. Ils justifient leur position en prenant prétexte d'une menace venue de l'Est. C'est précisément sous un tel prétexte que l'Allemagne a commencé la Seconde Guerre mondiale et non pas l'inverse. Et ce sont les Etats-Unis qui ont voulu ramener le Vietnam à l'âge de pierre, et non l'inverse. » Elle en concluait qu'il fallait en finir avec une escalade militaire, nucléaire en l'occurrence, qui place la RFA aux premières loges d'une catastrophe atomique.

En janvier 1981, le ministre de la Défense Hans Apel (SPD), s'inquiétait du développement du « pacifisme » en RFA et regrettait que nombre de militants de son propre parti s'opposent aux projets d'implantation de nouvelles armes nucléaires américaines en Europe. J'ai sous les yeux une lettre ouverte que lui a envoyée le 31 janvier un comité intitulé Femmes pour la paix, de la petite ville de Bad Soden, dont je ne sais rien, sinon qu'il existe.

Ces femmes écrivent notamment : « Comme les moyens d'information le signalent, notre opinion est de plus en plus partagée par toutes sortes de groupements en RFA. Le stationnement de fusées de moyenne portée dans notre pays en ferait une cible de choix pour l'adversaire. Le général Bastian, de la Bundeswehr, a mis en garde depuis plus d'un an devant ce danger. Et quelqu'un de plus compétent encore le disait déjà en 1965 — qui semble l'avoir oublié depuis. Le chancelier Schmidt écrivait alors à propos des armes euro-stratégiques de portée moyenne : " Ceux qui croient que l'Europe peut être défendue par de telles armes, ne défendent pas l'Europe mais la détruiront. " »

L'Allemagne fédérale n'est pas devenue comme par miracle un pays où la population féminine serait douée d'une perspicacité politique exceptionnelle et d'un progressisme généralisé. Comme en France, les femmes y votent statistiquement plus à droite que les hommes. Plus qu'en France sans doute, elles restent souvent attachées à des comportements réactionnaires qui se traduisent dans la vie des familles par un obscurantisme très classique.

Les différences de classe y existent, bien entendu, comme chez nous et il n'est sans doute pas exagéré de dire que l'esprit petit-bourgeois, favorisé par le réformisme dominant du mouvement ouvrier, y est encore plus répandu et plus odieux que de ce côté-ci du Rhin. Les bonnes femmes en chapeaux feutrés qui hantent les pâtisseries — voire les Weinstuben — pour parler chiffons et médire du prochain autour d'une tasse de thé ou d'un verre de vin blanc et d'un amoncellement de gâteaux pleins de crème offrent dans toutes les villes des spectacles quotidiens et inévitables qui nous paraissent souvent aussi ridicules qu'insupportables. L'écrire ici est peut-être une preuve d'intolérance. En ce cas, je connais bien des citoyennes de la RFA qui sont aussi intolérantes que moi...

Cela dit, il n'est pas impossible que l'activité politique des femmes de la RFA soit, proportionnellement à celles des hommes, plus grande qu'en France, même si une certaine confusion la caractérise à tous les niveaux. Le parti de droite CDU-CSU (démocrate-chrétien) s'en inquiète en tout cas et l'affaire lui a semblé assez grave pour justifier au cours de l'été 1980 toute une série d'études en vue de renforcer son action « en faveur » de la femme et de la famille.

Au cours d'un congrès de la Fédération des scientifiques démocrates (BdWi) réuni à Bonn, une spécialiste des problèmes féminins, Sigrid Matzen-Stöckert, révélait que l'Union des femmes CSU (la CSU, dirigée par F.J. Strauss, est la branche bavaroise et la plus réactionnaire de l'Union chrétienne démocrate) avait décidé de fonder une sorte d'institut de recherches scientifiques sur les problèmes féminins, partant de la constatation que « les femmes sont bien loin d'être aussi convaincues que les hommes de la valeur de l'ordre politique et social régnant en République fédérale et que chez elles grandit l'opinion selon laquelle elles doivent exercer une pression (pour que ça change) ».

Quoi qu'il en soit, l'observateur est en effet frappé par le foisonnement des activités proprement politiques des femmes de RFA, étant entendu que nous donnons au terme « politique » son sens le plus large, le plus noble, et disons, le plus social. Une part de la réalité nous échapperait si nous n'en revenions pas à la période hitlérienne de l'histoire de l'Allemagne et à ses suites immédiates.

Voici, par exemple, ce que l'on pouvait entendre au cours de l'une des assemblées les plus chargées d'émotion que nous ayons connues. C'était en octobre 1980. Deux cents femmes environ étaient réunies à Düsseldorf pour une conférence dont le thème était : Femmes et résistance — Femmes contre le fascisme et la guerre. Elles venaient de toute la RFA, mandatées par les cercles de la DFI.

La plupart d'entre elles étaient jeunes. Les autres avaient été témoins et actrices des temps terribles. Il y avait celles aux cheveux blancs qui, entre 1933 et 1945, avaient combattu Hitler.

Il y avait celles qui, après 1945, s'efforcèrent de construire sur les ruines du nazisme une Allemagne antifasciste et pacifique. Il y avait celles d'aujourd'hui qui luttent contre les Berufsverbote et les armes nucléaires.

L'histoire constituait la trame de toutes les interventions. Le film du passé revivait avec ces femmes héroïques des organisations prolétariennes des années 30 qui rejoignirent le Kampfbund (Alliance du combat) contre le fascisme, tandis que les cercles féministes ou tout simplement féminins de la bourgeoisie se sabordaient ou étaient absorbés par la NS-Frauenschaft, l'organisation nazie des femmes. En 1933, la dirigeante de la Fédération des associations féminines allemandes, Gertrud Bäumer, déclarait : « Il nous est parfaitement indifférent (...) que l'État soit parlementaire, démocratique ou fasciste. » Le programme de l'organisation des femmes nazies était simple : combattre le travail féminin, glorifier la maternité, exalter le nationalisme. Au cours de la seule première année du règne de Hitler, 150 000 femmes sont exclues des usines et des services publics. En 1934, les femmes médecins mariées perdent leurs droits à la propriété. En 1935, on interdit aux femmes d'être juges ou avocats. Le nombre des étudiantes est limité à 10 % des effectifs de l'enseignement supérieur. A ces brimades, s'ajoutent les persécutions raciales.

La durée du travail hebdomadaire est, à l'époque, de 60 heures. Le salaire des ouvrières est limité officiellement aux deux tiers de celui des hommes exerçant le même travail. Produire des enfants devient avec la guerre la fonction principale de la femme. En 1942, Hitler déclare : « La révolution national-socialiste a seule réussi en quelques années à faire venir au monde plus de deux millions et demi d'êtres vivants par rapport à 1932. La guerre ne nous a pas encore pris 10 % de ce qui a été donné en fait de vies à la nation allemande. »

Les femmes allemandes ne devaient pas seulement faire des enfants. Dès 1935, elles sont déclarées mobilisables et, de fait, en 1940, des femmes servent dans la DCA (sans parler de bureaux de la Wehrmacht).

L'une des participantes de ce congrès, Käthe Jacob, est une survivante du camp de concentration de Ravensbrück. Son mari, communiste comme elle, a été exécuté par les nazis. Sa fille, institutrice, fut l'une des premières victimes de Berufsverbot en République fédérale allemande. Cruelle continuité ! Une vaste campagne de protestation, après de longues années, l'a rétablie dans ses droits. « Il faut toujours se battre ! » dit Käthe Jakob.

Il faut toujours se battre, devait dire également Herta Thüsfeld, qui rapportait sur la lutte contre la remilitarisation. De 1949 à mars 1952, neuf millions de personnes se prononcèrent en

Allemagne de l'Ouest contre le réarmement et pour un traité de paix. La pétition fut alors interdite. Les femmes avaient pris à cette action une part déterminante. Leur organisation démocratique, le DFD (Frauenbund Deutschland) fut interdite. Dès 1950, l'appartenance à cette organisation avait été considérée par les autorités comme incompatible avec l'exercice d'une fonction publique. En 1951, un congrès des femmes et des mères pour la paix se tint à Velbert. Le mouvement pour la paix des femmes ouest-allemandes devait y naître...

Il faut toujours se battre... Elles se battent toujours...

Il y aurait tant de choses à dire sur ces femmes de la Bundes-Républik Deutschland, qui nous ramèneraient à nos problèmes français, que l'on ne peut tout aborder. C'est donc très consciemment que nous limitons notre enquête, nous contentant de quelques coups de projecteurs sur une réalité sociale et politique d'ailleurs d'une telle complexité qu'il serait bien prétentieux de vouloir en éclairer tous les aspects.

Voyons ce que nous raconte Monika M., par exemple, ouvrière d'usine qui prit part en 1977 à une grève de femmes dans la petite ville sarroise de Ottweiler. Elle avait à l'époque une trentaine d'années et deux enfants : « J'avais fait des études en vue de devenir employée de banque. Je m'étais mariée, j'avais eu des enfants, j'étais heureuse. Et puis, j'ai fini par trouver que le " métier " de ménagère ne suffisait pas. J'ai cherché du travail. Pas facile. Le chômage féminin atteignait alors déjà 17 % de la population active de la région. Dans les banques, rien à faire. J'ai été embauchée par la firme Opel — rien à voir avec les autos — qui fabriquait du matériel de chirurgie. Nous étions 23 ouvrières, la plupart travaillant à mi-temps, pour 3 marks de l'heure. Peu de temps après mon arrivée, on me mit au contrôle. Je gagnais quelques marks de plus que les autres, mais on me dit fermement de ne pas en parler. »

Monika doit avoir aujourd'hui dans les cinquante ans. Elle a connu un prisonnier de guerre français quand elle était enfant, qui travaillait à la ferme de ses parents. Il l'emmenait promener par le chemin qui longeait le cimetière du village. Monika en a gardé quelques mots de français. « Le cimetière, me dit-elle, je me rappelle bien comment on dit : boulevard des allongés. » Je lui ai demandé d'où venait son prisonnier. De Paris. Tout s'explique.

« Dans le hall où nous travaillions, il faisait une chaleur terrible en été, poursuit Monika. Le thermomètre montait à 50°C. On n'en pouvait plus. Et il fallait travailler sans lambiner. Sinon, la porte. Les femmes travaillaient pour un salaire de misère, mais elles faisaient leurs heures quand elles voulaient. Rudement commode quand on a des petits enfants. N'empêche que c'était l'enfer et une exploitation pas croyable. Je ne m'étais jamais imaginé que ça pouvait exister. Un jour, je me suis dit : tant pis pour ce qui arrivera, il faut faire quelque chose. J'ai commencé à discuter avec les filles du boulot stupide qu'on nous faisait faire, de la chaleur, des brimades, des bas salaires. Quelques-unes ont pris contact avec le syndicat et nous y avons presque toutes adhéré. En 1975, nous avons exigé d'élire un comité d'entreprise. J'en ai été élue présidente. Bon. Je passe sur les détails. En 1976, le patron refuse de nous appliquer les tarifs prévus pour notre branche d'industrie. On décide de faire grève. Le représentant du syndicat vient de Sarrebruck et nous dit : " Faites gaffe. Si vous faites grève, ça peut conduire une petite boîte comme ça à la faillite et vous vous retrouverez chômeuses. " On a discuté. J'ai dit : " Plutôt chômeuses que de continuer comme ça. " On a voté. Sur les 23 employés et ouvriers, il y en a eu 14 pour prendre part au vote. Rien que des femmes et toutes pour la grève. C'était le 15 mars 1977. Le patron n'en croyait pas ses yeux. Deux autres ouvrières nous ont rejointes. On était seize. On a installé un piquet de grève. Le patron fait venir la police. Les flics nous demandent nos noms, etc. On refuse. Ils nous menacent de toutes sortes d'horreurs. On ne bouge pas. Ils sont repartis. Nous voulions de meilleurs salaires et surtout, peut-être, de meilleures conditions de travail et plus de respect pour nous. Au bout de seize jours de grève, on nous dit que l'usine était déclarée en faillite et que tout le monde était licencié. En réalité, ce n'était pas parce que nous avions fait grève que l'usine fermait. Elle était en banqueroute depuis bien avant. Mais, comme ça, ils avaient un prétexte. Eh, bien ! croyez-moi : ça ne nous a pas démoralisées du tout, d'être au chômage. Notre mouvement nous avait réveillées. On a dit : de toute façon, nous n'accepterons plus jamais de travailler comme on nous a fait travailler si longtemps... »

Si j'ai raconté cette histoire (vraie), c'est parce qu'elle prouve — à son échelle — que l'esprit de classe vient aux travailleurs, même quand il s'agit de femmes, en Allemagne fédérale comme ailleurs. Ce n'est un secret pour personne que les syndicats soient dirigés au sommet par des sociaux-démocrates en général fort peu révolutionnaires et très sensibles au respect des « lois du marché » capitaliste. Mais cela ne signifie pas que la lutte des classes a disparu comme par enchantement.

D'une part, des choses se passent « en bas », et qui ne sont pas réformistes du tout ; d'autre part, « en haut », les dirigeants sont bien obligés, parfois, d'en tenir compte. Il en résulte un équilibre instable, jusqu'ici favorable dans l'ensemble au maintien de l'exploitation capitaliste, mais peut-être plus fragile, à long terme, qu'on ne l'imagine. De toute façon, c'est là l'affaire des travailleurs ouest-allemands eux-mêmes...

Revenons-en aux femmes et à leur place dans la production. Comme en France, le chômage touche plus les femmes que les hommes. Gouvernement et patronat s'efforcent de les orienter de préférence vers un travail à temps partiel. Or sur 100 demandeuses d'emploi, il y en a 64 qui souhaitent travailler à temps plein. Lors de la conférence consacrée aux femmes par le syndicat des métaux (IG Metall) à Augsburg en mai 1979, les délégués de Munich ont fait adopter un amendement à la résolution finale qui manifeste une vue très claire des choses : « sur le plan économique des entreprises, le travail à temps partiel permet de manœuvrer aisément. Il favorise les mesures de rationalisation (...). Le travail à temps partiel augmente l'intensité du travail et par conséquent la productivité au détriment de ceux qui travaillent à temps plein et, en même temps, de ceux qui sont employés à temps partiel car la plus grande intensité des efforts n'est pas rétribuée à sa juste valeur (...). Les structures sociales s'en trouvent renforcées : en effet, les charges unilatérales revenant aux femmes dans les tâches familiales subsistent. Le travail à temps partiel est donc un moyen de perpétuer la discrimination frappant la femme tant dans sa vie professionnelle que dans sa vie familiale. Les délégués estiment qu'il vaut mieux imposer la revendication d'une réduction substantielle du temps de travail pour tous les travailleurs avec des salaires égaux que celle d'un travail à temps partiel. »

L'égalité de l'homme et de la femme devant le travail est l'une des revendications les plus constamment défendues en Allemagne fédérale où l'on constate que les textes tant nationaux qu' « européens » à cet égard sont loin d'être respectés. Plus généralement, il apparaît qu'une majorité de femmes souhaite occuper une fonction rétribuée et rejette la thèse selon laquelle le problème du chômage pourrait être résolu par le maintien de la « femme au foyer ».

Une enquête par sondage de l'Institut de recherches sociologiques de Göttingen menée en 1978-1979 montre que trois femmes sur cinq souhaitent conserver ou trouver un travail rénuméré. Mais, d'autre part, l'insatisfaction des salariées croît avec le manque de qualification professionnelle. Or 51 % des femmes employées dans l'industrie et le commerce sont sans qualification alors que cette proportion n'est que de 27 % chez les hommes.

Cette situation conduit à toute une série de questions nouvelles qui mettent évidemment en cause la structure même de la société et le système qui la régit. Les statistiques établies sur la base des données des vingt dernières années indiquent que (à quelques fluctuations conjoncturelles près) seulement 35 % des femmes occupent une fonction rétribuée. Cette proportion était déjà de 30 % en 1907. « Pour la plupart, les femmes restent depuis des siècles attachées aux travaux ménagers, écrivait une spécialiste en février 1978 dans l'hebdomadaire progressiste *Deutsche Volkszeitung,* parce qu'il n'y a pas assez de place pour toutes les femmes sur le marché du travail. Aussi longtemps qu'une activité professionnelle stable en dehors du foyer ne sera pas assurée à toutes les femmes — ce qui n'arrive pratiquement jamais dans les formes capitalistes de la société — les femmes resteront liées au travail d'éducation des enfants et au maintien de la force de travail du mari. » A cette conception un peu trop entière des choses, une autre spécialiste répondait en tentant de définir ce que signifierait une véritable émancipation de la femme par le travail, y compris dans le cadre du système actuel de l'Allemagne fédérale. « Le droit au travail, écrivait-elle, doit être conquis. Mais ce but à lui seul ne vaut rien si l'on ne se bat pas en même temps pour une amélioration de la formation professionnelle et scolaire, l'égalité des salaires (pour les hommes et pour les femmes), l'humanisation du mode de travail et une cogestion qui mérite ce nom. Parallèlement, les travaux domestiques doivent être allégés par un bon aménagement du système scolaire, des hôpitaux, des services, etc. La femme doit être reconnue sur le plan politique. Une telle émancipation s'oppose à la fois à l'arbitraire des patrons — qui décident des conditions du travail et de la formation selon le principe du " maître chez soi " et n'ont en vue que le profit — et aux politiciens qui cimentent par des lois une conception conservatrice du rôle social des femmes, ainsi qu'à toutes les forces qui tirent profit de l'oppression de la femme. »

Nous voici revenus à cette action patiente et quotidienne qui passe par mille étapes, grignote des privilèges solidement établis, conquiert des positions nouvelles, point de départ pour de nouvelles conquêtes. Reprenons cette question lancinante, là-bas comme chez nous, des salaires masculins et féminins[1].

A la fin du XVIIIe siècle et au début du XIXe, en Allemagne, les rénumérations du travail féminin équivalaient à 40 ou 50 % de

1. Les différences de salaires entre les hommes et les femmes sont en moyenne de 25 à 30 %. Le quotidien *die Welt* du 26 août 1980 écrivait : « En comparaison avec les autres pays européens, la RFA est donc toujours la lanterne rouge dans ce domaine. »

celles des hommes. Cette situation va se perpétuer pour l'essentiel jusqu'à la Première Guerre mondiale. Les salaires féminins se rapprochent le plus des salaires masculins en 1918-1919, période éminemment révolutionnaire, y compris en Allemagne. Hitler régnant, les différences s'accroissent de nouveau. En 1939, Goering demande aux patrons de s'en tenir à la règle qui veut que les femmes soient payées 25 % de moins que les hommes.

Depuis la fin de la guerre, la lutte pour venir à bout de cette funeste tradition — qui rapporte tant aux industriels — n'a pas cessé. Lorsque les femmes parviennent à « s'organiser » syndicalement, elles obtiennent parfois des résultats spectaculaires.

Tel a été le cas en juillet 1981 dans une grande usine de la Ruhr, la firme Kronberg und Schubert (câbles), où une action collective des femmes a conduit le tribunal du Travail de Bochum à donner raison aux travailleuses contre le patron.

Elles ont raconté leur lutte dans un petit livre (*Wir wollen gleiche Löhne,* « Nous voulons des salaires égaux ») paru aux Éditions Rowolht. Elles écrivent dans une brève préface : « Ce livre doit encourager d'autres femmes à se battre pour leurs intérêts. Nous ne sommes pas des " héroïnes ", comme l'a dit un journal. Nous sommes des femmes et des hommes tout à fait normaux et tout ce que nous avons fait les autres femmes peuvent le faire aussi. »

« Il faut toujours se battre », disait Käthe Jakob au Congrès des femmes contre le fascisme et la guerre. En Allemagne fédérale, comme partout dans le monde, il y a des femmes qui se battent pour leur avenir. Pour notre avenir à tous.

Japon

l'exploitation de l'Homme par l'aliénation de la femme
par Anne Etchégarray*

NON, LES GADGETS NE SUFFISENT PAS A LIBÉRER LA FEMME

La condition faite aux femmes japonaises aujourd'hui est une réplique vigoureuse à ceux et celles qui ont cru que la gadgétisation de la vie quotidienne allait libérer la ménagère et permettre enfin une pleine participation de la femme à la vie sociale. Les gadgets, ce n'est pas ce qui manque aux japonaises. La liste est sans fin, et les publicités télévisées proposent aux ménagères des appareils de plus en plus perfectionnés qui iront s'empiler dans les quelques mètres carrés concédés à la cuisine, dans les logements exigüs de la famille japonaise moyenne. Ces transformations ont bien sûr contribué, ainsi que la réduction du nombre d'enfants à deux en moyenne, à améliorer le quotidien des femmes.

Elles reviennent de loin

Avant la constitution de 1947, aucun droit n'est reconnu à la femme sur le plan juridique. Elle n'est que le prolongement de

* Chercheur.

son père, son mari ou son fils. Il lui est même interdit, jusqu'aux années 1920, d'écouter les discours politiques dans les assemblées publiques. C'est en partie la défaite japonaise et l'influence américaine qui ont, après la Deuxième Guerre mondiale, entraîné la reconnaissance de l'égalité des droits. La constitution de 1947 stipule en effet que toute discrimination entre les sexes, sur les plans économique, politique et social, est à rejeter. Le combat pour l'égalité consistera donc aussi à donner substance à ce texte, que divers facteurs et forces sociales font souvent rester lettre morte. Par exemple, cette clause sur l'égalité ne s'applique pas, c'est précisé, aux contrats passés directement entre personnes privées. La porte reste donc ouverte à l'inégalité devant l'emploi. Bien sûr, les femmes peuvent avoir tendance, comme l'ensemble du peuple japonais, à faire taire leurs insatisfactions devant les extraordinaires améliorations survenues dans leur vie depuis la guerre. Il n'est pas question de nier ici la rapidité de cette émancipation des femmes depuis 35 ans, mais simplement d'attirer l'attention sur quelques-unes de ces limites, dont certaines sont dues à des facteurs idéologiques, et d'autres à un système économique qui a pour nom « capitalisme » et se fait fort de tirer profit des traditions féodales.

Pourquoi l'exploitation capitaliste ?

Nous avons choisi de traiter la question féminine au Japon sous l'angle de l'exploitation capitaliste, en laissant de côté des questions fort intéressantes, telles que l'influence du confucianisme dans les relations familiales, l'évolution de la position sociale des femmes dans l'histoire, le mouvement féministe, son histoire, son avenir, ses relations avec les organisations politiques et syndicales ; l'évolution démographique et la régulation des naissances, etc.

Le choix peut sembler curieux pour un pays qui donne de sa société l'image d'un partage des tâches bien établi : l'homme au travail, la femme au foyer. La femme ne se réaliserait qu'en tant qu'épouse et mère, son contact avec le monde du travail ne se ferait qu'indirectement. Les héroïnes des feuilletons télévisés restent, elles, en grande majorité, conformes aux normes, et s'il leur prend l'idée de retravailler une fois leurs enfants au lycée, ce n'est que pour mieux le regretter devant les diverses catastrophes que cela entraînera (fugue des enfants ou divorce, au choix). Et pourtant... Cette figure idyllique de la ménagère trônant dans sa cuisine à la tête d'un régiment d'appareils ménagers et d'un bataillon de produits exterminant saleté et odeurs, s'effrite peu à peu.

Il est grand temps, car 47,6 % des femmes de plus de 15 ans travaillent, et leur salaire n'est que 56 % du salaire masculin en moyenne !

La face cachée du modèle japonais

Alors que le socialisme abandonne les modèles, le capitalisme, lui, s'en cherche de nouveaux. Sa dernière trouvaille est le « modèle japonais » : compétitivité sur le marché international, taux de chômage comparativement faible, le « miracle » japonais provoque bien des fascinations. Les travailleurs auraient enfin pris conscience de la convergence de leurs intérêts avec ceux de l'entreprise, en bref ce serait le consensus. Les femmes ! Mais il paraît qu'elles restent chez elles, à leur place...

Or, 38,6 % des travailleurs sont des travailleuses. Comment s'insèrent-elles dans ce système économique dont on nous fait les louanges ? Il nous faut ici souligner quelques particularités de la main-d'œuvre japonaise. Le système d'emploi dit « à vie » est très répandu dans les entreprises pour les hommes. Il repose sur la fidélité de l'employé, qui obtient en contrepartie la sécurité d'emploi et la certitude de voir son salaire, très bas au début, augmenter avec son ancienneté. Ce système assez rigide rend la mobilité d'emploi quasi impossible, même si ces dernières années montrent une certaine évolution. En cas de faillite, de licenciement économique, le nouvel emploi est généralement payé comme à un débutant s'il y a changement d'entreprise. Mais ce système ne concerne qu'une partie des travailleurs, la mieux payée, la plus qualifiée, celle qui est syndiquée et donc mieux défendue. Les autres, les travailleurs saisonniers (souvent des paysans pendant la morte saison), les hommes et les femmes embauchés pour un travail temporaire ou à temps partiel, n'ont pas de sécurité d'emploi et jouissent de conditions de travail bien inférieures. Cette inégalité est accentuée par le fait que l'étendue des garanties sociales (remboursement en cas de maladie, allocations diverses telles l'allocation familiale, l'allocation de fin d'année, l'allocation de retraite...) diffèrent selon les entreprises et selon le statut du travailleur. Même parmi les travailleurs « réguliers », la différence dans les garanties sociales, les congés, la durée hebdomadaire du travail, les salaires, est frappante entre petites et grandes entreprises. Or, 55,6 % des salariées travaillent dans des entreprises de moins de 100 employés. Et presque le quart sont embauchées à « temps partiel ». Les femmes font donc nettement partie de cette partie « défavorisée » de la main-d'œuvre japonaise.

ÉCOLE, TRAVAIL, FOYER :
OU EN SONT LES FEMMES ?

L'Éducation : un bouleversement prometteur

Le taux de scolarisation très élevé est le témoin de ce changement : 93,1 % pour les filles dans le deuxième cycle de l'enseignement secondaire (l'équivalent des 2e, 1re, terminales de nos lycées), soit 2 % de plus que pour les garçons, 30 % de la tranche d'âge correspondante va à l'université (40 % pour les garçons). Et pourtant les résultats sont décevants : la main-d'œuvre féminine a peu accès aux postes qualifiés. Essayons d'avancer quelques explications à ce phénomène.

L'éducation supérieure est très commune au Japon. Aller à l'université va de soi dans les classes moyennes aussi, mais le tout est de réussir le concours d'entrée de telle ou telle faculté prestigieuse, dont le diplôme permettra de rentrer dans une grande entreprise. Or, c'est là que resurgit l'inégalité : la moitié des étudiantes vont dans les Tandai, ces « universités courtes » au cursus de deux ans. Les universités ordinaires, dont le cursus est de 4 ans, n'accueillent que 20 % de filles environ. Cette proportion se restreint encore plus dans les cursus de maîtrise et de doctorat. Aller à la fac est souvent, pour une fille, le moyen le plus adéquat pour passer les quelques années qui séparent la sortie du lycée du mariage. Ce bagage culturel (les filles vont surtout dans les disciplines littéraires) lui servira à épouser un mari au statut social plus élevé, et c'est là l'important puisque sa vie matérielle comme sa position sociale sera déterminée par celle de son mari.

Mais c'est à la sortie de l'université que la discrimination frappe le plus fort : à part quelques métiers traditionnellement accessibles aux femmes (enseignantes par exemple), il est difficile aux diplômées d'accéder à des emplois équivalents à ceux de leurs condisciples masculins, même en possédant les mêmes diplômes. En 1980, 83 % des entreprises interrogées déclaraient ne pas vouloir de filles parmi les diplômés de l'université qu'elles embaucheraient au printemps 1981 (l'année scolaire finit en mars). Celles qui sont embauchées le sont souvent pour un travail d'appoint, et arrêtent de travailler au mariage ou à la naissance du premier enfant. Et quand elles chercheront à retravailler, elles ne trouveront que de petits travaux temporaires, non qualifiés et sans avenir. Ceci donne l'impression d'un immense gaspillage d'énergies et de capacités, mais cette situation paradoxale évolue et aboutira bien un jour à des changements irréversibles. Pour cela, une des barrières qu'on doit renverser est la discrimination dans l'emploi.

Le travail

Il peut être dangereux de séparer trop nettement les femmes au travail et les femmes au foyer, car il existe toute une frange de femmes, mouvante et mal définie par les statistiques, qui tiennent des deux à la fois. Examinons la proportion de femmes qui travaillent suivant les tranches d'âge : (chiffres de 1979, ministère du Travail) :

> 18,6 % entre 15 et 19 ans
> 69,9 % entre 20 et 24 ans
> 48,2 % entre 25 et 29 ans
> 47,5 % entre 30 et 34 ans
> 58,2 % entre 35 et 39 ans
> 62,4 % entre 40 et 54 ans
> 45,4 % entre 55 et 64 ans
> 15,6 % plus de 65 ans

On voit se dessiner, entre les femmes qui ont un métier et le gardent toute leur vie, et les femmes qui dès le mariage se consacrent à leur foyer, l'image d'un troisième type de femmes : celles qui travaillent entre 20-22 ans et 25-27 ans, main-d'œuvre à bon marché engagée pour quelques années, qui s'arrêtent au mariage ou au premier enfant (plus ou moins longtemps suivant les revenus du mari), et qui reprennent, à temps partiel le plus souvent, une fois leurs enfants un peu plus grands.

Voilà qui suffit à expliquer — dans un pays où seuls les travailleurs intégrés au système d' « emploi à vie » jouissent de conditions de travail décentes, et où le salaire est lié à l'ancienneté — que les salaires féminins soient inférieurs, presque de moitié, aux salaires masculins.

Un employé sur trois, deux paysans sur trois, un commerçant ou artisan sur deux, sont des femmes. C'est dire combien l'économie japonaise a besoin d'elles. Et, pourtant, leur travail est loin d'être reconnu à sa juste valeur, comme à la campagne où elles jouent un rôle capital, ou comme ces femmes de commerçants dont les journées de travail n'en finissent pas, sans pour autant avoir les garanties des salariés. En France, ces problèmes ne nous sont pas étrangers, d'ailleurs.

Les salariées restent encore les dernières embauchées et les premières licenciées. Pas mal d'entreprises pratiquent encore les licenciements au moment du mariage ou du premier enfant, ou les retraites anticipées (30 ans par exemple) pour les femmes. Ce sont elles qui arrivent plus tôt le matin pour nettoyer les bureaux et qui versent le thé à leurs collègues masculins. Elles sont confinées aux travaux répétitifs et leur possibilité de prise de responsabilités et d'avancement sont limitées. Elles ne sont pas prises au sérieux, et s'entendent parfois dire au téléphone « passez-moi un homme ». L'employeur peut faire des enquêtes sur la moralité des jeunes filles qu'il engage, et exiger qu'elles habitent chez leurs parents ou dans les foyers de l'entreprise.

Les syndicats, de leur côté, ne sont pas toujours aussi sensibles aux problèmes des femmes qu'ils le devraient, mais ces discriminations et ces atteintes à la dignité rencontrent de plus en plus de résistance.

Le temps partiel : les femmes y gagnent-elles ?

Presque un quart de la main-d'œuvre féminine est embauchée à temps partiel. Cette proportion est en augmentation constante ces dernières années. Au moment où certains avancent le travail à mi-temps, comme solution pour concilier travail et enfants en France, il est intéressant de voir ce qu'il donne au Japon. Il est certainement la réponse imparfaite à une exigence nouvelle. Mais les conditions de travail sont assez effrayantes : 75 % des femmes travaillant à temps partiel sont payées à l'heure, 472 yens de l'heure en moyenne (9,44 F[1]), la majorité gagne environ 700 000 yens par an (environ 1 200 F par mois). Soit la moitié d'une travailleuse à temps plein. En effet, dans 50 % des cas, elles ne reçoivent pas d'indemnité de retraite ni d'allocations diverses. Alors que la loi garantit douze semaines de congés de maternité, une heure par jour pour les mères d'un enfant au-dessous d'un an, des congés payés annuels (six jours par an dès la deuxième année de travail, puis un jour de plus par année d'ancienneté) et des congés au moment des règles si nécessaire, les travailleuses à temps partiel voient souvent ces droits bafoués. Ainsi, 43 % des entreprises ne leur donnent pas de congé annuel, 58 % leur refusent les congés pour les règles, 59 % les congés de maternité. Ces travailleuses sont peu syndiquées, mal défendues.

Le foyer

Nous ne rentrerons pas ici dans la dimension psychologique ou ethnologique du problème. Les différences culturelles amè-

---

1. Étant donné la fluctuation des taux de change, j'ai pris ici dans l'unique but de donner un ordre de grandeur le taux de 100 Yens = 2 francs.

nent trop souvent à porter des jugements expéditifs. Mais il faut pourtant évoquer le seul lieu où la femme soit valorisée : le mariage privilégie encore son rôle domestique et maternel. L'intimité des relations maritales et parentales estompe souvent la dimension sociale et économique de la famille. La dépendance économique de la femme reste un grand obstacle pour celles qui voudraient mener leur vie comme elles l'entendent. Si le mariage est une vocation, celle qui divorce se retrouve au chômage.

Dans ce système, le développement économique n'est pas toujours propice à une vie conjugale et familiale épanouie. Le mari passe l'essentiel de ses journées à l'entreprise. Les heures supplémentaires, les soirées à boire avec les collègues (son refus à y participer menacerait sa promotion) et le temps de transport bien long le font souvent rentrer chez lui quand ses enfants sont déjà couchés. Rien d'étonnant si seulement 23 % des hommes et 27 % des femmes estiment que les tâches ménagères devraient être partagées au sein du couple. Même quand la femme a un travail, l'essentiel repose sur elle. Une enquête montrait que dans les couples où la femme travaille celle-ci consacre en moyenne 3 heures et demie par jour aux tâches ménagères et aux soins donnés aux enfants, et l'homme... 6 minutes !!

Ce cloisonnement, entre le monde de l'entreprise et celui des ménagères, laisse en fait aux femmes le soin quasi exclusif de certaines questions. La femme tient la maison, gère le budget le plus souvent ; elle a l'entière responsabilité de l'éducation des enfants et passe pas mal de temps dans les associations de parents d'élèves. C'est elle qui est le plus concernée par la vie du quartier, les problèmes d'environnement, de constructions nouvelles (le fameux « droit au soleil »). Elle participe aux mouvements de locataires, de consommateurs, d'habitants du quartier, etc. Ces activités se réduisent bien entendu dans les mouvements d'envergure nationale et les femmes sont peu représentées par exemple dans les assemblées politiques. Il y a toutefois des différences sensibles suivant les partis : les députés du Parti libéral démocrate (PLD, au pouvoir) ne comprennent que 1,6 % de femmes dans leurs rangs, contre 22,9 % au Parti communiste japonais.

L'importance démesurée de la mère dans la famille, qu'entraîne l'absence du père, si elle valorise la femme dans ce rôle, a une contrepartie. C'est elle qui est blâmée quand quelque chose ne va pas. L'accroissement récent de certains phénomènes provoque de l'inquiétude : l'augmentation des suicides de jeunes (en janvier 1979, 104 jeunes se sont suicidés, dont 60 écoliers et lycéens), la montée de la délinquance juvénile, la violence des jeunes à l'intérieur de l'école ou du foyer. Il serait légitime de s'interroger sur le système scolaire, la place privilégiée qui y est faite aux examens, ou peut-être sur le rôle de la télévision (10 fois plus de temps de publicité par jour qu'en France sur les chaînes privées). Mais c'est fréquemment la famille, et donc la mère, qui est désignée comme responsable. Si elle travaille, elle néglige son devoir de mère. Sinon, elle n'a aucune excuse.

Mais, là non plus, les choses ne restent pas immobiles. Le nombre croissant de femmes mariées qui travaillent — celui des divorces aussi — indique que les femmes sont de moins en moins satisfaites d'être cantonnées à un rôle domestique subalterne.

L'INÉVITABLE CHANGEMENT

L'exploitation demeure

Le choc pétrolier des années 1974-1975 a donné le prétexte, dans ce pays pauvre en sources d'énergie, à une rationalisation dont les travailleurs ont fait les frais : licenciements économiques, intensification des cadences, rallongement du temps de travail (de deux à trois heures de plus par mois en moyenne entre 1970 et 1975). Le travail temporaire et à temps partiel est utilisé de façon de plus en plus systématique, car bon marché et malléable. Ainsi, 37 % des entreprises utilisent-elles de façon régulière plus de la moitié de travailleurs à temps partiel. Le « temps partiel » se rallonge et ressemble de plus en plus a du « temps complet », mais c'est la forme d'embauche, avec les bas salaires et l'insécurité de l'emploi, que recherchent les employeurs. Par exemple dans cette usine de montage de télévision où, sur 600 employés, 400 sont embauchés à « temps partiel », la grande majorité étant des mères de famille, et travaillent dans des conditions lamentables pour un salaire horaire de 400 yens (8 F). Plus on descend dans la chaîne de la sous-traitance (car celle-ci fonctionne à plusieurs degrés), plus les conditions de travail se détériorent, et plus on trouve de femmes. Le pire étant, tout en bas de l'échelle, les femmes travaillant chez elles pour des salaires de 250 yens (5 F) de l'heure, ou même 100 yens (2 F) pour les débutantes. Il s'agit là de zones de l'économie japonaise mal étudiées, oubliées dans les statistiques et les tableaux de salaires que nous proposent les adeptes du « modèle japonais ».

L'aspect légal

Outre la constitution, les femmes disposent comme outil de lutte d'une loi sur le travail leur garantissant certaines protections et l'égalité des salaires. Mais celle-ci est, comme nous en avons fait l'expérience en France, facile à contourner. Ainsi, une enquête menée en 1977 indique que 72,6 % des entreprises offrent des salaires différents à l'embauche suivant le sexe. 74,8 % des entreprises justifient cette inégalité par la différence de nature des postes proposés et 33,4 % par la différence du travail effectué au même poste. D'autre part, le gouvernement japonais a ratifié la clause sur « l'abolition de toute forme de discrimination » élaborée en 1981 à Copenhague. Tout un mouvement prend vie pour que les nouvelles lois sur l'égalité ne vident pas de son contenu initial cette clause.

Les femmes ont eu recours à la justice plusieurs fois dans leur combat contre les discriminations. Quand des procès sont gagnés, ils peuvent avoir une influence considérable dans le pays. Par exemple, le premier procès d'une employée contre le système de « préretraite » au mariage, qui obtint l'annulation de son licenciement (en 1964), a été suivi par d'autres et, en 1977 enfin, le ministère du Travail donna des directives aux entreprises pour supprimer tout système défavorable à la femme en matière d'âge de la retraite. En 1979, 50 % des entreprises auraient effectivement aboli ces règlements iniques. Ou encore en 1973, un conflit démarré dans une banque — au sujet d'une allocation spéciale versée uniquement aux hommes — a pris de l'ampleur et a abouti à faire rembourser plusieurs millions de francs, dans diverses entreprises, à de nombreuses travailleuses.

Les offensives du pouvoir

Le Parti libéral démocrate (PLD), au pouvoir depuis plus de 25 ans, est de notoriété publique le représentant des grandes firmes capitalistes. Ces dernières années, il a fait son possible pour enrayer la montée du mouvement des femmes, les exigences d'égalité. Voici, pour exemple, deux projets essayant de « faire tourner la roue de l'histoire à l'envers ».

En 1978, la nécessité d'une loi sur l'égalité devant l'emploi amène le pouvoir à élaborer un projet qui vise, sous le prétexte d'établir une égalité complète, à supprimer certaines des protections que la loi sur le travail accordait aux femmes, telle la limitation du nombre d'heures supplémentaires et du travail de nuit. Pour le gouvernement, l'obstacle principal à l'égalité serait... la surprotection de la femme ! Cela est bien dérisoire quand une enquête ministérielle reconnaît que 72,5 % des travailleuses ont une grossesse à problèmes, 54,9 % un accouchement à problèmes, et que cette proportion s'élève à 84,9 % pour les femmes qui travaillent de nuit ou font les 3/8 (les infirmières par exemple). Ces manœuvres, pour détourner une légitime revendication d'égalité vers une aggravation de la discrimination et des conditions de travail, rencontrent bien sûr l'opposition des syndicats et des partis progressistes. Ce que veulent les femmes, c'est une loi efficace, avec des organismes de recours accessibles facilement aux femmes victimes d'une discrimination, une sanction pénale des employeurs y contrevenant, et des organismes de contrôle comprenant des travailleurs.

Un autre projet de loi du PLD s'attaque, en 1979, aux crèches et jardins d'enfants qui seraient « l'instrument permettant à la mère de délaisser ses enfants » ! Le but est de supprimer les crèches pour les enfants de moins de trois ans, pour faire des économies, en obligeant les femmes à rester chez elles. Après tout, le travail de la femme mariée est, d'après le PLD, à l'origine de la délinquance. Il est donc indispensable de rappeler la femme à son devoir de mère, y compris par des mesures coercitives. Ce n'est pas qu'il y ait trop de crèches, pourtant. Le ministère de la Santé lui-même estime que de 20 % à 40 % des enfants, qui auraient besoin d'être accueillis à la crèche, ne le peuvent pas, faute d'équipements. Le scandale récent des « baby hotels » — qui gardent les enfants pour la nuit ou pour une durée plus longue en journée que les crèches normales — a ravivé le débat. En effet, ces garderies ne sont pas reconnues par le ministère de la Santé, et les enfants sont loin d'y être bien soignés : les consignes de sécurité n'y sont pas respectées, et le personnel est insuffisant et non qualifié. Il faut que la société prenne ses responsabilités et crée pour les femmes les conditions qui leur permettent de travailler si elles le souhaitent ou en ont besoin.

POUR CONCLURE

La condition de la femme au Japon ne peut se ramener à une simple facette arriérée d'un pays déjà au XXIe siècle sur d'autres plans. L'exploitation de la main-d'œuvre temporaire, saisonnière, à temps partiel, la sous-traitance, permettent aux grandes entreprises de demeurer florissantes. Les firmes capitalistes sont conçues de façon à trouver leur profit maximum par l'exploitation des femmes de 20 à 28 ans, comme ces ouvrières de l'industrie électronique dont les yeux et les nerfs sont usés en quelques années (après, cette exploitation prend plutôt la forme du « temps-partiel »).

L'homme, d'un autre côté, ne peut se consacrer à plein temps à l'entreprise et faire des heures supplémentaires comme on l'exige de lui, que dans la mesure où la femme veille à tout le reste : la maison, les enfants, etc. S'il mangeait tous les jours des nouilles instantanées, c'est la simple reproduction de sa force de travail qui se verrait mise en danger, comme le prouvent ces cas d'ulcères à l'estomac chez les hommes envoyés par leur entreprise travailler loin de chez eux.

Enfin, une véritable libération de la femme passe par une complète égalité dans le travail comme au foyer. Or celle-ci est bloquée par l'intensité de l'exploitation. Toute protection unilatérale de la femme est à double tranchant. La limitation du nombre d'heures supplémentaires sert de prétexte à une discrimination qui élimine les femmes des postes de responsabilité. La seule solution radicale réside dans l'amélioration des conditions de travail de tous, hommes et femmes. Il faut donner aux hommes aussi le temps de s'occuper de leurs enfants, de prendre des congés si leurs enfants sont malades. Et même si cela demande aussi de nombreux changements dans les mentalités, ils ont, j'en suis convaincue, tout à y gagner.

Algérie

entre la tradition et la modernité, l'équilibre à trouver
par Françoise Germain-Robin*

Quand on pense aux femmes d'Algérie deux images contradictoires s'imposent à nous : celle de ces ombres voilées de blanc ou de noir, selon les régions, que l'on rencontre encore nombreuses dans les villes du pays et celle de ces jeunes filles et jeunes femmes modernes, habillées à l'européenne, qui se hâtent vers l'usine, le bureau ou l'Université. Deux réalités vivantes de l'Algérie d'aujourd'hui. Deux apparences auxquelles il ne faut pas trop s'arrêter car elles sont toutes deux des images trompeuses d'une réalité plus contradictoire encore qu'il n'y paraît.

La femme voilée que vous rencontrez dans une rue de la Kasbah d'Alger est peut-être une des héroïnes inconnues qui ont participé avec un courage et une abnégation devenues légendaires à la guerre de libération nationale algérienne. Et la jeune fille apparemment « libérée » qui sort seule dans la rue pour se rendre au cours ou au bureau sera peut-être à son tour demain, sinon voilée, du moins réduite à l'horizon des quatre murs de son foyer.

Car la femme algérienne n'est pas encore totalement maîtresse de son propre destin.

Au niveau des principes pourtant, les choses sont claires : tous les textes qui régissent la vie publique algérienne accordent

* Journaliste, envoyée spéciale de l'*Humanité* en Algérie.

105

aux femmes les mêmes droits et leur imposent les mêmes devoirs qu'aux hommes. La Constitution algérienne interdit « toute discrimination fondée sur des préjugés de sexe » (art. 39) et garantit « les droits politiques économiques, sociaux et culturels de la femme » (art. 42).

Elle stipule également que « la femme doit participer pleinement à l'édification socialiste et au développement national » (art. 81). La Charte nationale, adoptée en 1976 par référendum après un vaste débat populaire (et qui sert depuis lors de guide idéologique dans l'édification d'une société socialiste spécifiquement algérienne) encourage la femme à occuper un poste de travail pour participer à cette édification. « La révolution algérienne, y lit-on, resterait en deçà de ses objectifs si les millions de femmes qui constituent pour la société un immense potentiel de changement, n'étaient résolument intégrées dans son processus ».

Qu'en est-il maintenant de la réalité ? Sans aucun doute, des femmes sont aujourd'hui présentes dans pratiquement tous les secteurs de la vie nationale. On trouve des femmes médecins, ingénieurs, juges, avocats, chirurgiens, techniciennes, enseignantes, ouvrières, des femmes paysannes attributaires de la révolution agraire. Depuis trois ans, des jeunes filles ont même accès à l'école de l'air et elles seront bientôt aux commandes des avions de chasse et des bombardiers.

Mais ces femmes actives, intégrées au processus de développement de leur pays, ne constituent encore qu'une infime minorité de la population féminine en âge de travailler : 3,7 % seulement.

Une proportion qui n'a guère évolué au cours des quinze dernières années : 94 300 femmes au travail en 1966, 141 000 en 1977[1], soit une augmentation de 50 % qui correspond à peu près elle-même à la courbe rapidement ascendante de la population algérienne. Les prévisions les plus optimistes tablent sur une population active féminine proche de 400 000 à la fin du plan quinquennal qui a démarré en 1980. Quelles sont donc en Algérie les raisons qui s'opposent à l'intégration massive des femmes à la vie économique et sociale à laquelle les appellent pourtant, depuis l'indépendance, textes et discours officiels ? Il ne s'agit pas en tout cas d'une désaffection, d'une absence de volonté des femmes elles-mêmes de répondre à cet appel : une étude publiée en 1980[2], après plusieurs années d'enquêtes menées méthodiquement dans l'est du pays, montre que l'immense majorité des

1. Contre 2 193 738 hommes, la population algérienne dépassant au recensement de 1977 les 18 millions d'habitants.
2. Hélène Vandevelde, *Femmes algériennes* (Office des publications universitaires, Alger).

Algériennes, qu'elles soient instruites ou analphabètes, qu'elles habitent la ville ou la campagne et quelle que soit leur situation de famille sont favorables au travail féminin, le considèrent comme un moyen de « libération » et souhaitent elles-mêmes pouvoir exercer une activité professionnelle en dehors du foyer.

Or, plus de 96 % des algériennes sont encore aujourd'hui des « femmes au foyer » et une majorité d'entre elles vivent cette situation comme une frustration. Hélène Vandevelde cite cette vieille dame de 90 ans : « Je n'ai rien goûté. Je suis venue comme ça dans les ténèbres et je vais repartir dans les ténèbres. Je regrette de ne pas être jeune afin de pouvoir aller à l'école et ensuite vivre comme j'aurais aimé. J'aurais choisi mon mari et fait ma vie selon moi ».

Rêve de toutes les femmes, faire sa propre vie, par les études, le travail et la construction d'une vie personnelle librement choisie. Un rêve qui nous paraît bien raisonnable, mais qui se heurte, en Algérie, à de nombreux obstacles.

Des obstacles qui tiennent en premier lieu au sous-développement, en second lieu au poids des traditions.

LES OBSTACLES LIÉS AU SOUS-DÉVELOPPEMENT

Au sortir de la guerre de libération nationale algérienne, 95 % des femmes sont analphabètes. Les filles ayant eu accès aux études pendant la période coloniale sont l'exception et appartiennent toutes aux catégories sociales privilégiées. Le travail féminin à l'époque coloniale se résume à peu près aux emplois de maisons et d'ouvrière agricole. L'exploitation des femmes est alors terrible. L'une d'elles m'a raconté sa journée de travail de l'époque : levée avant l'aube, elle faisait chaque jour plusieurs kilomètres pour se rendre au champ et travaillait de 6 heures du matin à 6 heures du soir. « On me donnait un franc par jour et on me supprimait une journée de salaire si j'étais en retard ou si par malheur j'arrachais une carotte en enlevant les mauvaises herbes. J'étais obligée d'envoyer mes enfants mendier pour arriver à survivre ».

Dans de telles conditions, seules les femmes veuves ou délaissées se résignaient à chercher un emploi. L'industrie étant pratiquement inexistante, la seule possibilité était de se placer chez les colons comme journalière ou comme bonne.

A l'indépendance, l'état de l'économie algérienne n'offre guère aux femmes plus de possibilités, d'autant plus, que, nous l'avons vu, elles sont pour la plupart illettrées et sans formation professionnelle. Les femmes, les jeunes filles qui ont pourtant participé nombreuses à la guerre de libération, assurant le ravitaillement, les soins, jouant le rôle d'agents de liaison et, quoiqu'exceptionnellement[3], participant elles-mêmes aux combats doivent donc se résigner à la seule manière qui s'offre à elles d'assurer leur avenir : le mariage et le travail au foyer.

Il est surprenant à cet égard de voir, quelques années plus tard, des dirigeants reprocher aux femmes leur « démobilisation » d'après guerre.

Il a été fait par exemple grief aux femmes algériennes, qui ont consenti de grands sacrifices pendant la guerre, de s'être bornées depuis lors à des occupations autres que celles qui concernent la lutte et les sacrifices au service de la Nation.

Or, des articles des journaux de l'époque, des lettres de lectrices, l'intervention de femmes et de jeunes filles dans des émissions radiophoniques[4], montrent que les femmes étaient alors tout à fait disposées à participer dans la paix, comme elles l'avaient fait dans la guerre, à la libération économique et au développement de leur pays et que l'impossibilité où la plupart d'entre elles se trouvèrent d'employer leur enthousiasme et leur dévouement fut une source d'amère désillusion.

Elles avaient contribué à libérer leur pays du colonialisme, mais, il fallait bien se rendre à l'évidence, leur propre libération n'en était pas pour autant garantie. Ou du moins, cette libération n'allait être ni facile ni immédiate. Car il fallait compter avec le poids, incroyablement lourd, des traditions. Ces traditions culturelles et familiales, le peuple algérien s'était, pendant des décennies d'oppression coloniale, employé à les préserver à tout prix. Elles constituaient son dernier refuge, leur seul moyen parfois d'affirmer son identité nationale face à l'occupant.

LES TRADITIONS

Dans la préservation des valeurs morales, familiales et culturelles du peuple algérien, les femmes ont sans doute joué alors un rôle primordial.

Le rejet du modèle de la femme occidentale, par les femmes et les hommes — et surtout par eux — a certes constitué une

3. Voir à ce sujet l'étude publiée par le Centre de documentation des sciences humaines de l'Université d'Oran en 1980.
4. Cf. le livre de Fadela M'Rabet, *les Algériennes,* Maspero 1967, qui en publie de larges extraits.

manière de résistance, comme le recours à l'Islam par opposition aux valeurs et aux normes imposées de l'extérieur. Mais ils ont bloqué l'évolution normale de la société algérienne, la figeant dans un ordre des choses, traditionnel dans les pays arabes, où le sort réservé aux femmes n'a rien de très réjouissant.

La naissance d'une fille dans une famille a toujours été considérée, sinon comme une malédiction, du moins comme un événement regrettable. Et si l'époque où de nombreuses fillettes étaient tuées dès la naissance est depuis longtemps révolue, il est rare que l'événement soit fêté comme l'est l'arrivée d'un garçon. N'avoir que des filles est encore considéré par bien des hommes comme un déshonneur. Pour les femmes, c'est risquer la répudiation ou l'arrivée d'une autre épouse.

Car dans la société traditionnelle, le seul rôle socialement utile reconnu aux femmes est celui d'assurer la perpétuation de la lignée, donc d'avoir des enfants et le plus possible de garçons. Toute l'éducation traditionnelle de la fillette la prépare à la seule « carrière » possible pour elle : celle d'épouse et de mère. Très tôt, elle apprend qu'il existe deux mondes bien distincts : le monde intérieur, celui de la maison, qui doit être le sien et le monde extérieur, celui des hommes, qui lui est interdit. Exception faite des tribus nomades où les choses se passent, par la force des choses, différemment, la mixité est traditionnellement des plus réduites : la jeune fille ne peut cotoyer que les hommes de sa propre famille (père, frère, cousin) lesquels ne séjournent guère à la maison que pour manger et dormir. Les privilèges dont jouissent dans la famille ses frères et cousins, l'autorité de son père et de ses oncles, lui font très vite comprendre qu'elle est, elle, un être inférieur.

Les vertus premières qu'on lui enseigne sont l'obéissance et la soumission. Éternelle mineure, elle doit accepter sans rechigner les décisions prises pour elle par les hommes dont elle dépend, y compris le choix d'un époux qu'elle ne connaît généralement pas avant la nuit de noces, sauf s'il s'agit d'un cousin (cas fréquent). Une fois mariée, elle passe de la maison de ses parents à celle des parents de son époux, se pliant non seulement à l'autorité de son mari mais encore à celle, souvent plus pesante encore, de sa belle-mère. Elle ne sort que si son mari l'y autorise, et généralement accompagnée, porte le voile s'il l'exige. Elle risque à tout moment d'être répudiée et ramenée à ses parents, sans autre forme de procès que la formule « je te répudie » prononcée trois fois ou de se voir imposer une co-épouse, la polygamie étant autorisée par le droit musulman.

Tel est, rapidement résumé, le sort traditionnellement réservé aux femmes. Il existe, j'y ai fait allusion, des différences notables selon les régions, le mode de vie des tribus. Les femmes des tribus nomades, en particulier, jouissent de plus de liberté et de considération que celle des tribus depuis longtemps sédentarisées.

Le mariage leur est moins fréquemment imposé par la famille, elles gardent en propre la jouissance de leur dot et de leur héritage, participent davantage aux activités sociales de la tribu, ont leur mot à dire dans les décisions prises collectivement. Certaines tribus (notamment Touaregs) gardent même des traces d'un matriarcat ancien.

Mais, avec la sédentarisation croissante, les restes de ces « privilèges » féminins tendent à s'estomper et le modèle de référence dominant quand on évoque la société traditionnelle et le statut qu'elle réserve aux femmes est bien celui que j'ai décrit plus haut.

DES DONNÉES CONTRADICTOIRES : AVANCÉES DÉCISIVES ET FREINS AU PROGRÈS

Le poids de ces traditions séculaires, leur permanence, parfois inconsciente, dans les mentalités masculines mais aussi féminines a empêché les femmes algériennes de bénéficier pleinement des droits qu'elles avaient conquis par leur participation à la lutte de libération. Il constitue encore aujourd'hui un obstacle majeur à leur émancipation, obstacle d'autant plus difficile à vaincre qu'il se combine avec les effets du sous-développement, entretenant une sorte de cercle vicieux à l'intérieur duquel s'aiguisent et se développent les contradictions.

L'exercice des droits civiques

Exemple de ces contradictions : les droits politiques des femmes, sont, depuis l'indépendance de l'Algérie, exactement les mêmes que ceux des hommes. Elle peut voter, être élue, militer au sein du FLN (parti unique depuis 1963) ou des organisations de masse qui en dépendent. Mais au niveau du simple vote, par exemple, on a vu, au fil des années, une proportion croissante de femmes ne pas participer directement au scrutin : le frère, le père ou le mari vote souvent pour les femmes de la famille. L'installation de bureaux de vote réservés aux femmes (notamment aux élections présidentielles de 1979) destinée, en évitant la mixité, à lever les réticences des hommes à laisser sortir les femmes pour accomplir leur devoir électoral n'a rien arrangé, consacrant même un peu plus cette séparation de la société en deux.

La représentation féminine dans les assemblées élues est infime : 1 % dans les assemblées communales, 3 à 4 % dans les assemblées départementales.

Cette sous-représentation des femmes à tous les niveaux de la vie politique et publique, là où se discutent et se règlent les problèmes du pays (il n'y a jamais eu jusqu'ici de femme au gouvernement) réduit considérablement leurs possibilités de faire avancer leurs revendications.

Si cette contradiction est perçue d'une manière assez nette par les femmes elles-mêmes, et notamment par les plus politisées et les plus actives d'entre elles, elle ne semble, par contre, pas poser de problème au niveau du pouvoir politique. L'idée la plus fréquemment exprimée depuis l'indépendance dans les discours des dirigeants lorsqu'ils abordent — rarement d'ailleurs — la question est que les femmes ayant, pendant la guerre de libération, conquis les mêmes droits que les hommes, doivent dépasser la simple revendication pour exercer elles-mêmes ces droits. Le président Boumedienne disait par exemple (mars 1966) : « La femme doit se débarrasser de son complexe d'infériorité et ne pas limiter ses activités à revendiquer ses droits. Tu as conquis tes droits par la lutte, n'attends donc pas de l'homme qu'il t'en fasse l'aumône. Qui t'empêche de labourer, de conduire un tracteur ou un bulldozer ? »

Conscient cependant de l'obstacle que représentent les traditions, il les considérait comme des « séquelles » qui disparaîtraient avec le temps : « Nous ne devons pas les accepter, ajoutait-il mais créer les conditions nécessaires à leur disparition. »

L'éducation

L'idée des dirigeants algériens fondamentalement juste, était que les problèmes de la femme se règlent « en avançant », au fur et à mesure des progrès du développement et de la construction d'une société socialiste. Ils ne constituent ni une « question à part » ni une préoccupation prioritaire. Cependant, comme l'affirmait Boumedienne, il fallait créer les conditions susceptibles d'aider les femmes à surmonter les obstacles qu'elles ne manqueraient pas de rencontrer sur la voie de leur émancipation.

La première de ces conditions pour les dirigeants algériens, réside dans l'accès des filles à l'enseignement.

Dans ce domaine, des efforts énormes ont été consentis depuis l'indépendance et l'on peut dire que l'Algérie est sans doute un des pays qui ont fait le plus pour une scolarisation massive et démocratique.

Des centaines et des centaines d'écoles primaires ont été créées dans tout le pays, y compris dans les campagnes et la mixité y est de règle. Le taux de scolarisation est passé de 47 % en 1966 à 77 % en 1970 et 85 % en 1980. Avec toutefois des différences notables entre la scolarisation des filles et celle des garçons : près de 100 % pour les garçons dans les villes, mais 65 % seulement pour les filles, et la différence est encore plus grande en zone rurale.

C'est que certains pères répugnent encore à envoyer leur fille en classe, d'abord parce que c'est inutile puisqu'ils les destinent uniquement au mariage, ensuite parce que c'est dangereux puisque, sortant de la maison, fréquentant l'école mixte, elles ont la possibilité de côtoyer des garçons. Aussi voit-on le taux de scolarisation des filles diminuer brutalement dans le secondaire, dans les classes correspondant au moment où elles deviennent des « jeunes filles ». Je connais, personnellement, plusieurs de ces adolescentes qui ont dû, contraintes et forcées, abandonner l'école à l'âge de la puberté et qui, en attendant le mariage, restent à la maison où elles aident leur mère et s'occupent de leurs nombreux petits frères et sœurs.

Ces pratiques diminuent cependant d'année en année et les parents, même s'ils sont eux-mêmes illettrés, sont de plus en plus conscients de la chance que représente pour leurs enfants, garçons ou filles, la possibilité d'acquérir un maximum de connaissance et de formation.

Le nombre des jeunes filles ayant accès aux études universitaires n'a donc cessé d'augmenter. Rarissimes avant l'indépendance, elles sont passées de 1 800 en 1962 à 2 200 en 1968, 10 000 en 1976, 15 000 en 1980. Cependant, leur proportion par rapport aux garçons n'a pas varié depuis 1968 : elles sont toujours 23 pour 77 garçons. Et là, encore, le « gâchis » est plus important que pour les garçons : elles sont nombreuses à ne pas aller jusqu'au terme de leurs études (raison mariage) et près de 50 % n'utilisent jamais le diplôme qu'elles ont souvent fort brillamment obtenu[5]. Une réalité que les Algériens expriment avec humour en disant que l'Algérie a sans doute les éplucheuses de pommes de terre les plus diplômées du monde...

Il est cependant un certain nombre de faits particulièrement encourageants pour l'avenir : ces étudiantes, de plus en plus nombreuses sur les bancs de l'université, sont pour la plupart issues de milieux populaires, enfants de parents illettrés. Et pour elles, à n'en pas douter, les études universitaires ne sont pas « un

5. 25 % des diplômés d'université sont des filles.

supplément d'âme », ni l'occasion de rencontrer un jeune homme à l'avenir brillant, mais bien un moyen, le moyen par excellence d'exister par elles-mêmes, d'acquérir un métier, une qualification qui leur permette de choisir leur vie et de participer au développement de leur pays. Il n'est pour s'en convaincre que d'examiner la répartition des jeunes filles entre les différentes filières de l'enseignement supérieur. Pour l'année universitaire 1978-1979, 25 % des étudiantes ont choisi la filière médicale. Les filles issues des milieux les plus pauvres marquent une nette préférence pour les disciplines scientifiques et techniques, alors que le droit ou les lettres restent encore le bastion des étudiantes venant de milieux favorisés. L'explication de ces choix est évidente ; pour les jeunes filles des milieux populaires les disciplines techniques et scientifiques offrent une meilleure chance de déboucher sur le monde du travail, d'être partie prenante dans le progrès et le développement économique du pays. Et il ne fait aucun doute que leurs familles les encouragent dans ce choix.

Farida, étudiante en pharmacie, 24 ans, explique : « J'appartiens à une famille nombreuse. Nous sommes neuf. Mes parents sont illettrés et très modestes, puisque mon père seul travaille, bien sûr, et qu'il occupe un petit emploi de gardien. Pourtant, nous avons tous fait des études, garçons et filles. C'est mon père qui l'a voulu. Et il a eu raison : pour nous, les filles, c'est notre seule arme ».

Pour Farida, l'éducation est une arme dont les femmes ont en effet besoin, absolument besoin, mais c'est aussi « une arme à double tranchant car les études ne sont pas à elles seules un critère de libération. Par certains côtés, c'est même un facteur d'aliénation supplémentaire. Car d'un côté, il y a les études, facteur d'ouverture sur la société et sur le monde, et de l'autre la possibilité de passer sa vie cloîtrée entre quatre murs, plus ou moins consciemment acceptée par beaucoup. C'est un facteur d'accentuation des conflits de générations et de mentalités opposées. Bien sûr, les choses évoluent, mais lentement, trop lentement. Traverser la ville pour venir à la fac est une épreuve de tous les jours. Il y a les regards, les réflexions, les injures même. » « Oui, nous sortons, mais nous sommes encore des étrangères dans la rue, domaine traditionnellement réservé aux hommes, et il nous le font sentir ». Cette phrase, je l'ai entendue un nombre incalculable de fois chez des jeunes algériennes. Elle m'a fait comprendre, après coup, un aspect dont je n'avais pas saisi sur le moment la portée d'un film algérien consacré, précisément au problème de l'intégration de la femme à la vie sociale et politique : *Premier pas* de Bouamari.

On y voit une jeune femme, récemment élue présidente de

l'APC (Assemblée populaire communale) de sa ville, se battre contre les réticences et les préjugés de ses concitoyens. Or, de très longues séquences du film montrent précisément la jeune femme arpentant, au milieu de la foule, les rues et les places de la ville, visage découvert et cheveux au vent. Un symbole de la conquête par les femmes de leur place dans l'espace social. Or, pour achever cette conquête — Farida l'exprimait maladroitement mais la majorité des femmes le savent bien — l'accès aux études ne suffit pas. Il faut l'accès à la vie active, au monde du travail, facteur déterminant de tout progrès. Il faut aussi balayer ces « séquelles » du passé qui pèsent si lourdement aujourd'hui encore sur la vie des femmes. Deux exigences intimement liées.

L'accès au travail

En Algérie comme partout ailleurs, l'accès des femmes au travail suppose qu'un certain nombre de conditions soient réalisées : des emplois disponibles, une formation ou une qualification professionnelle, l'existence d'infrastructures sociales qui aident la femme à concilier son rôle d'épouse et de mère avec sa vie de travailleuse, un statut familial qui lui permette au moins de tenter cette conciliation.

Rien de tout cela, nous l'avons vu, n'existait à l'indépendance et l'héritage colonial était, dans tous ces domaines, catastrophique. Depuis, des millions d'emplois ont été créés, des dizaines de milliers de jeunes filles sont passées par l'école, l'université, ou les centres de formation professionnelle créés à l'intention de celles qui n'avaient pas eu accès à l'enseignement [6]. Malgré cela, la participation féminine à la vie active est très faible et si les grandes villes peuvent faire illusion (83 % des femmes travailleuses sont citadines), cette participation est pratiquement nulle dans le reste du pays.

Il y a, de toute évidence en Algérie, une sous-utilisation des compétences féminines et ce, pour de multiples raisons.

La première tient au fait que, pour sortir du sous-développement, l'Algérie a dû, dans une première phase, privilégier la construction d'une industrie lourde qui offre peu de possibilités d'emploi aux femmes. Celles-ci travaillent surtout dans le secteur tertiaire (administration, enseignement, PTT, santé) et sont peu nombreuses dans l'industrie. Encore la majorité des ouvrières travaillent-elles dans des secteurs en grande part aux mains du privé (textiles, cuirs et peaux, alimentation) où elles sont peu qualifiées et durement exploitées.

6. Il existe 120 centres enseignant surtout la couture, la cuisine et la dactylographie.

Les statistiques les plus récentes montrent pourtant que le nombre de femmes au travail sans qualification a tendance à diminuer d'année en année et que celles qui travaillent sont de plus en plus qualifiées : 46 % des femmes occupées ont un diplôme, contre 15 % seulement des hommes.

Mais si le nombre des emplois de misère diminue — phénomène remarquable dans un pays en voie de développement — le nombre de chômeuses, lui, augmente.

En 1980, sur 545 000 demandeurs d'emplois, 23 000 étaient des femmes (chiffre sans doute bien inférieur à la réalité, car les chômeuses non déclarées sont plus nombreuses que les chômeurs non déclarés).

C'est qu'à qualification égale, on préfère embaucher un homme plutôt qu'une femme. Les raisons invoquées par les employeurs sont la fragilité de la femme, les risques de grossesse, l'absentéisme dû aux charges familiales, et... les risques jamais tout à fait exclus de difficultés avec la famille, généralement le père ou le mari. Une enquête réalisée par l'hebdomadaire *Algérie-Actualité* au complexe électronique Sonelec de Sidi-Bel Abbès est édifiante à ce sujet. Dans cette usine ultra-moderne qui emploie depuis trois années une majorité de femmes, le chef d'entreprise est tenu responsable par certains chefs de famille de la « bonne tenue » de leur fille ou de leur épouse qu'il emploie.

Quant aux autres raisons invoquées, il est vrai qu'elles constituent aujourd'hui des obstacles sérieux au travail des femmes : les crèches et écoles maternelles sont quasi-inexistantes et il faut confier les enfants à une parente ou une voisine, ou se résigner à laisser seuls à la maison des enfants en bas âge avec les risques que cela comporte (témoignage d'une ouvrière de Sidi-Bel Abbès).

Les moyens de transport sont d'une manière générale très insuffisants ce qui constitue une perte de temps et une source de fatigue supplémentaire. Ajoutons à cela que le partage des tâches domestiques est, compte tenu des mentalités masculines, du domaine du rêve et que la femme algérienne ne dispose pas, loin s'en faut, d'un confort au foyer susceptible de lui faciliter ces tâches. Les appareils électro-ménagers sont une rareté que l'on s'arrache et bien des logements [7], pour la plupart surpeuplés, ne disposent même pas d'une salle d'eau.

Il faut enfin évoquer un problème particulièrement grave et épineux pour l'Algérie : celui de la démographie galopante et de

7. Le taux d'occupation moyen des logements est de trois personnes par pièce, 54 % des logements ne disposent d'aucune commodité, 50 % n'ont pas l'électricité.

la très forte fécondité féminine, actuellement une des plus élevées du monde.

Le nombre moyen d'enfants est d'un peu plus de cinq par famille, ce qui, compte tenu du taux de mortalité infantile élevé (115 pour mille) suppose un nombre plus élevé de naissances par femme. Les familles de huit ou dix enfants sont courantes et n'avoir qu'un ou deux enfants suscite (sauf, chez les jeunes couples en milieu urbain) l'étonnement, voire la réprobation.

Cette situation, préoccupante pour l'économie algérienne (les problèmes de logement, transport, scolarisation, formation, sont énormes et mobiliseront dans les années qui viennent une large part des ressources du pays) est un obstacle majeur à l'entrée des femmes dans la vie active. Les pouvoirs publics, après avoir mené pendant des années une politique nataliste, commencent à s'en préoccuper et l'on a vu le président Chadli, peu après son élection, affirmer qu'il était grand temps d'espacer les naissances.

Mais les efforts faits dans ce sens sont jusqu'ici bien modestes et se heurtent à de nombreux obstacles liés aux traditions et au statut familial de la femme.

Les mentalités anciennes qui font de la femme une mère avant tout sont si profondément intériorisées que les femmes envisagent elles-mêmes avec réticence de renoncer à leur fécondité naturelle. Vaincre cette réticence est la première tâche à laquelle doivent se consacrer les personnels de santé, les 700 centres actuellement existants pour la Protection maternelle et infantile (dont 280 centres d'espacement des naissances). Des sages-femmes, des médecins, m'ont raconté les difficultés qu'ils avaient encore — malgré une amélioration réelle ces dernières années — à convaincre leurs consultantes d'accepter la pose d'un stérilet ou la pilule, même après quatre ou cinq grossesses. La tâche est d'autant plus difficile si la femme appartient à un milieu modeste, si elle n'a reçu aucune éducation, si elle n'exerce aucune activité professionnelle, si elle habite la campagne.

Les prétextes invoqués par les femmes pour refuser la contraception sont généralement l'hostilité du mari ou de la belle-mère, la peur de devenir définitivement stérile ou d'être malade, le désir d'avoir un garçon si, par malheur, elles n'ont mis au monde que des filles après plusieurs grossesses.

Le statut familial

En réalité, ces femmes craignent, en n'ayant plus d'enfants, de perdre la seule activité qui justifie leur place dans la famille et peut-être cette place elle-même.

« Même mariée, explique une jeune sage-femme, la femme

ne se sent pas en sécurité. Son mari peut la quitter du jour au lendemain. Avoir beaucoup d'enfants est donc une assurance de sécurité : être toujours enceinte pour garder sa place au foyer et éviter l'arrivée possible d'une intruse. »

On parle bien — et cela depuis 1963 et la création de l'Union nationale des femmes algériennes — de soumettre à l'Assemblée nationale un « Code de la famille » qui protégerait un peu plus la femme, en tant qu'épouse et mère. Mais, preuve de l'immense complexité des problèmes que cette question soulève, ce projet n'a toujours pas vu le jour. Malgré au moins quatre rédactions successives, les juristes, sociologues et docteurs de l'Islam qui se sont penchés sur le projet ne sont toujours pas parvenus à trouver une formule qui satisfasse les femmes sans soulever des tollés de protestations dans les milieux traditionnalistes, et sans heurter les convictions religieuses.

Car jusqu'à présent, c'est toujours le Coran et le droit islamique qui régissent le statut familial de la femme algérienne. La polygamie est admise, en dépit de l'opposition résolue et unanime des femmes : les livrets de famille comportent quatre pages pour les quatre épouses autorisées. Et si, en pratique, elle est devenue rare, c'est que les hommes, face à l'opposition féminine et à la difficulté d'entretenir sous un même toit plusieurs épouses et leurs enfants, ont de plus en plus souvent recours au divorce. Formalité qui se résume encore souvent à la simple répudiation et au renvoi de la femme dans sa famille.

Les divorces sont de plus en plus nombreux et l'abandon de famille prend des proportions préoccupantes. Il faut dire que la tradition encore fort répandue des mariages arrangés, voire imposés par les familles sans consultation des intéressés, ne favorise pas la conclusion d'unions durables à une époque où l'éducation, l'ouverture sur le monde qu'apportent les mass media offrent aux jeunes d'autres modèles de vie et font naître d'autres aspirations. Les hommes sont, autant que les femmes, victimes de ce système et en subissent également les conséquences.

Le dernier (connu) des projets de code de la famille prévoyait d'ailleurs que le consentement personnel des intéressés serait désormais obligatoire pour tout mariage (aujourd'hui encore, le père ou le « tuteur matrimonial » de la jeune fille peut donner son accord à sa place, le droit de contrainte matrimoniale étant prévu par le droit musulman [8]). Il instituait également le divorce

8. Autres règles du droit musulman : la fille hérite d'une demi-part contre une part pour le garçon, la notion de « majorité » n'existe que si la femme a été mariée au moins une fois, l'adultère est très sévèrement puni pour la femme, mais pas pour l'homme. La femme doit obéissance à son mari qui a sur elle droit de « violence légère »...

par consentement mutuel et le droit pour la femme d'exercer sa profession contre l'avis de son époux.

Il a pourtant été combattu par les femmes car il maintenait un certain nombre de traditions inacceptables comme la polygamie (mais avec des « raisons valables » à soumettre à l'appréciation d'un juge) et l'obligation de la dot, l'interdiction de mariage avec un non musulman (alors que le contraire est autorisé) et l'impossibilité de l'adoption.

La vague d'islamisme militant de ces dernières années, sensible en Algérie comme dans la plupart des pays musulmans, fait aujourd'hui craindre aux femmes la remise à jour de ce projet dans un sens plus défavorable à leurs aspirations.

Les plus conscientes s'inquiètent à juste titre de la multiplication dans les mosquées de sermons anti-féminins et s'insurgent contre l'utilisation qui est faite de l'Islam pour stopper l'évolution entamée dans le sens de l'émancipation féminine et de la promotion de la femme.

LES LUTTES DES FEMMES

« Nous qui avons lutté, étudié, travaillé, nous ne nous laisserons pas enfermer dans nos maisons, me disait récemment une militante syndicale. Et surtout pas au nom de l'Islam qui n'a jamais ordonné d'enfermer ou de rabaisser les femmes. Au contraire, à l'époque et dans un contexte donné, il a été un instrument de sa libération. Avant, on égorgeait les femmes, on les enterrait vivantes, on les vendait comme du bétail. »

Car les femmes algériennes qui ont pris depuis près de vingt ans leur mal en patience et attendu du développement général de l'économie et de la société dans un sens socialiste, l'amélioration de leur propre sort, supportent aujourd'hui de plus en plus difficilement les contradictions nées de ce développement. Elles réalisent que, si elles n'y prennent garde, elles risquent non seulement de rester longtemps encore enfermées dans ces contradictions, mais peut-être même de voir remis en cause les droits qu'elles ont déjà acquis.

Quelles sont aujourd'hui les possibilités offertes aux femmes de lutter pour leur propre émancipation ? L'Union nationale des femmes algériennes, créée en 1963, regroupe à l'heure actuelle 150 000 adhérentes, la majorité d'entre elles venant de milieux très modestes, des petites villes ou des campagnes. Le plus souvent illettrées, les femmes qui viennent à l'UNFA y cherchent surtout des solutions à leurs problèmes personnels et l'organisation consacre la plus grande partie de son activité à des œuvres sociales (création d'ouvroirs, de crèches, de foyers et de centres de formation pour les jeunes filles illettrées) au détriment du travail de mobilisation et de politisation des femmes. L'UNFA se plaint du peu d'écho qu'elle trouve dans les milieux universitaires et dans le monde du travail, ce qui nuit considérablement à ses possibilités de mettre en œuvre une réflexion approfondie et une action efficace en faveur des femmes.

En dehors de cette organisation spécifiquement féminine, les femmes réagissent différemment selon les milieux auxquels elles appartiennent. Peu nombreuses à militer dans les rangs du FLN (parti unique en Algérie) et, d'une manière générale, à participer à la vie politique, les femmes cherchent à se faire entendre sur leur lieu de travail : on a vu ces dernières années des femmes de plus en plus nombreuses participer à la vie syndicale et occuper parfois des postes de responsabilités à différents niveaux de l'UGTA. Un séminaire des femmes travailleuses s'est réuni en 1979 qui a largement débattu de tous les problèmes féminins et posé clairement pour la première fois au niveau national les revendications des femmes. Mais compte tenu de la faiblesse numérique de la population féminine active et de son taux relativement bas de syndicalisation, les résultats ont été jusqu'ici très limités.

A l'Université, les étudiantes participent de plus en plus aux activités organisées par l'Union nationale de la jeunesse algérienne, notamment aux actions de volontariat[9]. Elles sont présentes dans les luttes étudiantes et des groupes de réflexion sur les problèmes spécifiquement féminins, regroupant étudiantes et enseignantes, fonctionnent dans certaines universités. Avec des résultats et des fortunes diverses, mais parfois passionnants comme à l'Université d'Oran où furent organisées en mai 1980 des journées d'études et de réflexions sur la femme algérienne[10].

Les femmes des milieux ruraux ou celles qui en sont issues, et qui, de plus en plus nombreuses, ont été précipitées par l'exode rural, la croissance démographique et l'urbanisation massive dans les quartiers périphériques des villes sont évidemment celles qui, à la fois, connaissent les conditions de vie les plus pénibles et disposent le moins des moyens de faire entendre leur voix[11].

9. Campagnes d'aide aux paysans, notamment, accompagnées de discussions sur des thèmes politiques (révolution agraire, nationalisation, socialisme), mais aussi campagnes d'alphabétisation, de reboisement, etc.

10. Les actes de ces journées d'études ont été publiés par le Centre de documentation des sciences humaines d'Oran.

11. La population algérienne est passé de 12 à 18 millions entre 1966 et 1977 et le taux d'urbanisation de 32 % à 40 %. Il approche vraisemblablement aujourd'hui les 50 %.

Ce sont elles qui souffrent le plus du décalage entre leur aspiration à la modernité, à une vie plus libre et plus active dont la ville, la radio et la télévision leur montre la possibilité, et leurs conditions de vie réelle.

J'ai pu me rendre compte en discutant avec des femmes de paysans dans des villages reculés de l'immense frustration que représente pour elles le sentiment qu'elles ont d'être en définitive les « laissées-pour-compte » du développement de leur pays. Beaucoup ne disposent ni d'eau courante ni d'électricité, et le seul progrès notable qu'a connu leur vie quotidienne provient de la diffusion massive du gaz butane qui les dispense de la fastidieuse corvée de bois qui fut leur lot pendant des générations.

Ce sentiment de frustration est pire encore dans les quartiers périphériques des villes où s'entassent les citadins de fraîche date, car les contradictions y sont plus présentes. Aussi voit-on se multiplier les réactions psycho-somatiques, les dépressions, les psychoses, signes cliniques d'un malaise social né des mutations rapides du développement. Le professeur Boucebci, dans un ouvrage publié en 1980 et intitulé *Psychiatrie et développement* montre que ces troubles touchent surtout les femmes et particulièrement les jeunes femmes.

C'est que la femme, de par son rôle traditionnel de gardienne du foyer et des traditions, se trouve au nœud de ces contradictions, de ces heurts inévitables entre un monde ancien dont la famille est à la fois le premier maillon et le dernier bastion, et un monde nouveau. Les aspirations au progrès et au socialisme du peuple algérien, les étapes déjà franchies dans ce sens heurtent des mentalités, et sans aucun doute aussi certaines forces réactionnaires.

Dans cette étape, le statut de la femme fait figure de symbole, voire d'enjeu, et cela rend sa lutte d'autant plus difficile, mais peut-être aussi, décisive.

Les acquis déjà réalisés, notamment au niveau de l'éducation, la présence des femmes, même peu nombreuses, dans de nombreux secteurs de la vie nationale, la conscience qu'elle prend de plus en plus du rôle qu'elle peut jouer et veut jouer sont autant d'éléments importants, de points d'appui pour défendre ses droits et avancer, au plus grand bénéfice de la société algérienne tout entière, vers sa complète émancipation.

BIBLIOGRAPHIE-SOMMAIRE

sur l'Algérie

Boucebci Mahfoud, *Psychiatrie, Société et Développement,* SNED, 1979.
Boutefnouchet Mostefa, *La Famille algérienne, Évolution et Caractéristiques récentes,* SNED, 1980.
Cahiers du CDSH, *Actes des journées d'étude et de réflexion sur les femmes algériennes,* mai 1980.
Charte nationale du peuple algérien, Éditions sociales, Paris 1976.
Vandevelde Hélène, *Femmes algériennes,* Office des publications universitaires, Alger 1980.

On peut également consulter des ouvrages plus anciens :
Tillon Germaine, *Le Harem et les Cousins,* Éditions du Seuil.
Gaudry Mathéa, *La Femme Chaouia de l'Aurès.*

Sahara occidental

femmes sahraouies : préparer l'avenir dans la lutte
par Françoise Germain-Robin *

Parmi les peuples qui, de par le monde, luttent aujourd'hui encore pour leur indépendance, il en est un qui, ces dernières annécs, a souvent occupé le premier plan de l'actualité internationale, forçant l'admiration par son courage et l'audace de son combat : je veux parler du peuple du Sahara occidental, le peuple sahraoui.

Peuple arabe et musulman nomadisant depuis des siècles sur un territoire désertique du Nord-Ouest africain (entre l'Oued Draa au Nord et la Mauritanie au Sud), il avait su résister jusqu'au début de ce siècle à toute tentative de pénétration coloniale. Il fallut près de trente années à l'Espagne, aidée par la France, pour lui imposer sa domination, en 1936.

Après une nouvelle rebellion écrasée dans un bain de sang en 1958, c'est en 1973 que le peuple sahraoui, sous la conduite du Front polisario, prit de nouveau les armes pour chasser les Espagnols. En 1975, l'Espagne abandonnait ce qu'on appelait alors le Sahara espagnol au Maroc et à la Mauritanie.

Les populations, fuyant l'invasion maroco-mauritanienne, se réfugiaient dans les territoires libérés par le Front polisario [1] (est et nord-est du pays), puis après le bombardement des camps

---

* Journaliste, envoyée spéciale de *L'Humanité* en Algérie.

1. Front polisario : Front pour la libération de Saguia El Hamra et Rio de Oro.

de réfugiés par les jaguars français, gagnaient le Sud algérien (au sud de Tindouf) et s'y établissaient, à l'abri des frontières algériennes, pour un exil qui dure encore.

En 1979, la Mauritanie signait un accord de paix avec le Front polisario et se retirait de la guerre, renonçant à toute revendication sur le territoire du Sahara occidental.

La guerre se poursuit aujourd'hui contre le seul Maroc. Le peuple sahraoui a remporté de retentissantes victoires : au plan militaire, il contrôle aujourd'hui la majeure partie de son territoire, l'armée marocaine n'occupant plus que la capitale, El Ayoun, le « triangle utile » des phosphates de Bou Craa (autour duquel elle a construit un mur de défense) et Dakhla.

Au plan diplomatique, la République arabe sahraouie démocratique, proclamée le 27 février 1976 par le Front polisario, est aujourd'hui reconnue par cinquante États dans le monde. L'ONU et l'OUA ont consacré à plusieurs reprises la légitimité de la lutte de libération du peuple sahraoui et réaffirmé son droit à l'indépendance. Le dernier sommet de l'OUA (juin 1981, à Nairobi) a demandé l'organisation d'un référendum d'autodétermination du peuple du Sahara occidental, dans ses frontières héritées de la colonisation, et sous contrôle international.

Le chemin parcouru en huit années de lutte armée par le peuple sahraoui est donc considérable. Dans cette lutte, les femmes ont joué un rôle primordial, et on ne peut qu'être frappé de la place qu'elles occupent aujourd'hui dans la société sahraouie.

Omniprésentes dans les vastes campements établis au sud de Tindouf (la grande majorité des hommes combattent au sein de l'Armée de libération populaire sahraouie), ce sont elles qui ont pris en charge l'essentiel de l'organisation sociale et de la vie des camps.

Il faut, pour bien comprendre l'immensité de la tâche accomplie, se représenter l'état de dénuement total dans lequel se trouvait ce peuple en 1975 et 1976, lorsqu'il vint se réfugier, fuyant les bombes et le napalm, sur ce bout de hammada désertique prêté par le gouvernement algérien. Femmes, enfants, vieillards avaient dû parcourir, le plus souvent à pied, des dizaines de kilomètres dans le désert. L'état sanitaire de la population était effrayant. Il fallait de la nourriture, des médicaments, des vêtements, il fallait reconstruire et organiser la vie à partir de rien.

C'est à cette tâche que s'attelèrent les femmes sahraouies et elles la menèrent à bien. Elles disposaient pour cela de deux atouts majeurs : leur propre expérience de la lutte et l'organisation démocratique particulièrement efficace mise en place par le Front polisario. Pendant les longues années de lutte qui précédèrent l'exil forcé de leur peuple, les femmes sahrouies n'étaient pas restées inactives.

Fatimetou, secrétaire générale de l'Union des femmes sahraouies raconte : « Dans la résistance à l'occupation espagnole, les femmes ont joué un rôle primordial et plusieurs d'entre nous y ont trouvé la mort. Dans le passé déjà, il était arrivé que les femmes prennent les armes pour se défendre. D'une manière générale, il y avait un certain orgueil de l'homme qui faisait qu'on ne laissait pas une femme se battre tant qu'il y avait dans le campement un homme capable de prendre sa défense. Mais les guerres de razzia étaient fréquentes entre tribus des pays voisins et il arrivait qu'un campement soit attaqué alors que tous les hommes étaient eux-mêmes en guerre ailleurs. Les femmes alors prenaient les armes et organisaient leur propre défense. Sous l'occupation coloniale, les femmes ont surtout participé aux manifestations, aux activités de résistance. Elles ont été, très tôt, membres à part entière de l'organisation : d'abord le Mouvement de libération sahraoui, puis le Front polisario. Je dirai même qu'elles étaient plus unanimes que les hommes dans leur opposition au colonialisme : il n'y a jamais eu de femmes « collabo », même si leur mari, parfois, l'était. Je vais vous raconter une anecdote : une des militantes du Front avait été arrêtée par les Espagnols. Son mari était un collabo et il est venu à la prison pour la faire sortir. Elle l'a regardé et elle a dit : « Cet homme n'est pas mon mari. »

Pendant l'invasion maroco-mauritanienne, beaucoup de femmes — avant de fuir vers les zones contrôlées par le Front — ont défendu leur ville ou leur village avec l'énergie du désespoir. Certaines ont péri d'autres ont continué par la suite à se battre aux côtés des combattants de l'ALPS. Le peuple sahraoui compte aussi ses héroïnes et ses martyrs. Mais aujourd'hui, les femmes ne participent plus directement au combat, même si elles reçoivent elles aussi une préparation et un entraînement militaire.

Le rôle qu'elles jouent dans les campements est essentiellement social et politique.

Réparties en cinq comités élus par le Congrès populaire de base qui rassemble chaque année l'ensemble de la population des différentes circonscriptions administratives de la République sahraouie [2], elles ont pris en charge tous les problèmes de la vie quotidienne. Le comité de l'alimentation distribue quotidiennement aux familles les denrées alimentaires fournies par le

2. Il existe trois willayas correspondant aux trois grandes provinces du Sahara occidental (El Ayoun, Smara, Dakhla), elles-mêmes divisées en différentes daïras correspondantes aux localités du pays.

Croissant rouge sahraoui. Celles-ci proviennent essentiellement de l'aide internationale, des troupeaux et de quelques jardins mis en culture autour des points d'eau. Le comité de santé vérifie chaque jour (avec une responsable par rangée de tentes) l'état sanitaire du campement, dépistant les maladies, donnant des conseils d'hygiène, et de soins. Le comité de l'éducation s'occupe de la scolarisation des enfants, de l'alphabétisation et de l'éducation politique de tous. Le comité de l'artisanat organise la production des objets indispensables : vêtements, nattes et tapis, tentes, couvertures, objets d'art de cuir ou de métal. Le comité des affaires sociales et de la justice s'occupe essentiellement des problèmes de mariage et de divorce.

Pour construire les infrastructures nécessaires à l'amélioration des conditions de vie de la population, des campagnes populaires de construction ont été organisées et les femmes ont mis la main à la truelle pour construire les écoles, les dispensaires, l'hôpital national et la maternité. Avec les moyens du bord : de la terre, de l'eau pour faire des briques et le soleil pour les sécher.

Un effort particulier a été fait en matière d'éducation et d'alphabétisation, considérée comme la tâche prioritaire entre toutes.

Toutes ces femmes, pour la plupart analphabètes, ont suivi des stages intensifs d'alphabétisation.

Sadafa, qui dirige la section d'artisanat à l'école du 27 février (une école réservée aux cadres féminins), raconte : « Quand je suis arrivée ici j'étais totalement ignorante. Je ne connaissais pas une seule lettre de l'alphabet. Maintenant, j'écris, je lis, j'ai reçu une éducation politique et pratique. Je sais maintenant qu'il n'y a rien qu'une femme ne puisse apprendre. » La plupart des fillettes vont à l'école, exactement comme les garçons, soit dans les écoles de la RASD, soit dans les pays amis. Les jeunes fille reçoivent une formation professionnelle et il y a aujourd'hui de nombreuses jeunes sahraouies étudiantes (notamment en médecine où le retard à combler est énorme).

L'école du 27 février reçoit chaque année une promotion de 350 femmes ou jeunes filles proposées par les différents comités de bases pour recevoir une formation de cadre. Elles y apprennent aussi bien à manier le fusil et conduire une land-rover qu'à tisser les tapis ou mener un débat politique.

Pour Mkaili, toute jeune directrice de l'école à l'époque où je l'ai visitée, « il est essentiel que la femme sahraouie connaisse tous les aspects de la vie pour être en mesure d'y prendre toute sa place. Nous sommes en train de démonter l'idée qu'a cherché à imposer le colonisateur : celle que parce que la femme porte les enfants, elle serait incapable de participer à quoi que ce soit d'autre que la vie familiale. Nous disons que la femme peut participer à la lutte militaire et politique tout en restant une femme ».

La place que tiennent les femmes sahraouies dans leur société, le rôle éminemment politique qu'elles jouent dans la lutte de leur peuple a quelque chose de surprenant compte tenu du fait qu'elles appartiennent à un peuple arabe et musulman, type de société où la femme ne jouit généralement pas d'une situation enviable. Elles ont été aidées dans leur lutte pour conquérir cette place par le fait que déjà dans la société sahraouie traditionnelle, leur situation était beaucoup plus favorable que celle des autres femmes arabes : « La femme sahraouie, explique Fatimetou, présidente de l'UNFS, a toujours participé à la vie sociale plus que les autres femmes arabes. Elle avait son mot à dire quand la tribu se réunissait pour prendre les décisions importantes. Elle était responsable d'autres tâches que les tâches domestiques : la santé, l'éducation, les soins aux troupeaux. Il y avait même des femmes chefs de tribu, enseignantes du Coran, juges dans les tribunaux. La femme était responsable du foyer et des biens de son mari en son absence, elle pouvait recevoir des hôtes et ne portait pas le voile. Elle avait le même genre d'éducation que les garçons et avait même l'avantage d'être dispensée des travaux pénibles ».

Certes, les femmes sahraouies étaient traditionnellement soumises à un certain nombre de contraintes inhérentes à la loi musulmane, mais elles se sont vite employées, à la faveur de la lutte de libération, à les faire disparaître : la contrainte matrimoniale n'existe plus et la jeune fille choisit aujourd'hui librement son époux (elle demande, symboliquement et par respect pour lui, l'autorisation de se marier à son père) ; la dot a aujourd'hui complètement disparu et la polygamie est interdite. Le mariage est devenu une affaire d'autant plus sérieuse que le peuple sahraoui, en guerre et numériquement faible (les estimations les plus optimistes ne dépassent pas un million de personnes) a besoin de beaucoup d'enfants. Les femmes s'emploient à ce que le divorce, autrefois simple formalité pour l'homme qui pouvait répudier sa femme, soit sévèrement réglementé et soumis à l'approbation du comité de justice. La femme jouit dans le couple des mêmes droits que l'homme et j'ai assisté à un mariage au cours duquel les deux fiancés s'engageaient mutuellement à ne pas enfreindre la liberté de l'autre ni chercher à l'exploiter.

Toutes ces avancées décisives dans le statut de la femme sahraouie sont sans aucun doute facilitées par les conditions particulières que créent l'état de guerre et l'absence des hommes qui ne reviennent guère au foyer que trois ou quatre fois par an.

Qu'en sera-t-il une fois l'indépendance acquise et la République sahraouie installée dans la paix sur son territoire ? Les femmes sahraouies sont conscientes qu'il y aura là une nouvelle étape, peut-être difficile, mais n'en montrent pour l'instant aucune inquiétude.

Keltoum, membre de la direction de l'UNFS explique : « Nous espérons bien tirer la leçon des expériences faites par d'autres peuples dans des circonstances analogues et où on a vu les femmes perdre dans la paix les droits qu'elles avaient acquis dans la lutte. C'est pourquoi nous cherchons à préparer l'avenir dès aujourd'hui en changeant l'image de la femme dans la tête des hommes, et des femmes. »

Pour Fatimetou, présidente de l'UNFS, « la société sahraouie a fait dans ce domaine un saut qualitatif sur lequel il est impossible de revenir ».

Vietnam

femme aux joues roses[1]...
par Lilian Halls-French*

Paris 1969. Sur un panneau de fortune des mains fraternelles ont accroché deux photos. La première montre une milicienne menue, habillée et coiffée de noir, qui tient en joue un pilote américain à la forte carrure. Sur la seconde, des enfants nus, hurlant de douleur, courent sur la route, le dos brûlé par le napalm. Ces photos étaient montrées partout où il était question de crimes de guerre et de solidarité avec le Vietnam pour porter témoignage de l'héroïsme et des souffrances infinies du peuple vietnamien.

Au Vietnam, les filles des villes du Nord portent de larges pantalons noirs, des blouses légèrement cintrées, blanches ou pastel ; leurs cheveux souvent longs et lisses, sont retenus par des barrettes plates ou torsadés sur la nuque. Les femmes des villages côtiers qui halent au retour des pêcheurs les barques vers le rivage, ont des visages pleins et des corps robustes. Sur les marchés du Centre, les matrones, le cigare aux lèvres, interpellent le passant d'une voix de stentor. Dans les rues de Saïgon ou de Danang, leurs talons hauts et la fumée de leurs cigarettes témoignent de l'affrontement de valeurs créé par l'occupant américain.

1. Les joues roses sont dans la littérature vietnamienne traditionnelle, l'un des attributs de l'Idéal féminin.
* Sociologue.

Femmes du Nord et du Sud, paysannes et citadines, religieuses et prostituées, leur diversité d'aujourd'hui ne parvient pas à atténuer la précision de ces deux photos : « En 1972, on a constaté chez les femmes enceintes ayant vécu dans les zones d'épandage de dioxine six fois plus d'altérations chromosomiques que chez les survivantes d'Hiroshima[2]. »

LA PRÉHISTOIRE DES FEMMES

> *Les descendantes des Sœurs Trung ont toujours été des héroïnes.*
> *Elles n'ont jamais reculé devant l'ennemi*
> *Comme le riz qui donne la vie,*
> *Elles méritent d'être louées pour leur courage et leur fidélité...*
>
> (Chant des femmes vietnamiennes)

Tous les enfants vietnamiens connaissent l'histoire des deux sœurs, Trung Trac et Trung Nhi, qui, en 40 après J.-C., dirigèrent la première insurrection nationale contre les Han.

La Chine a occupé le Vietnam pendant près de mille ans. Elle y a introduit la doctrine confucéenne, base idéologique du féodalisme chinois, qui bien plus qu'une religion, réglait de façon très stricte tous les domaines de la vie. Selon le principe confucéen, « les hommes doivent être respectés et les femmes méprisées ». Les insurrections du peuple vietnamien pour recouvrer son indépendance ont été constantes, mais leur caractère national n'a jamais remis en cause les assises du régime féodal et le règne du confucianisme s'est poursuivi au Vietnam bien après que le pays ait retrouvé sa souveraineté. Ainsi, bien que l'histoire de la lutte de libération ait été jalonnée de noms de femmes héroïnes, généraux et chefs d'armée, les femmes sont restées jusqu'à la révolution d'août 1945 maintenues dans un état de soumission et d'infériorité absolue.

> « Bien que vous dormiez dans le même lit
> Et partagiez la même couverture,
> Tu ne dois jamais cesser de traiter ton mari
> Comme ton roi ou ton père. »
>
> *(code du mariage confucéen)*

---

2. Revue *Femmes du Vietnam* n° 4, 1972. La dioxine est l'un des composants de « l'agent orange », défoliant déversé par les Américains sur plus de la moitié des terres sud-vietnamiennes.

La règle des « Quatre Vertus » dictait aux femmes leur apparence, leur maintien et leur langage ; celle des « Trois Obédiences » exigeait d'elles obéissance à leur père, puis à leur époux, enfin à leur fils aîné. Le mari pouvait répudier ses épouses si elles ne lui donnaient pas d'enfant mâle, ou pour simple « bavardage ». L'adultère féminin était puni de mort.

Dans les faits, le patriarcat ne pouvait sévir, sous sa forme la plus absolue, que dans les familles nobles. L'économie agricole de petite production, la mobilisation quasi permanente des hommes pour la construction des digues, l'armée ou les corvées royales, s'accommodaient mal du précepte confucéen selon lequel « l'homme doit rester à l'extérieur et la femme dans la famille ». Les femmes constituaient une force productive indispensable à la vie économique, la polygamie était un luxe inaccessible pour la plupart des paysans pauvres et, dans les maisons rurales, souvent réduites à une seule pièce, il était impossible de reproduire la discrimination spatiale des sexes en usage dans les maisons riches. Cependant, même à des degrés divers, toutes les femmes étaient victimes du joug féodal.

A partir du xixe siècle, le colonialisme a ajouté à cette oppression de nouvelles formes d'exploitation. Dans les souvenirs des femmes qui ont aujourd'hui plus de quarante ans, il y a des images qui toutes se ressemblent. « Mes parents étaient ouvriers aux Charbonnages de Hongay. Ils travaillaient dix heures par jour. Lorsqu'ils étaient malades, ils ne s'arrêtaient pas, par peur d'être licenciés. Quelques instants de relâchement dans le travail et les coups pleuvaient. Ils se tuaient à la tâche sans pouvoir nous éviter de connaître la faim... »

« Mes parents étaient des paysans sans terres. Ils louaient leurs champs au propriétaire terrien. Les fermages et les intérêts de l'usure mangeaient presque toute la récolte et peu après chaque moisson, il fallait encore emprunter. Encore tout enfant, je devais travailler très dur pour pouvoir manger. Lorsque je me suis mariée, j'étais encore analphabète...[3] »

La condition juridique et sociale de la femme restait inchangée. La législation sur la famille élaborée au xixe siècle (Code Gia Long), a été maintenue jusqu'en 1931 puis remplacée par un Code civil qui, selon les objectifs qui lui avaient été assignés, « ne portait aucune atteinte aux institutions fondamentales de la société annamite ». Le droit absolu du mari sur la femme était préservé.

3. « Les droits de la femme en RDVN », dans *Femmes du Vietnam* n° 3, 1975.

L'expropriation des paysans, la multiplication des taxes et des impôts fournissaient à l'industrie coloniale la main d'œuvre à bas prix. La famine décimait les familles. Les paysannes s'embauchaient avec leurs maris dans les entreprises françaises ; elles étaient payées, pour le même travail, 30 à 50 % de moins que les hommes. Elles sont mortes par milliers dans les plantations de caoutchouc qui étaient de véritables bagnes avec leurs forces armées, leur police et leur prison. Licenciées pour la moindre vétille, elles étaient alors contraintes pour survivre, à la mendicité ou à la prostitution. La vie d'un coolie ne comptait pas pour les colonialistes français, a fortiori s'il s'agissait d'une femme.

« ... Un autre officier avait violé une fillette dans des conditions odieuses de sadisme. Traduit devant la cour criminelle, il fut acquitté parce que la victime était une annamite... [4] »

COMBATTANTES

Début 1945. Les dépôts des occupants japonais et français regorgent de riz ; pourtant, deux millions de Vietnamiens meurent de faim cette année-là. Au mois d'août, une insurrection générale éclate dans le pays ; le 2 septembre, Ho Chi Minh proclame à Hanoi l'indépendance et la souveraineté du Vietnam. La famine est terrible, les colonialistes français préparent une nouvelle agression, et c'est dans un contexte d'immenses difficultés que la jeune République s'attache à consolider les bases du nouveau régime. La première Constitution de la République démocratique du Vietnam est promulguée en 1946. Elle institue l'égalité de la femme et de l'homme dans tous les domaines, politique, économique, culturel, social et familial.

Le 6 janvier 1946, les femmes participent pour la première fois aux élections nationales, dix d'entre elles sont élues députés. Les troupes françaises débarquent à Saïgon dès 1945, la résistance s'organise ; en décembre 1946, elle s'étend à tout le pays. Les femmes entrent dans la lutte armée pour la défense des villages et la sauvegarde des récoltes, pour le transport des blessés et le ravitaillement du front.

Leur présence active dans la production et le combat commence à ébranler les préjugés millénaires qui les confinaient, malgré leur rôle dans la vie économique, dans un statut de soumission et d'infériorité. Dans le même temps, l'Union des femmes, qui a été créée en 1931, l'année même de la fondation

4. Nguyen Ai Quoc, le Procès de la colonisation française, 1925.

du Parti communiste indochinois, mène campagne pour encourager les femmes à participer à la vie sociale, à vaincre l'ignorance (90 % d'entre elles sont analphabètes) et à lutter contre les superstitions, afin de les aider à surmonter progressivement la défiance qu'elles ont dans leurs propres capacités.

En 1954, après la défaite française de Dien Bien Phu, les accords de Genève reconnaissent l'indépendance et la souveraineté de la nation vietnamienne. Ils prévoient la séparation provisoire du pays en deux pour faciliter l'évacuation des troupes et le désarmement et la tenue d'élections générales libres. Les forces du Viet Minh se replient au nord du 17e parallèle et les forces françaises au Sud.

L'article 6 des accords précise : « La démarcation militaire est une ligne provisoire qui ne saurait en aucune façon être interprétée comme constituant une limite politique ou territoriale. » A peine signés, les accords sont violés par les États-Unis qui, par l'intermédiaire de l'Organisation du Traité du Sud-Est asiatique, placent officiellement le Sud-Vietnam sous leur « protection » et empêchent la tenue d'élections libres. Alors que la population du Nord entreprend la reconstruction d'un pays dévasté par la guerre et l'édification du régime socialiste, celle du Sud connaît l'opression d'une nouvelle tutelle étrangère : le néocolonialisme américain.

Le gouvernement de Diem est créé de toutes pièces par les États-Unis. Selon un rapport rédigé en 1960 par l'ambassadeur américain à Saïgon : « On peut résumer la situation en disant que le gouvernement a plutôt traité la population avec méfiance et l'a opprimée. En retour, il n'a rencontré chez elle qu'apathie et réprobation. L'élément fondamental qui a fait défaut est la coopération du gouvernement et de la population. Celle-ci n'a pas identifié sa cause à celle de ses dirigeants [5]. »

Au début de l'année 1959, Diem déclare ouvertement la guerre aux « communistes » et fait régner la terreur au Sud-Vietnam. La population s'engage dans la lutte armée. En janvier 1960, une insurrection dirigée par Nguyen Thi Dinh — qui deviendra commandant en chef-adjoint des forces armées populaires de libération —, libère la province de Ben Tre. Des milliers de femmes occupent pendant une semaine la ville de Mo Cay et contraignent l'administrateur de la province à ordonner le retrait des troupes venues massivement en représailles. Cette victoire déclenche un soulèvement général dans tout le pays. Le Front national de libération est fondé le 20 décembre 1960 pour « renverser le régime de Diem et libérer le Vietnam de l'impéria-

---

5. New York Times, *le Dossier du Pentagone*, Albin Michel 1971, p. 100, cité par A. Eisen Bergman, *Femmes du Vietnam*, Éditions des femmes 1975 p. 85.

lisme ». Parmi les dix points avancés par le FNL pour mobiliser la population dans la lutte figure la nécessité de créer les conditions pour établir l'égalité entre les hommes et les femmes.

L'Union des femmes pour la libération du Sud est créée en mars 1961. Elle organise en zone libérée une école chargée de former des dirigeantes politiques et militaires. 30 % des cadres du FNL sont des femmes.

Fin 1961, la population rurale est concentrée dans des hameaux stratégiques pour faciliter son contrôle et isoler les révolutionnaires. La guérilla s'étend. Diem est renversé en novembre 1963, le régime mis en place l'année suivante pour le remplacer est menacé, les États-Unis font intervenir bombardiers et troupes de combat. Du printemps 1965 à la fin 1966, 500 000 soldats américains sont débarqués au Sud-Vietnam. Pour interrompre l'aide du Nord-Vietnam au FNL, après une provocation contre les îles côtières, le président Johnson lance en juillet 1964 une première série de raids de « représailles ».

Les bombardements intensifs commencent sur le Nord en février 1965. Le rythme de la vie nouvelle édifiée pendant onze années de paix est à nouveau bouleversé. Les anciens résistants démobilisés regagnent l'armée, les jeunes s'enrôlent. Les coopératives, les usines deviennent des unités de combat auxquelles les femmes participent nombreuses, renouant avec les traditions de la première résistance.

L'Union des femmes lance un vaste mouvement, « les Trois Prises en charge » pour encourager la pratique révolutionnaire des femmes et leur participation à la défense du pays. Ce mouvement met en avant le rôle déterminant des femmes et les appelle à prendre en charge la production et la gestion des affaires publiques, l'entretien de la famille et le soutien au front à un moment où la mobilisation massive des hommes dans les forces armées exige que le relais soit pris dans tous les secteurs de la vie économique et sociale.

Dans chaque province, les comités locaux de l'Union des femmes organisent le mouvement au sein des coopératives, des usines, des écoles et des administrations.

Dans les campagnes, les femmes apprennent à labourer, à herser, à conduire les engins agricoles. Des cours de perfectionnement dits « des Trois Prises en charge » sont organisés pour aider les femmes à surmonter leur handicap sur le plan technique et les familiariser avec le maniement des machines les plus sophistiquées.

Avec l'extension de la guerre, le mouvement « des Trois Prises en charge » correspond à une exigence. Partout où il y a des femmes, il y a des mains qui creusent les abris qui réparent les digues et reconstruisent les ponts. Les miliciennes d'autodéfense protègent les quartiers et les villages. Les femmes engagent seules un combat acharné pour protéger les rizières, assurer le ravitaillement de la population et du front. Elles organisent la défense « passive », transportent les blessés et comblent les cratères de bombes.

Les tâches primordiales de l'arrière, la production et le fonctionnement des divers services sont assurés essentiellement par des femmes. Héroïnes de la production, héroïnes du combat, le Vietnam n'a jamais vu naître autant d'héroïnes que pendant cette génération. Dans une conférence sur le travail politique auprès des femmes en février 1971, le secrétaire général du Parti des travailleurs du Vietnam, le Duan, qualifie les femmes de « piliers de la nation ».

Sur les plans idéologique et politique, le mouvement « des Trois Prises en charge » a au Nord de profondes répercussions. Dans toutes les provinces, dans tous les secteurs d'activité, des millions de femmes s'initient aux techniques modernes, acquièrent une spécialisation professionnelle, des responsabilités dans leur coopérative et dans leur usine. La guerre accélère la promotion des femmes et balaie les réticences à leur confier des tâches jusque-là dévolues aux hommes.

« En 1965 dans la province de Hai Duong, il n'y avait que cinq présidentes de coopératives agricoles, en 1966 on en compte soixante-treize. Dans la province de Ha Tay, la même année, dix mille cadres féminins sont promus à des postes de responsabilité[6]. »

De 1966-1968 : les bombardements s'intensifient de part et d'autre du 17e parallèle. Fin janvier 1968, le FNL lance l'offensive du Têt (nouvel an lunaire vietnamien) ; les principales villes sont investies, mais les révolutionnaires subissent de terribles pertes et ne parviennent pas à rallier à leur cause la population urbaine. C'est cependant un succès politique éclatant : les bombardements cessent sans condition au nord du 20e parallèle, les négociations s'ouvrent à Paris le 13 mai 1968. En juin 1969 commence sous l'égide du président Nixon la « vietnamisation » de la guerre, c'est-à-dire le retrait graduel des troupes américaines, mené de pair avec un renforcement de l'armée sudiste et une aggravation de la répression. Le Gouvernement révolutionnaire provisoire (GRP) est formé le 6 juin.

Pendant la résistance à la colonisation française, la lutte politique avait fait la preuve de son efficacité. Elle se développa contre l'agression américaine dans toutes les provinces du Sud.

6. Mai Thi Tu — Le Thi Nham Tuyet, *la Femme au Vietnam,* Éditions en langues étrangères, Hanoi 1978.

Le GRP partait du principe qu'à l'exception d'une petite minorité d'officiers, les soldats de l'armée sudiste, pouvaient être acquis à la lutte pour l'indépendance.

« L'armée aux chignons », composée de dizaines de milliers de femmes sans armes est l'une des plus belles figures de la résistance vietnamienne. Les têtes ceintes des turbans blancs du deuil, emmenant avec elles leurs enfants, les femmes allaient déposer devant les postes ennemis les preuves des massacres américains. Se rassemblant par milliers, elles immobilisaient les colonnes ennemies et appelaient les hommes à s'opposer à la cruauté et au mépris des officiers et des conseillers américains.

Elles apprenaient par cœur des phrases en anglais pour s'adresser aux *marines* dans leur langue : « Aucune haine ne nous oppose... avez-vous des femmes, avez-vous des enfants ? »

Les soldats de Thieu avaient en face d'eux des femmes aux mains nues, des grands-mères, des adolescentes, parfois des voisines ou des parentes qui les appelaient par leur prénom, leur parlaient du village natal. Il y eut près de cinq cent mille déserteurs dans l'armée de Thieu...

Les femmes participaient aussi à la lutte armée. Au Sud, dans les Forces armées populaires de libération, l'organisation militaire du FNL, 40 % des régiments étaient dirigés par des femmes. Elles composaient la majeure partie des unités de guérilla à l'échelle locale et des milices d'autodéfense des villages qui ne prenaient part aux combats qu'en cas d'attaque locale.

Van Thi Xuan est originaire de Lang Hung, dans la province Quang Tri. Elle est née en 1948, dans une famille paysanne de quatre enfants. Son père est mort pendant la première résistance, son frère aîné a été tué en 1966, le plus jeune en 1968, un an après s'être engagé dans l'armée de libération. Sa sœur, membre des forces régionales du district a été blessée la même année, grièvement ; elle est actuellement en traitement à Hanoi. Xuan est entrée dans la résistance à l'âge de 15 ans, d'abord pour y mener une action « légale ».

« J'allais au chef-lieu de Quang Tri acheter des provisions pour les cadres de la résistance. Je servais d'agent de liaison et j'étais chargée de cuire le riz pour les combattants. En 1967, j'ai été intégrée dans les forces armées, on ne m'a pas donné de fusil, mais je participais déjà aux opérations armées. A partir de 1968, j'ai été affectée à la pose des mines, c'était des mines artisanales que nous fabriquions à partir d'obus non explosés. En février 1967, j'avais conduit une colonne des forces régulières à l'intérieur du PC ennemi, c'est là que j'ai été arrêtée pour la première fois, ils m'ont gardée un mois et vingt jours. Les années suivantes, j'ai été arrêtée et torturée quinze fois. Maintenant quand le temps change, je me sens très mal, souvent je perds connaissance... J'essaie d'étudier, mais c'est difficile, plus difficile que de poser des mines... » La voix se perd dans un sourire, Xuan a appris à lire et à écrire après la signature de l'accord de cessez-le-feu. On lui a décerné le titre d'héroïne, elle a participé à trente-cinq combats. (Province de Quand Tri. Sud-Vietnam. Février 1974.)

La même guerre qui, en entraînant des millions de femmes dans la lutte, a favorisé leur émancipation, en a plongé des centaines de milliers d'autres dans la déchéance et l'humiliation.

L'urbanisation forcée, les campagnes de ratissage, l'épandage de défoliants et de produits toxiques, les bombardements provoquent l'afflux des paysans vers les centres urbains. Dix millions de personnes sont déplacées. L'économie du Sud, soutenue artificiellement par les États-Unis est bien incapable d'intégrer cet accroissement massif de la population. Pour des dizaines de milliers de Vietnamiennes, le seul moyen de survivre, c'est s'engager au service des Américains ou se prostituer. La prostitution devient une véritable industrie, une source inépuisable de dollars pour l'État. Au point culminant de l'occupation américaine, il y avait au Sud 400 000 prostituées, pratiquement une par soldat. Selon le *New Yorker* (avril 1972), 65 % de ces femmes étaient atteintes de maladies vénériennes.

En octobre 1971, Nguyen Van Thieu, candidat unique, est élu avec 95 % des voix. Le 30 mars 1972, Hanoi et le GRP déclenchent une offensive générale au Sud qui se heurte à une violente résistance des troupes sudistes. Le Nord est alors soumis au blocus et à un pilonnage aérien monstrueux qui atteint son paroxysme en décembre 1972.

Certaines régions entre le 17e et le 20e parallèle sont entièrement rasées dans le but de rendre permanente la coupure entre les deux zones du pays.

Avril 1973. Cent vingt kilomètres de côtes et moins de dix kilomètres entre la mer et les premiers contreforts montagneux, la province de Quang Binh est l'une des plus vastes provinces du Nord ; elle s'étire de la province de Ha Tinh jusqu'à Vinh Linh au Sud, à 65 kilomètres du 17e parallèle. En raison de sa position stratégique pour l'acheminement des renforts vers le Sud, le Quang Binh a été la première à affronter, dès le mois de février 1965, l'escalade aérienne américaine, et la dernière à connaître la paix. Un million trois cent mille bombes ont été larguées sur la province entre 1965 et 1968. En 1972, les bombardements intensifs ont duré dix mois. Pendant ces mois-là, les superbombardiers B 52 ont été employés pour arracher de cette terre tout souffle de vie. Des hommes, des femmes, des enfants sont morts, c'est vrai, par milliers, les villages ont été écrasés, les rizières et les forêts brûlées par le phosphore et le napalm. La population a dû vivre sous terre et les paysans détruire ce qui restait des maisons où ils avaient grandi pour combler les cratères de bombes et permettre le passage des convois, mais jamais la route vers le Sud n'a été coupée.

Unité de femmes de Cup Cup, route n° 1. « Notre unité a été constituée en janvier 1972. Nous sommes responsables d'une section de cinq kilomètres de route, avec deux ponts et un *ngam* (nid d'éléphant). Au début, nous n'avions qu'une paillote, pour nous toutes, et la route était en très mauvais état, nous l'avons réparée et nous nous sommes bien installées, nous avons même construit une crèche pour nos enfants avec du bois coupé en forêt[7]. Cela nous a pris trois mois. Nous avons pris chacune la responsabilité d'un secteur d'activité. Les bombardements ont commencé le 25 avril et il y avait tant de choses à faire qu'il fallait s'organiser. Après chaque raid, il fallait combler les cratères qui trouaient la route. Pendant les accalmies, on renouvelait les réserves de pierres et de terre en prévision de la prochaine attaque. Les bombes non explosées étaient signalées aux véhicules par des cercles de craie ; la nuit, l'artillerie pilonnait, il fallait guider les convois qui circulaient tous feux éteints. Pour préserver nos vies et celles de nos enfants, nous avons creusé des tranchées et des " abris en A ", tout au long de la route nous avons creusé des abris individuels, ils nous ont souvent protégées des éclats et du souffle des bombes. Pourtant, quand notre poste a été touché par les B 52 plusieurs de nos sœurs sont mortes — sa voix tremble un peu — c'était le 28 septembre. Pendant plusieurs mois, nous avons affronté de très grandes difficultés pour aller chercher notre ravitaillement, nous avons planté des patates douces et du manioc, nous avions aussi deux buffles, eh bien, au début, comme ils étaient habitués à être dirigés par des hommes, ils refusaient de nous obéir. Mit est responsable du cours de gymnastique, Lè s'occupe de nos enfants. Nous sommes toutes des femmes et des mères, nous avons gardé courage. »

La paillote est ouverte au vent chaud de l'après-midi. Celle qui a parlé est Thiep, la responsable de l'unité ; elle n'a pas l'habitude de s'exprimer en public, encore moins devant des étrangers et, pendant de longs moments le silence n'a été troublé que par le cri strident des cigales. Au-dessus de la porte, un

---

7. Les femmes gardent avec elles les enfants âgés de moins de trois ans. Les autres sont évacués vers les zones moins exposées.

slogan est peint en lettres blanches sur l'étoffe. « Nos mains sont petites, mais nous sommes les égales des hommes. »

Le 27 janvier 1973, les accords de Paris sont signés. Ils imposent le retrait sous deux mois des troupes américaines, reconnaissent au Sud l'existence de deux administrations et prévoient la formation d'un Conseil de concorde nationale à trois composantes (intégrant les neutralistes) pour permettre la jouissance des libertés démocratiques et l'organisation d'élections libres sous surveillance internationale. Les accords de Paris sont violés comme l'avaient été ceux de Genève : dès leur signature. Thieu refuse de reconnaître la « troisième Force » neutraliste qui, comme le GRP s'oppose à son régime. La lutte contre les communistes continue. L'appui civil et militaire qui lui est accordé par Washington reste considérable.

Il faudra deux ans encore pour qu'avec la chute de Saigon le 30 avril 1975, le Vietnam soit totalement libéré.

LA FEMME DE PIERRE

« Dans la province montagneuse de Lang Son, au nord du Vietnam, un rocher surnommé Nui Vong Phu (rocher de la femme qui attend son époux), représente une femme, tenant dans ses bras un enfant, le visage tourné vers l'horizon. D'après une légende vieille de plusieurs siècles, cette femme aurait existé sous le nom de " la jeune To ". Son époux tardant à revenir, chaque soir, la jeune femme gravissait la montagne et se tenait là, debout, son enfant dans les bras, guettant l'apparition de son bien-aimé. Elle attendit longtemps et peu à peu fut transformée en pierre, prolongeant ainsi jusqu'à l'éternité sa fidèle attente [8] ».

Pendant des siècles, l'état de guerre presque permanent a forgé au Vietnam l'image de l'épouse, restée à l'arrière, fidèle au soldat parti au front et assumant seule la charge de ses vieux parents et de ses enfants. La tradition familiale continue de jouer un rôle fondamental dans la société vietnamienne. C'est à travers la famille que se transmettent l'histoire et la sagesse des générations passées. Pendant la guerre, la structure familiale a été l'une des plus sûres garantes du maintien des valeurs nationales contre l'agression étrangère. Que ce soit pendant la colonisation française ou l'occupation américaine, la fidélité aux membres absents de la famille était érigée en impératif de lutte

8. Mai Thi Tu, *la Femme au Vietnam,* ouvr. cité, p. 58.

politique, avec au centre, la figure idéale de la femme qui assure, en l'absence du mari la survie des générations futures, la cohésion du noyau familial et qui inculque à ses enfants l'amour du pays natal, les idéaux de l'indépendance et du socialisme.

« Je pense que c'est la femme qui porte en elle l'essentiel des caractéristiques nationales. La beauté du peuple vietnamien, c'est d'abord celle de la femme vietnamienne. En prison, j'ai souvent pu observer que la plupart de nos révolutionnaires avaient de bonnes mères... »[9].

L'importance attribuée à la famille aujourd'hui semble d'autant plus forte que l'agression américaine a fait littéralement éclater les familles et contraint maris et femmes, parents et enfants à des séparations de plusieurs mois ou de plusieurs années.

« En 1954, mon mari était dans l'armée. J'étais enceinte de huit mois quand il est parti vers le Nord. Il m'a dit : " Je pars pour deux ans. " Je suis restée seule avec mes beaux-parents, j'élevais mon enfant et j'étais responsable de la lutte clandestine dans mon hameau. La première lettre est arrivée en 1957, la deuxième en 1964 ; il n'y avait plus de promesse de retour, simplement l'assurance qu'il était vivant, puis il n'y a plus eu de lettre jusqu'en 1972. Comme mon mari était au Nord, nous étions fichés comme " famille communiste " et j'étais constamment interrogée ; j'ai été torturée deux fois parce qu'ils voulaient m'obliger à divorcer.

« En juin 1972, j'ai été blessée à la jambe par un éclat de bombe et j'ai dû être hospitalisée dans le Quang Binh, j'y suis restée jusqu'en 1973. C'est en décembre 1972 qu'il est venu me voir. Ma blessure me faisait toujours souffrir, j'étais couchée, il faisait froid, c'était un matin très tôt, les moustiquaires étaient encore baissées. Il a fait le tour des lits, je ne l'ai pas reconnu et je lui ai demandé " Qui cherchez-vous mon oncle ? " Il s'est retourné et seulement là, je l'ai retrouvé, nous ne faisions que pleurer. Je n'avais gardé de lui qu'une photo dont seuls mes beaux-parents connaissaient la cachette.

« Une semaine plus tard, il est reparti à Binh Thuy où il travaille dans une scierie. Il a demandé sa mutation, nous nous écrivons chaque mois, nous avons tous les deux appris à lire et à écrire avec les cadres de la première résistance, nous étions adultes déjà. Notre fille veut être météorologue, elle est étudiante à Dong Ha... » (*Trinh Thi Hong, Commune de Hai Phu, Quang Tri, juin 1974.*)

9. Le Duan, *discours au Congrès national des cadres pour le travail politique auprès des femmes*, 1959.

En 1964, lorsque la première vague de bombardements commence sur les provinces du Nord, les unités de production, les services, les universités, les hôpitaux sont évacués des centres industriels et urbains et dispersés pour pouvoir continuer à fonctionner malgré les bombardements. L'homme accompagne sa machine, la femme son unité médicale, son métier à tisser ou sa bibliothèque, chacun de leur côté et les enfants de l'autre, hébergés par des parents à la campagne, ou dans des familles paysannes, le plus loin possible des « objectifs stratégiques » du Pentagone.

La dispersion des familles est vécue comme un épisode évidemment douloureux, mais nécessaire à l'existence même de la famille, à sa survie. Et puis, la femme qui reste à l'arrière ne reste pas seule, elle reçoit l'aide de la coopérative, de l'Union des femmes, les enfants hébergés dans les campagnes se découvrent des grands-parents adoptifs, d'innombrables cousins. Les *me tien si* — mères de combattants — dont l'association a regroupé jusqu'à cinq cent mille femmes avaient entre autres missions le devoir d'aimer et de soigner les soldats qui arrivaient dans leur village comme s'ils étaient leurs propres fils. Les nouvelles parviennent à circuler quelquefois au gré des convois ou du déplacement des unités. C'est en quelque sorte comme si la famille, par nécessité, s'était élargie à l'infini.

Au Sud, en revanche, dès 1959, s'engage un processus de démantèlement systématique des structures familiales traditionnelles. Les administrations de Diem puis de Thieu visent à travers elles l'une des bases les plus solides de la résistance. Les femmes qui ont leur mari ou leur fils au Nord ou dans le maquis doivent signer des déclarations de reniement ou demander publiquement le divorce, celles qui résistent sont emprisonnées et torturées.

L'enrôlement forcé dans l'armée de Thieu, la concentration de la population dans les hameaux stratégiques, le déplacement de millions de personnes dispersent et déchirent les familles. Les femmes se prostituent en masse dans les villes, les enfants errent, abandonnés, sans soins. Le réseau familial est profondément déstructuré par la guerre, la misère et la répression.

C'est peut-être aussi parce qu'il aura fallu trente années pour que chacun revienne chez soi qu'une si grande importance est accordée à la réunification et à la cohésion des familles. Au Sud, après la libération, les anciens soldats de l'armée de Thieu étaient encouragés à rentrer dans leur village sans crainte de représailles.

Dans tout le pays, aujourd'hui, le divorce est libre et gratuit, mais, avant qu'il soit prononcé, des groupes de réconciliation, constitués à l'initiative des tribunaux populaires et composés de voisins, de parents, de collègues de travail ont pour mission de tout mettre en œuvre pour sauvegarder l'union des deux époux.

Par ailleurs, alors que l'avenir est encore hypothéqué par des difficultés matérielles innombrables et par des menaces d'agression extérieure, l'unité de la famille reste un objectif « stratégique », tant pour faire face aux problèmes actuels (« Si un homme et une femme vivent en harmonie, ils peuvent assécher la mer ») que pour construire la société de demain : la famille, trait d'union entre l'individu et la société est aussi une cellule de propagation des idéaux socialistes.

« Une bonne société fait une bonne famille et vice versa. Le noyau de la société c'est la famille. C'est précisément pour construire le socialisme qu'il faut accorder attention à ce noyau »[10].

Dans les villes et dans les campagnes, les mêmes grandes fresques de couleur qui exaltaient hier la résistance à l'agression américaine figurent aujourd'hui des hommes et des femmes robustes et souriants et sont utilisées pour populariser les normes du plan d'État, notamment celles de la famille modèle qui est composée de deux enfants.

Personne au Vietnam ne parle sans sourire des « Trois Ajournements » — lorsqu'on s'aime, retarder ses fiançailles, lorsqu'on est fiancés, retarder le mariage, lorsqu'on est mariés, retarder les naissances... — cette campagne imposée par les nécessités du combat, était une forme de contrôle des naissances qui ne disait pas son nom. La politique officielle de planning familial a commencé d'être appliquée dans les provinces du Nord en 1963, dans celles du Sud après la libération en 1975.

La fixation de l'âge minimum du mariage à 18 ans pour les filles, 20 ans pour les garçons, et les recommandations en matière de planification des grossesses : 22 ans minimum pour le premier enfant, 35 ans maximum pour le dernier, cinq années entre chaque naissance, vont dans le sens d'une baisse de la natalité et de la mortalité périnatale. Mais la progression démographique reste préoccupante (de l'ordre de deux et demi pour cent) malgré la vulgarisation des méthodes contraceptives. Dans les campagnes, une nombreuse progéniture reste source de fierté, surtout lorsqu'il s'agit d'enfants mâles...

10. H. Chi Minh, *Discours au meeting sur le projet de loi matrimonial et familial*, Hanoi 1959.

PRÉSERVER LES ACQUIS

En 1930, Nguyen Ai Quoc, le futur président Ho Chi Minh, s'adresse dans un « appel à la population » aux hommes et aux femmes de son pays. L'égalité des sexes y apparaît comme l'une des dix principales tâches assignées à la révolution vietnamienne. C'est la première fois, dans l'histoire de la lutte pour l'indépendance nationale que la question de l'égalité entre l'homme et la femme est posée.

Le Parti communiste vietnamien a, dès sa création, attaché la plus grande importance à l'émancipation des femmes. Le gouvernement a multiplié les lois et les décrets pour permettre l'application de la Constitution sur ce plan. Pendant les années de paix au Nord (1954-1960), les femmes ont renforcé leur acquis avec les premières mesures de transformation socialiste, en particulier le développement du mouvement coopératif dans les campagnes. Dans les deux zones du pays, elles ont conquis leur égalité de fait par leur participation à la production et à la lutte pour l'indépendance de leur pays.

Cette égalité, personne ne la conteste aujourd'hui, mais sa réalisation effective suppose encore la remise en cause patiente et quotidienne de l'héritage des « Quatre Vertus » et des « Trois obédiences » :

Dans leur vie personnelle, les femmes restent confrontées à la persistance de représentations héritées des rapports sociaux antérieurs. « Le charbonnier doit rester maître chez lui. » Les couples qui tentent de remettre en cause la répartition traditionnelle des rôles au sein de la famille sont souvent contraints de renoncer ; l'Union des femmes fustige publiquement les survivances du passé dans la famille, définie comme le dernier bastion de l'idéologie féodale...

« Notre comité a reçu depuis 1974 près de 300 pétitions de femmes de la province, lui demandant d'intervenir dans les procès de divorce jugés par les tribunaux. Notre travail parmi les femmes nous révèle l'existence de nombreux problèmes. Ainsi des cas de sévices graves qui n'ont pas été punis. Le concubinage, les mauvais traitements contre les femmes et les enfants n'ont pas entièrement disparu. L'exécution des jugements concernant les pensions alimentaires et l'attribution des biens conjugaux lèse les intérêts de la femme et des enfants »[11].

11. Nguyen Thi Duc, vice-présidente de l'Union des femmes de la province de Thanh Hoa, interview à *Femmes du Vietnam*, n° 4, 1979.

Dans la vie professionnelle, la promotion des femmes reste entravée par une résistance qui prend diverses formes. Pour certains cadres et dirigeants, la reconnaissance d'une spécificité féminine est incompatible avec une véritable égalité ; ils refusent donc de prendre en compte tout ce qui peut constituer un handicap pour l'activité professionnelle des femmes, qu'il s'agisse des problèmes inhérents à leur fonction de reproduction ou de ceux liés à l'empreinte qu'ont laissée chez certaines des siècles d'obscurantisme et de soumission. Pour d'autres responsables, il s'agit avant tout de réaliser les normes du plan en matière de promotion de cadres féminins sans pour autant « dévaloriser la fonction de dirigeant », c'est-à-dire qu'on n'accorde pas aux femmes l'aide et le soutien nécessaires à leurs nouvelles fonctions...

L'idée d'égalité a fait son chemin lentement et à grand fracas. « La poule qui veut chanter comme le coq » : le temps paraît loin déjà où il s'agissait d'une véritable révolution. Mais, bien qu'elles travaillent de plus en plus nombreuses dans les entreprises et les coopératives, la participation des femmes aux postes de direction reste encore, malgré des progrès spectaculaires, en deçà de leur rôle dans la vie économique et sociale.

Pourtant, en 1967, une résolution du Comité central du parti posait le problème de la promotion des femmes à des postes de responsabilités en soulignant leur spécificité, leurs responsabilités au sein de la famille, le handicap qu'elles doivent encore surmonter sur les plans scientifiques et techniques. Dans cette même résolution, la socialisation des tâches domestiques — en particulier la garde et l'éducation des enfants — instituée de fait pendant la guerre (mais par obligation) était pour la première fois définie comme une condition nécessaire à l'émancipation des femmes sur le plan familial et professionnel.

C'est au Comité pour la protection de la mère et de l'enfant, organisme d'État ayant rang de ministère, que revient, dès sa création, en mai 1971, la responsabilité de mettre en place le « troisième réseau » — après ceux de l'enseignement et de la santé — : le réseau des crèches et des garderies d'enfants. L'objectif fixé pour la fin de l'année 1980 était de pouvoir accueillir au Nord 40 % et au Sud 20 % des enfants âgés de deux mois à trois ans, soit 1 400 000 enfants. Il s'agit de développer « pas à pas » la prise en charge par la société de ses responsabilités à l'égard des enfants pour alléger le poids des tâches domestiques qui repose essentiellement sur la mère, afin de favoriser l'insertion des femmes dans la vie sociale et l'instauration de nouveaux rapports au sein de la famille. Cet objectif répond aussi à l'impératif de libérer la force de travail féminine.

« Dans notre district, les femmes représentent plus de 50 %

de la force de travail. Dans certaines communes, ce pourcentage atteint 60 % et même 70 %. Plusieurs brigades de production sont entièrement féminines... Compte tenu du manque de garderies, les soins aux enfants demandaient beaucoup de temps. Les travaux de repiquage et de moisson s'éternisaient.

Les inondations ne pouvaient pas être combattues efficacement. On a commencé à prendre conscience que la mise sur pied de garderies, si nécessaire pour la libération de la femme, influe directement sur la production en libérant la force de travail féminine. » [12]

Le problème qui se pose, c'est de permettre la libération progressive des femmes dans les conditions actuelles du pays, c'est-à-dire en mettant en œuvre des moyens en rapport avec le niveau encore très faible de développement économique. Les crèches sont encore parfois de simples paillotes et les nurses n'ont pas toujours la formation requise.

En ce qui concerne les tâches proprement domestiques, l'intervention conjuguée dans les villes au niveau de chaque quartier, de commissions spécialisées (enfance, hygiène...) dépendantes des structures élues et des comités locaux de l'Union des femmes, de la jeunesse, des syndicats, permet par le recours à l'initiative populaire d'atténuer le décalage entre les exigences nées de l'évolution du mode de vie et des besoins, et les possibilités économiques de la société.

Deux ou trois personnes, retraités ou anciens petits commerçants se groupent pour acheter un four et quelques marmites, le quartier leur fournit un local et fixe le prix des services : cuisson du riz, fourniture d'eau bouillante... Ces *to phuc vu,* nids de services, essaimés au coin des rues, permettent malgré la pénurie de moyens, la collectivisation de certaines activités et une plus grande disponibilité des femmes hors de leur foyer.

L'économie du Vietnam reste une économie sous-développée, de petite production, où prédominent les activités agricoles et le travail manuel à très faible productivité. L'agriculture en dépit des progrès réalisés ne parvient pas encore à satisfaire les besoins de la population. Les bases matérielles et techniques du pays restent faibles et arriérées.

Le processus de libération des femmes vietnamiennes est étroitement dépendant de l'état des besoins et des ressources de leur pays. Peut-on parler de libération des femmes, de « famille de culture nouvelle », de nouveau mode de vie quand les

12. Le Hung Kuan, le district de Zien Chan et son réseau de garderie *(La Protection de la mère et de l'Enfant au Vietnam,* Éditions en Langues étrangères. Hanoi 1979, p. 22.)

Vietnamiennes continuent à s'épuiser des journées entières à écoper pour faire monter l'eau dans la rizière, quand les amants, les maris et les fils sont encore mobilisés sur le front du Nord, quand dans les immeubles neufs de la banlieue de Hanoi, la norme de superficie habitable est limitée à trois mètres carrés par personne, faute de matériaux, faute de moyens, faute de n'avoir pu, pendant trente ans que panser les blessures les plus béantes ?

On peut dire que ces trente dernières années ont bouleversé profondément les modes de penser au Vietnam et transformé la condition des femmes. « L'ordre dicté par le ciel » semble irrémédiablement ébranlé. Les progrès sont surtout spectaculaires dans les régions montagneuses où l'oppression des femmes était aggravée par les superstitions. Il y a moins de deux décennies, les femmes d'Hoa Binh pendant leur grossesse devaient, six à sept mois durant, se tenir allongées près d'un réchaud brûlant pour chasser les mauvais esprits et les démons voleurs d'enfants.

Les femmes représentent aujourd'hui près du quart des députés à l'Assemblée nationale et le tiers des membres des Conseils populaires à l'échelon de la province du district et de la commune. La société, dans ses structures crée les conditions nécessaires à la réalisation d'une égalité véritable. L'image traditionnelle de la femme se fissure, les modèles qui organisaient les rapports au sein de la famille ne correspondent plus à la réalité sociale. Mais, il y a aussi les hommes et les femmes qui sont nés et qui ont grandi baignés dans la morale confucéenne et pour qui il n'est pas facile d'inventer de nouveaux modèles.

L'image traditionnelle de la femme au foyer, « ministre de l'Intérieur », diligent et efficace, s'épanouit dans les discours officiels qui exhortent les femmes à se comporter « en bonnes ménagères et en bonnes mères de famille », y compris lorsqu'il s'agit d'abattre l'avion ennemi, ou d'atteindre les normes de production fixées par le Plan. Récemment encore, l'Union des femmes lançait un mouvement national appelant les femmes à « exceller dans la gestion des affaires publiques comme à la tête du foyer ». Ce rôle assigné aux femmes n'apparaît pas aux dirigeants vietnamiens contradictoire avec leur nouveau statut, mais comme son complément indispensable. Ainsi, la valeur et l'autorité d'une dirigeante ne sont véritablement reconnues que si elle donne aussi l'image d'une bonne épouse et d'une bonne mère.

Survivance du passé ou réalisme ? Cette conception participe à la fois du rôle central que les Vietnamiens assignent à la famille dans l'édification de la société nouvelle et des tensions, des incertitudes engendrées par l'émergence de nouveaux modèles. Alors que l'Union des femmes engage un mouvement pour promouvoir « des familles de culture nouvelle et de mœurs civilisées », certains dirigeants du parti soulignent le rôle primordial de la femme dans l'éducation des enfants et l'entretien du foyer...

Il y a aussi la guerre qui, si elle a favorisé la progression des femmes, a dans le même temps, en mobilisant l'essentiel des énergies vers la production et le combat, empêché une action en profondeur sur le plan idéologique.

Pour certains, elle reste la justification *a posteriori* de la promotion des femmes — nécessité ayant fait loi —. Ceux-là devront, semble-t-il, compter avec la vigilance des femmes : « Des femmes qui libérées du concubinat ont choisi des professions indépendantes, jusqu'à l'adolescente qui discute à l'école de l'égalité des droits, personne ne songe à abandonner les victoires de la révolution. Certes, il y a bien encore des hommes qui souhaiteraient qu'on en revienne au vieux schéma familial, mais c'est une époque révolue, et, de même que nous avons dû renverser notre éducation, il faut transformer la leur. La normalisation des conditions de vie après la guerre n'arrêtera pas cette évolution de la femme » [13].

La composition de la dernière Assemblée nationale et du gouvernement marque un recul de la place des femmes dans les instances dirigeantes du pays. Faut-il y voir un signe des gigantesques difficultés liées à la réunification du Nord et du Sud ?

L'histoire a donné de nombreux exemples de régression du mouvement d'émancipation féminine après des périodes qui avaient vu les hommes et les femmes engagés côte à côte dans la lutte, lorsque la vie redevient « normale ».

Au Vietnam, plusieurs raisons permettent de penser qu'il est possible d'éviter une telle évolution :

— La lutte pour l'indépendance nationale s'est étendue sur plus d'une génération et les changements imposés par la guerre ont eu le temps de s'ancrer dans la réalité quotidienne.

— Pendant les années de paix au Nord (1954-1960), il n'y a pas eu de retour en arrière. Les femmes ont au contraire élargi leurs acquis.

— Les femmes occupent aujourd'hui d'importantes responsabilités dans tous les secteurs de la vie économique.

— Elles disposent d'une organisation nationale active, solide et profondément implantée dans le pays, l'Union des femmes du Vietnam, qui, depuis sa création a toujours mené de front la lutte pour la libération nationale et « la lutte interne » contre les survivances du régime féodal et patriarcal.

13. Cam Thanh, écrivain, entretien avec P. Weiss *Notes sur la vie culturelle en République démocratique du Vietnam,* Éditions du Seuil, Paris 1969, p. 66.

Ho Xa. Province de Quang Tri. Pluie et crachin. La récolte de printemps se prépare. Les buffles ont quitté les abris et paissent à l'air libre. Sur le marché, à l'abri des carcasses rouillées autour desquelles s'enroulent les liserons d'eau, on vend des tubercules de manioc, des patates douces, des œufs couvés. Des enfants jouent aux guérilleros. J'étais venue ici, en 1973, il ne restait rien, indescriptiblement rien, qu'une étendue de terre en friche, à perte de vue.

Le long de la route défoncée par la pluie, les chantiers de travail se signalent par des drapeaux et des banderoles rouges qui tranchent sur le gris de l'eau et du ciel.

Minh était pendant la guerre membre d'une unité de DCA d'élite. A l'instant, une main serrée sur le manche de la pioche, elle s'essuie le front. Le drapeau challenge obtenu par son unité est accroché au mur de sa paillote. Son combat d'aujourd'hui, c'est de rendre à nouveau fécondes les rizières il y a peu de temps encore truffées de mines et d'éclats d'obus. Il est aussi acharné que celui d'hier. La guerre n'est pas loin... Ses parents on été tués, son frère est encore mobilisé, pourtant elle sourit. A-t-elle intégré la souffrance et la lutte à sa vie quotidienne au point que rien ne puisse venir altérer la détermination de ce sourire ?

Constitution de la République socialiste du Vietnam (1980).

Article 58

« Le travail est à la fois un droit, un devoir et un honneur de premier ordre pour tous les citoyens. »

Secteur d'activité (1980)	Pourcentage de main-d'œuvre féminine
Agriculture	62
Industrie..........................	43,5
Enseignement ⎫	
Santé ⎬	60
Commerce ⎭	

Article 63

« La femme a droit à un congé de maternité avant et après les couches avec maintien du salaire, si elle est ouvrière ou employée, ou avec les allocations de maternité si elle est membre d'une coopérative. »

Le congé varie entre 60 et 75 jours selon la nature du travail accompli. L'avortement est libre et gratuit.

« L'État applique la politique de travail conforme aux conditions de la femme. A travail égal, la femme a droit à un salaire égal à celui de l'homme. »

Les normes de travail sont fixées — pour une personne en bonne condition physique — à 300 jours par an pour les hommes et 250 jours pour les femmes. Les femmes ont droit à la retraite à 55 ans (60 ans pour les hommes).
Dans les coopératives, le salaire est calculé sur la base des points de travail fourni sans discrimination de sexe.

« L'État et la Société veillent à l'élévation du niveau politique, culturel, scientifique, technique et professionnel de la femme, ils ne cessent de faire valoir le rôle de la femme dans la société. »

Députés à l'Assemblée nationale.

	1946	*1961*	*1967*	*1972*	*1975*	*1981*
Nombre de femmes	10	53	66	125	137	108
Pourcentage	2,48	11,6	16	30	32	22

1979 : 30 % des membres des Conseils populaires sont des femmes.

Enseignement.

1945 : 15 millions d'analphabètes. (90 % des femmes)
1966 : L'analphabétisme est totalement liquidé au Nord (y compris les régions montagneuses).
1975 : 1 400 000 analphabètes au Sud.
1978 : L'analphabétisme est liquidé dans tout le pays.
1980 : 1 350 000 personnes suivent des cours complémentaires (cours réservés aux adultes après ou pendant la journée de travail).
Plus de 40 % des élèves sont des femmes.

Enseignement secondaire : 50 % de femmes.

Enseignement universitaire ou postuniversitaire : 30 % de femmes.

« L'État et la Société veillent au développement des maternités, des crèches, des classes maternelles, des restaurants communautaires et d'autres établissements d'intérêt public, créant des conditions favorables pour les activités de production, le travail, les études, et le repos de la femme. »

	1965	*1972*	*1979*
Enfants accueillis en crèches et garderies	132 000	350 000	900 000
Objectif 1980	1 400 000		

Israël

Femmes d'Israël :
la lutte pour la paix
par Ruth Lubitsch*

Pour quoi les femmes d'Israël se battent-elles avant tout ?
Pour la paix ! C'est une évidence. Elles sont toujours inquiètes
pour leur fils ou leur fille parti servir l'armée (les hommes ont
trois années de service, les femmes sans religion, deux ans). Les
femmes sont toujours inquiètes à l'idée qu'une nouvelle guerre
pourrait éclater. Après tout, nous avons vécu, depuis la fondation de l'État d'Israël en 1948, un certain nombre de guerres. Le
chef de gouvernement du Likhoud, M. Bégin, le ministre de la
Défense (plus précisément, le ministre de la Guerre), A. Sharon,
et le Chef de l'État-major, Rafael Eytan, sont en mesure de
déclencher une nouvelle guerre... Entre chacune de ces guerres,
le gouvernement israélien intervient dans les affaires intérieures
d'un État souverain voisin, le Liban, et envoie ses bombardiers
pilonner des populations paisibles, tuer des enfants, des femmes
et des hommes, dans des camps de réfugiés aussi bien qu'à
Beyrouth. Cela a naturellement d'autres conséquences : des
installations et des villes du nord de l'État d'Israël sont atteintes,
des populations israéliennes paisibles sont touchées. La situation
est inquiétante.
    L'occupation de territoires arabes par Israël, qui dure depuis
plus de quatorze ans, représente un obstacle sérieux à tout

* Membre du Bureau politique du Parti communiste d'Israël.

règlement de paix. Cette occupation, présentée par les autorités israéliennes comme une cause « noble et humanitaire », est en fait utilisée pour supprimer par la force les populations palestiniennes, hommes et femmes. Même les élèves et les jeunes enfants ne sont pas épargnés : on les traite à coups de poings, à coups de fusil, par la torture, la prison, on démolit leurs maisons et on les soumet à des couvre-feu prolongés. Toutes ces méthodes empiètent grossièrement sur les droits du peuple palestinien, heurtent sa dignité nationale et violent la Charte internationale des Droits de l'homme. On applique ces méthodes contre un peuple qui se bat avec abnégation contre l'occupation, et pour une patrie libre, indépendante, pacifique et démocratique.

L'oppression de la population arabe, divers actes de terrorisme — tels que les attentats contre les maires de Naplouse, Ramallah et Al-Birah (les coupables n'ont pas encore été retrouvés) —, l'arrogance et le mépris de toute dignité humaine affichée par la soldatesque israélienne et les escadrons fascistes de Gush Emunim — tout cela provoque des conflits en Israël, corrompt les gens, engendre une attitude de conquérants méprisables, détruit la démocratie et ouvre la voie au fascisme. Ce danger de fascisation de la société pose un sérieux problème à toutes les forces politiques et sociales, qui ont pour tâche de barrer la route au fascisme.

Pendant ce temps, les millionnaires du gouvernement du Likhoud deviennent encore plus riches aux dépens des travailleurs et des couches défavorisées de la population. Le taux d'inflation est de 112 % dans les douze derniers mois. Israël occupe maintenant la première place mondiale pour la vie chère.

Les salaires ouvriers réels ont baissé de 11 % dans la même période, le niveau de vie des familles s'est détérioré. Des grèves éclatent en riposte à cette exploitation. L'Histadruth (Confédération des syndicats israéliens), cependant, refuse de s'opposer fermement à la politique réactionnaire du gouvernement Likhoud.

LA PARTICIPATION DES FEMMES

Quelle est la part des femmes dans tous ces événements ?
Sous la direction du gouvernement Likhoud, un recul dans le domaine des droits de la femme a eu lieu. Ce recul s'est fait sentir dans tous les domaines.

Discriminations dans le droit au travail

Il n'y a que 39 % de femmes parmi tous les travailleurs d'Israël (ce qui fait 39 % des femmes israéliennes). La femme souhaite-t-elle travailler ? Elle le veut, et en fait, elle y est contrainte si elle veut maintenir l'équilibre précaire du budget de la famille, face aux prix qui augmentent très rapidement. Pourtant, toutes les femmes qui le voudraient ne peuvent pas travailler, et en particulier si elles ont plusieurs enfants : il y a trop peu d'établissements susceptibles d'accueillir les enfants, ceux qui existent sont très coûteux et — ce qui est déterminant — les salaires féminins sont très bas. De plus, le chômage croissant frappe tout d'abord les femmes.

Salaires inférieurs

Bien qu'une loi soit passée en 1964 à la Knesseth stipulant qu'à travail égal, un salaire égal devait correspondre, elle n'a jamais été mise en application dans la plupart des professions. Les femmes ne touchent que 60 % de ce que gagnent leurs compagnons de travail masculins, même à travail égal. Les femmes sont cantonnées dans les professions à bas salaires.

Discriminations dans l'enseignement professionnel

Une fille capable et instruite qui souhaite embrasser une profession « non féminine » doit mener une lutte obstinée si elle veut atteindre son but. Toutes les filles n'ont pas l'énergie de le faire. Parmi les 352 professions recensées dans l'économie israélienne, seulement 38 sont ouvertes aux femmes. 65 % des femmes sont employées dans les professions prétendues « féminines », comme le travail de bureau ou l'éducation des enfants. Il n'y a pas assez de formations professionnelles pour les femmes et elles ne jouissent pas de chances égales.

Récemment, la situation a enfin été discutée à la Knesseth. La « Loi sur l'égalité des chances dans le travail », qui est passée dernièrement à la Knesseth, ne garantit pas le droit des femmes d'être embauchées, ne fournit pas des chances égales, n'abolit pas la discrimination dans le domaine de l'avancement, de l'affectation, des salaires ou des avantages sociaux. Aussi, cette loi devra être amendée.

La femme arabe, quand on l'interroge sur ses conditions de vie, en rend un bien triste compte. Elle a d'abord bien des difficultés à convaincre ses parents de la laisser sortir pour aller travailler. Actuellement, des milliers de femmes arabes sont employées dans l'industrie et l'agriculture. Un plus grand nombre encore voudraient travailler. Pourtant, le pourcentage des femmes arabes qui travaillent hors de leur maison ne dépasse pas actuellement 8,5 %.

Une jeune fille arabe qui travaille dans l'industrie peut se demander : « Pourquoi mon salaire est-il inférieur à celui des femmes juives ? » Mais, si elle est employée dans l'agriculture, elle est encore bien plus mal traitée. Il n'y a aucun syndicat, elle travaille pour un salaire de famine, n'a aucune protection sociale, et doit verser une bonne partie de son salaire pour l'intermédiaire (« Ra'iss ») qui a arrangé son embauche. Elle peut se demander aussi : « Pourquoi n'instaure-t-on pas dans les villes et les villages arabes les mêmes services que dans les secteurs juifs de la société, tels que les écoles maternelles, les dispensaires, et des écoles agréables et bien équipées ? »

Les femmes arabes diplômées de l'université se plaignent de ne pouvoir trouver un emploi convenable. Toute l'administration d'Israël est fermée aux intellectuels arabes. De plus, des enseignants et d'autres fonctionnaires sont licenciés pour des raisons politiques. Voilà le visage de l'égalité en Israël. Cet état de choses est une violation flagrante de la Charte d'indépendance d'Israël, adoptée dès 1948, et qui dit explicitement que tous les citoyens d'Israël jouiront de droits égaux, sans discrimination de nationalité, de race, de religion ou de sexe.

En réalité, la discrimination s'est accentuée depuis l'époque où les Travaillistes (« Ma'rakh ») dirigeaient le pays. Des lois sont passées à la Knesseth qui ont dépossédé les Bédouins du Neguev de leurs terres, et quand les Bédouins ont cherché à résister à leur déportation, on a ouvert le feu contre eux. Une jeune Bédouine, portant son enfant dans ses bras, a été tuée récemment à coups de feu. Le soldat qui l'a assassinée a été condamné à 38 jours de prison — exactement la durée de sa détention avant le procès. C'est là un exemple frappant de la manière dont la justice fonctionne en Israël.

Inégalité au sein de la famille

Un grand nombre des drames qui frappent les femmes ont leur origine dans le statut qu'elles ont dans la famille, en particulier au moment du divorce. Tout au long de l'existence de l'État d'Israël, les femmes se sont battues pour obtenir des lois justes et convenables concernant le mariage, mais en vain. Concernant le statut juridique de la famille, Israël occupe dans le monde la dernière place. Il n'existe pas de séparation entre l'Église et l'État dans l'État d'Israël. Les partis religieux, qui ont servi de forces d'appoint à toutes les coalitions qui ont gouverné Israël jusqu'à ce jour, imposent leurs volontés à la population à l'aide de méthodes très brutales, et quelquefois recourent à la violence ouverte.

On a remarqué un paradoxe frappant à la veille des dernières élections (30 juin 1981) : bien que les partis religieux aient connu un fort déclin dans le nombre et le pourcentage des voix qui leur avaient été données, ils sont parvenus à une emprise plus forte que jamais sur la vie publique et les conventions matrimoniales. Il n'y a pas de loi sur le mariage civil en Israël. La vie de la famille est déterminée par une loi réactionnaire sur le mariage rabbinique dont l'origine remonte à 2 000 ans. Cette loi rabbinique est discriminatoire pour la femme : elle la considère comme une copie — inférieure — de l'homme, elle fait injure à sa dignité et opprime sa liberté individuelle et sa conscience. Les contraintes religieuses sont parvenues à dominer la vie publique d'Israël encore plus impérieusement depuis la venue au pouvoir du gouvernement Likhoud, bien que la majorité de la population soit laïque.

Cette loi réactionnaire et religieuse sur le mariage rituel étend son pouvoir également sur la population arabe, et sur les Musulmans. Récemment, on a pu observer une activité intense des « Sœurs musulmanes », organisation qui fait campagne contre l'émancipation des femmes, contre leur travail à l'extérieur de la maison, contre l'envoi des filles à l'école, etc. Des cercles religieux fanatiques violent la loi et exercent leur violence. De plus, ils veillent à ce que les lois qui défavorisent les femmes soient adoptées. Ils ont présenté un amendement à la Loi sur l'avortement, qui a été adoptée par la Knesseth après des luttes opiniâtres, pour abroger l'article 5 (le paragraphe dit « social ») de cette loi. L'abrogation de cet article fait que l'ensemble de la loi est une imposture.

Les forces progressistes, laïques d'Israël, hommes et femmes tous ensemble, qui exigent la séparation de l'Église et de l'État et l'adoption d'une loi laïque et progressiste sur le mariage ne sont pas soutenues par le Front travailliste (Parti travailliste plus Mapam), qui craint d'apparaître comme anticlérical et de perdre des voix parmi les électeurs religieux. Il est prêt à abandonner la question des droits démocratiques des femmes dans la famille.

Cette attitude a trouvé son expression éclatante à la conférence de la « Na'amath » (22-23.9.81), organisation féminine de Histadruth, quand l'exigence, avancée par les représentantes du Front démocratique pour la paix et l'égalité, de la séparation de l'Église et de présenter une loi sur le mariage civil a été rejetée par les dirigeantes socialistes de la « Na'amath ». En agissant ainsi, elles se sont rendues complices de l'aile droite du Likhoud.

La discrimination envers les femmes trouve aussi son expression dans leur faible représentation dans les corps élus. Alors qu'il y avait encore onze femmes députés à la 9ᵉ Knesseth, leur nombre a encore décrû dans l'actuelle chambre, jusqu'à huit seulement. On ne trouve que peu de femmes dans les conseils municipaux et à la direction des différents partis.

Cet état de choses soulève naturellement une grande amertume dans le cœur de bien des femmes. Cependant, il n'y a pas de lutte organisée contre la discrimination envers les femmes. Aucun front large n'a été créé pour faire face à tous les problèmes qui découlent de l'empiètement sur les droits des femmes.

En 1975, année internationale de la femme, une commission d'État a été créée en Israël pour enquêter sur le statut des femmes. La commission a finalement soumis un rapport contenant 241 recommandations, dont certaines très importantes, pour faire progresser le statut des femmes en Israël. Parmi toutes ces recommandations, une seule a été mise en application : l'avocate Libai est entrée en fonction comme conseillère sur les affaires féminines auprès du Vice Premier ministre. C'est ainsi que le gouvernement Likhoud traite les recommandations d'une commission d'État pour l'amélioration du statut des femmes en Israël.

Le gouvernement Likhoud n'a pas encore signé à ce jour la convention internationale sur l'abolition de toute discrimination concernant les femmes. Aucune organisation de femmes, à l'exception du Mouvement des femmes démocrates en Israël, n'a jamais présenté cette exigence au gouvernement.

ET MAINTENANT ?

Les forces démocratiques et pacifiques et les femmes d'Israël ont devant elles une tâche difficile : améliorer le sort des femmes et leur assurer l'égalité dans la famille, sur le lieu de travail et dans la société.

De plus en plus nombreuses sont les femmes qui comprennent que les possibilités de conduire une lutte victorieuse pour l'égalité des femmes sont limitées tant que la paix n'aura pas été instaurée entre Israël et les pays voisins. Le Mouvement des femmes démocrates en Israël, qui rassemble des milliers de femmes juives et arabes et les guide dans leurs efforts pour obtenir l'égalité et la paix, se tient à l'avant-garde de cette lutte.

Nombreux sont ceux qui fondent leurs espoirs sur le Front démocratique pour la paix et l'égalité, qui comprend le PC israélien, les Panthères noires et plusieurs cercles démocratiques juifs et arabes, car le programme du Front est en mesure de tirer Israël de sa mauvaise situation et d'établir la paix et la sécurité pour les deux peuples qui y résident. Selon ce programme, la paix peut être conclue, si Israël supprime les installations coloniales des territoires occupés, se retire de tous ces territoires, et reconnaît le droit des Arabes de Palestine de créer un État indépendant, aux côtés d'Israël.

L'existence de deux États indépendants, démocratiques et pacifiques vivant côte à côte — l'État d'Israël et la Palestine — apportera de profonds changements dans la situation du Moyen-Orient. Il deviendra alors une région de paix et de prospérité. De plus, ce programme de paix est salué par des peuples du monde entier.

USA

Un étonnant cocktail
par Martine Monod*

AUTOUR DU KALÉIDOSCOPE

La femme américaine ? Non, je ne peux pas en parler, elle n'existe pas. Des femmes américaines ? Oui, je peux essayer, j'en ai rencontrées. Car ici, plus encore peut-être qu'ailleurs, tout est diversité. Dans ce pays géant, ce qui fait la différence entre les êtres — donc, par là même, entre les femmes — ce ne sont pas seulement les classes sociales, l'appartenance à la ville ou à la campagne, l'âge. Ce sont aussi toutes ces immigrations, d'où qu'elles viennent, qui ont fabriqué cette nation. Toutes ces cultures des cinq continents se rencontrant sans vraiment se mêler, toutes ces langues, ces modes de vie, ces expériences séculaires, ces contradictions traversant ces flots d'hommes, de femmes, d'enfants, déversés là entre l'Atlantique et le Pacifique, entre le Canada et le Mexique, accourant vers le « Nouveau Monde » et restant pourtant toujours porteurs de leurs mondes anciens. Je me suis trouvée dans un hôtel de Chicago aux prises avec une femme de chambre d'origine hondurienne qui ne parlait pas un mot d'anglais. Et à Los Angeles, m'excusant dans un

---

* Grand reporter à *L'Humanité Dimanche*.

magasin de mon accent français, j'ai obtenu cette réponse désabusée : « Aucune importance ! Ici, tout le monde a un accent. »

C'est là un phénomène-clé de l'Amérique. Les immigrants affluent toujours. Difficile de les dénombrer : il est pratiquement impossible de savoir combien ils sont à entrer illégalement chaque année. D'après l'*Editorial Research Report* publié à Washington en 1980, l'immigration, tant légale qu'illégale, représenterait la moitié du taux de croissance de la population des États-Unis. Dans les années quatre-vingt, les Américains de langue espagnole, venant essentiellement du Mexique et des Caraïbes, seront la plus forte minorité, renvoyant les Noirs au second rang. Ceux-ci sont actuellement environ 26 millions, soit 11,8 % de l'ensemble des citoyens américains. En 1990, on s'attend à ce qu'ils dépassent les 30 millions, soit 12,2 %. La plus large part des Juifs soviétiques autorisés à émigrer vont à New York plutôt qu'à Tel Aviv. L'Europe centrale fournit son contingent ainsi que, plus récemment, l'Asie du Sud-Est. La Petite Pologne à Chicago, la Petite Italie à New York, Chinatown à San Francisco, autant de noms de vastes quartiers. Sans oublier les Irlandais que la misère et le chômage continuent à chasser des deux parties de l'île crucifiée. Sans oublier les Grecs dont Elia Kazan a raconté l'histoire, les Espagnols, les Turcs. Sans oublier l'Europe du Nord. En Californie, il y a une ville entièrement danoise où le danois est la première langue parlée. Une ville proche est aux trois quarts portugaise, peuplée essentiellement de gens fuyant Madère et les Açores.

Immigration familiale. L'homme part et les siens le suivent. Les femmes, les filles aussi. Une femme américaine peut s'appeler Mary, Maria, Mei ling, Meara, Mara... Elle peut même, derrière un sage patronyme officiel être indienne. Une des rares à ne pas être une immigrante.

Il faut avoir cela dans l'esprit si on veut mesurer le véritable kaléidoscope qu'est l'identité féminine américaine. Cet échantillonnage ne signifie pas pour autant un émiettement de l'esprit national. On est Latino-Américain, Gréco-Américain, Sino-Américain, Irlando-Américain, mais toujours Américain. Ou Américaine. On est farouchement attaché, malgré les désillusions et les déceptions, les échecs et les rejets, à cette nationalité dont on a longtemps rêvé et dont — surtout si on vient d'un pays pauvre — on imagine qu'elle va faire de vous un riche. Les immigrations les plus récentes sont les plus chauvines, celles qui n'acceptent pas qu'on critique la terre de leur choix.

Durant la guerre du Vietnam, les associations d'immigrants ne furent pas parmi les plus progressistes. C'est à nombre d'entre elles que l'on doit le financement de la fameuse campagne par affiches et par annonces télévisées : « America ! Like it or leave it ! » Amérique ! Aime-la ou quitte-la !

Deuxième phénomène-clé à garder en mémoire. L'Amérique est la plus puissante nation impérialiste, le plus formidable bastion du capitalisme. Elle subit la crise comme les autres pays capitalistes, mais sa force économique et financière lui permet d'exporter un certain nombre de ses problèmes. Au détriment souvent de ses alliés. Et sur le plan intérieur, elle est aussi capable de sacrifier les plus défavorisés, les plus démunis, au mythe d'un équilibre budgétaire compromis par l'accroissement des dépenses militaires et basé sur l'écrasement des faibles. Coupes claires dans l'aide sociale, dans les équipements collectifs. Ce qui crée des révoltes — mais pas contre le système. Le rêve reste de s'y intégrer, non de le changer. De conquérir cette richesse individuelle qui symbolise la réussite. Force d'un régime qui fait, de ses victimes, ses propres propagandistes.

Les femmes, qui sont parmi les premières victimes, ne sont pas au premier rang de la lutte contre un système qui les opprime. Sur d'autres terrains, elles mènent de grandes batailles. Sur le plan du changement réel, elles ne vont pas plus vite que la masse du peuple américain. C'est-à-dire très lentement.

Ceci nous amène au troisième phénomène-clé en ce qui concerne les femmes américaines. Leur participation historique à la formation de la nation, l'importance de leur combat pour leurs droits. Et, en même temps, la limitation d'une lutte qui ne s'attaque pas aux racines du mal. Sans leurs femmes, qu'auraient fait les pionniers marchant vers la conquête de l'Ouest ? Sans leur volonté, sans leur héroïsme quotidien ? Comme les femmes russes, puis les femmes soviétiques, ont joué un rôle décisif dans la mise en valeur de la Sibérie, les femmes américaines ont permis à la Californie, aux territoires de l'Ouest, de devenir ce qu'ils sont aujourd'hui. Il y a au Capitole, là où siège le Congrès, une sculpture à la gloire de ces femmes. Mais telles qu'elles sont statufiées, ce sont uniquement ce qu'on appelle des WASP (White Anglo-Saxon Protestant — blanches, anglo-saxonnes et protestantes), autrement dit les descendantes des premiers immigrants venus d'Angleterre, une sorte d'aristocratie de l'immigration. Et rien que cela marque le seuil qui, même au travers de l'histoire, crée le fossé. L'Amérique absorbe matériellement les nouvelles immigrations, elle n'accepte pas intégralement la pierre qu'elles apportent à l'édifice national. Il suffit de voir les films, assez bon reflet de la sensibilité collective. Dans l'épopée de l'Ouest, la Mexicaine n'a un aspect positif que si elle aime ou est aimée de l'homme venu de la côte Est, celle où abordent les bateaux d'Europe. Quant à l'Indienne, n'en parlons pas ! A l'exception de quelques œuvres aussi rares que courageuses, elle n'est là que comme alibi à la présence évidente et oppressante de l'homme blanc.

Ainsi une certaine discrimination parmi les femmes. Même si, au fil des luttes des années, apparaît la reconnaissance du moins formelle de l'originalité. Mais toujours liée à la lutte globale. Exemple : les femmes noires n'ont conquis quelque chose que dans la mesure où l'ensemble des Noirs ont fait tomber des barrières. Mais quelles femmes noires ? Bien sûr, il n'y a plus dans les bus de sièges réservés aux Blancs. On ne refuse plus, dans un coffee-shop, de servir les « gens de couleur » comme on dit élégamment. Mais la discrimination de classe demeure. Carter s'est vanté de nommer dix-sept ambassadeurs noirs mariés à dix-sept épouses noires. Il a reçu régulièrement Coretta King à dîner à la Maison Blanche. Ça n'a pas donné un emploi de plus aux Noirs, hommes et femmes, qui font les gros bataillons de l'armée des chômeurs.

Chaque chaîne de télévision a des femmes dans son équipe d'information. Femmes-alibis, femmes-bonne conscience — Barbara Walters reste une exception. Pour régler deux problèmes d'un coup, la discrimination envers les femmes et celle envers les Non-Blancs (autre expression élégante), cette femme est souvent Noire ou Chicano — le mot familier pour les Hispano-Américains.

Maintenant, avec l'arrivée massive des gens du Sud-Est Asiatique, on fait dire quelques nouvelles par une immigrée du Vietnam ou du Cambodge. Maquillée, habillée à la dernière mode, rien à voir avec la réalité des « boat people », mais exactement ce qu'il faut pour que, du Texas à la Nouvelle-Angleterre, on se sente formidablement à la tête des valeurs antiracistes et démocratiques !

Ne nous y trompons pas ! La promotion de Jeane Kirkpatrick au poste d'ambassadeur des États-Unis auprès de l'ONU, la nomination — pour la première fois — d'une femme juge à la Cour suprême, sont dans la même ligne. En soi, c'est bien. Mais deux remarques. La première, c'est que ce sont deux femmes de l' « establishment », deux femmes profondément réactionnaires et attachées au système capitaliste. La seconde, c'est que cela ne transforme rien dans la vie quotidienne de l'ensemble des femmes américaines. Pas plus, disons-le, que la présence de Margaret Thatcher à la tête de la Grande-Bretagne ne donne une chance de changement aux femmes britanniques. Et j'oubliais de parler de ce feuilleton télévisé où « Madame Columbo » remplace son mari dans une version bon marché et sans intérêt, avec une comédienne de seconde zone, à la place d'un grand acteur (Peter Falk). Quel mépris, en fait pour les femmes !

Une des contradictions américaines, c'est le fossé entre la combativité des organisations féminines et l'émiettement de leurs revendications. Elles se battent aujourd'hui pour l'ERA (Equal Right Amendment), les droits égaux. Il s'agit d'un amendement à la constitution. Il pose le principe de l'égalité absolue. Même chez les ouvrières, dont la lutte revendicative est considérable, dans l'ensemble il n'entraîne pas une majorité de bagareuses.

Ce que l'ERA demande paraît tout simple : uniquement que les femmes aient les mêmes droits que les hommes. Or, cet amendement est combattu, tel qu'il est rédigé, à la fois par les réactionnaires et par beaucoup de femmes. Pourquoi ? Parce que ses défenseurs mélangent revendications fondamentales et accessoires. Des organisations parviennent à démobiliser les femmes de leurs États en disant des choses très sottes telles que ces affirmations : les femmes devront partager désormais les mêmes toilettes que les hommes — important dans les pays anglo-saxons — et les mêmes dortoirs dans les universités ; les femmes devront faire exactement le même service militaire que les hommes avec les mêmes servitudes. Panique chez les femmes ! Fureur contre l'ERA. Fureur stupide, mais étrange incapacité des militantes de l'ERA à dénoncer ces bêtises. Elles sont tellement enfermées dans leurs exigences ponctuelles, sans ouverture réelle sur le rôle de la femme et son égalité dans la différence, qu'elles se bloquent devant les vrais problèmes de l'égalité. J'ai vu à Chicago des activistes de l'ERA, des femmes de grande qualité, mais pour lesquelles cette notion d'égalité restait incroyablement théorique. Elles supprimaient la notion de classe pour ne plus voir que l'analogie féminine. Elles refusaient la constatation qu'entre une femme de la famille Rockefeller et une ouvrière du textile, il n'y avait rien de commun. Elles niaient qu'il puisse exister une relation sexuelle et amoureuse entre un homme et une femme qui, pour l'un et pour l'autre, change la vision et l'appréhension du monde. En vérité, elles niaient l'homme. Et quand je leur disais : « Que sommes-nous sans eux ? Que sont-ils sans nous ? » nous nous retrouvions étrangères. C'était l'homme-ennemi, l'homme-adversaire. C'était la transposition sur un plan de lutte entre sexes de ce qui était, en réalité, une lutte contre une oppression commune. Le « Macho » américain n'aide pas à cette compréhension. Mais un certain nombre de chipies n'y aident pas non plus...

Naturellement, tout cela est ressenti à des degrés divers selon l'environnement social, l'âge, la nature, la date de l'immigration. Une Noire descendante d'esclaves et venant d'accéder aux droits civiques, une Juive qui a dans sa mémoire immédiate et familiale l'Holocauste, une Hispano-Américaine que les restaurants et les coiffeurs refusaient de recevoir il y a vingt ans à peine (voir *Géant* avec James Dean et Elizabeth Taylor d'après le roman d'Edna Ferber), une Nippo-Américaine dont les parents ont vécu l'épreuve concentrationnaire durant la guerre, ces femmes-là ont sans doute des sensibilités plus à vif que d'autres. Mais en quoi la femme de Yuma, petite ville plate et sinistre de l'Ouest, vit-elle la même expérience que la New-Yorkaise des gratte-ciel de Manhattan ? Et à l'intérieur d'une même ville, est-ce pareil dans les quartiers noirs de Washington et les charmantes banlieues blanches, dans le centre superbe et inhumain de Chicago ou d'Atlanta et les zones résidentielles ?

L'Américaine de 1981 est un extraordinaire cocktail. Et il faudrait être bien hardi pour en tracer un portrait robot.

RITA, SANDRA, LOUISE ET LES AUTRES...

Pourtant il y a des traits communs.

Cela va de l'orgueil collectif à l'inquiétude personnelle. Le premier a pris un coup dur avec la défaite du Vietnam. Mais quand il n'y a pas de force politique pour donner une ossature à l'ébranlement psychologique d'une grande nation — et aucune organisation, y compris le Parti communiste des États-Unis, n'en est actuellement capable — celle-ci ne tarde pas à refuser l'humiliation. Carter a été élu sous le choc conjugué du scandale de Watergate et de la vision, reproduite par toutes les chaînes de télévision, de l'ambassadeur américain fuyant Saïgon, la bannière étoilée soigneusement pliée sous son bras. Reagan a été élu par le choc en retour. Quarante-quatre États sur cinquante lui ont donné la majorité. J'étais là-bas pendant la campagne électorale et j'ai vu Reagan parler à Detroit, la ville du Michigan où règnent Chrysler, Ford, General Motors... Son discours se résumait à ceci : « Nous sommes les plus grands, les plus vertueux et les plus forts. Le leadership mondial doit nous revenir. » L'assemblée applaudissait frénétiquement. C'était un meeting de femmes, pour la plupart ouvrières ou femmes d'ouvriers de l'automobile.

Mais sur ce tableau d'autosatisfaction nationale s'inscrit en filigrane l'insatisfaction dans la vie de tous les jours. Elle ne se traduit pas de la même façon pour toutes. Nous ne nous étendrons pas, si vous le voulez bien, sur les plus riches. Sur les propriétaires de Santa Barbara où le sol se partage entre les fabuleuses villas, les piscines, les terrains de golf, les plages privées et les pelouses où les chevaux peuvent sauter des haies. Nous ne parlerons pas non plus des plus pauvres. De ces immigrées du Sud-Est Asiatique, partie prenante des « boat people », que j'ai vues partager avec leurs familles des nattes à même le sol d'un garage de Los Angeles — ou encore se battre (physiquement) avec les femmes d'un port de pêche de Californie parce que leurs hommes ne respectaient pas les normes de travail américaines. Parlons des autres, à leurs deux pôles : celles qui vivent du « welfare », de l'aide sociale ; et celles qui appartiennent aux classes moyennes et dont le souci constant, hallucinant, est le maintien du niveau de vie.

Les femmes du « Welfare », je les ai vues à New York. Personne, ici en France, ne peut imaginer ce que sont les quartiers misérables de la ville qui porte en symbole la statue de la Liberté (une femme, entre parenthèses, de près de cent quarante mètres de haut, une forte ossature, l'œil vague — mais, quand même, une femme !). Harlem, on sait, c'est le quartier noir. Mais Harlem n'est rien à côté du Bronx. Le Bronx, c'est terrifiant. Les entreprises qui font visiter la ville ne font pas passer leurs cars de touristes par le Bronx. C'est trop laid et c'est trop dangereux. Immeubles délabrés, souvent à demi incendiés. Plus de courrier, plus de services publics, la police elle-même hésite à y entrer. Là vivent ceux — celles — qui ne peuvent pas aller autre part. L'administration de la ville de New York a baissé les bras. Elle se contente, malgré l'état de faillite chronique dans lequel elle subsiste, de payer le « welfare ». A part cela, elle n'assure plus rien. Et ce sont d'abord des femmes — veuves, abandonnées, divorcées, responsables de famille nombreuse dont le père a disparu — qui sont les citoyennes du Bronx.

Voilà Rita. Noire, trente ans, sept enfants, n'a jamais entendu parler de contraception, vit dans une bâtisse que le propriétaire — mais qui est-il, où vit-il ? — a déjà essayé de faire brûler plusieurs fois. Pour toucher l'assurance. Rita vit derrière une porte renforcée par les moyens du bord, ne paie pas de loyer — à qui ? — ne trouve pas de travail (les enfants sont trop petits, il y a peu d'écoles et pas de crèches), et tremble de peur jour et nuit. Les pères ? Geste vague de Rita. Elle a été mariée. Il est parti parce qu'il « devenait fou à cause du bruit » (c'est ce qu'elle dit). Et puis il y a eu la solitude insupportable, l'ami qui disparaît, et deux viols. Rita a peur des hommes, elle ne croit en rien, n'espère en rien, et ne sait pas ce que vont devenir ses enfants qui sont, pourtant, sa seule raison de vivre. S'il n'y avait pas l'aide sociale, elle s'effondrerait. Mais, depuis que je l'ai vue, Reagan a annoncé précisément une diminution de cette aide sociale. Alors, Rita, où en est-elle aujourd'hui ?

Il y a également Sandra. L'Anti-Rita. Elle est Noire aussi, et elle est seule, et elle a des enfants (cinq), et elle n'a aucune perspective de travail. Mais elle se bat. Devant la faillite humaine et politique de la ville de New York, elle a décidé de prendre en main son destin. Avec des ami(e)s de son quartier, elle organise la vie. Face aux bandes de jeunes, à leur désespoir, elle propose d'être constructifs. Ne serait-ce pas amusant de faire de la partie du Bronx où ils sont obligés de vivre une sorte de fragment de New York autogéré ? Ne serait-ce pas séduisant de prouver qu'eux, les affreux, les exclus, peuvent faire fonctionner un univers dont ils sont les maîtres d'œuvre ? Si, ce serait formidable ! Alors Sandra a groupé autour d'elle des gens qui habitent, comme elle, ces affreux blocs dont les ascenseurs ne marchent plus, dont les plomberies fuient, dont les structures se rouillent, dont les caves servent d'abri aux désespérés de la drogue, de l'alcool et de la non-vie. Ils ont fait des comités d'immeubles — si on peut appeler immeubles ces débris. Et, petit à petit, ils ont imposé le changement.

Pas d'utopie ! Ça reste assez horrible pour qui regarde de l'extérieur. Mais de l'intérieur, c'est une nouvelle naissance. Des équipes nettoient les escaliers envahis par la fiente et l'urine. Des jeunes volontaires empêchent le racket des gosses. Des femmes viennent voir la voisine qui est en train de sombrer. Quand il y a un crime, ou même simplement un vol ou une agression, personne n'appelle la police. On met les choses au point entre soi. Et on n'est pas tendre.

J'ai interpellé Sandra en lui disant que c'était, en fait, une sorte de loi de la Jungle. Elle a été d'accord. Mais elle m'a posé la question : « Comment, toi, vivrais-tu dans le Bronx ? Tu croirais dans la ville de New York ? dans les autorités fédérales ? ou tu n'y croirais pas ? Et si tu avais appris à ne pas y croire, comme nous, est-ce que tu ne t'organiserais pas ? » Je n'ai pas su répondre. Mais je dois dire que, si le Bronx est abominable dans son ensemble, le coin de Sandra est presque vivable. Et que j'ai retrouvé, dans cette indomptable petite femme, le refus de la fatalité bornée dont, à toutes les étapes de l'histoire de leur pays, ont su faire preuve les Américaines. Même si, comme là, cela signifie une ignorance et un mépris complet de ce qui est officiel. Et si cela n'implique pas — le redirons-nous jamais assez ? — les transformations en profondeur.

Aux dernières nouvelles, Sandra a proposé qu'on plante des pelouses devant les maisons. Et puis on y mettra des fleurs, a-t-elle dit. New York dévasté avec des parterres de marguerites et des roses. C'est dingue. Et c'est absolument merveilleux !

Il ne faudrait pas parler à Louise de Sandra. Ses parents sont de Boston, en Nouvelle-Angleterre. Elle déteste les Noirs actifs, elle a peur du Bronx, elle rêve d'une Amérique idéale où se déploieraient toutes les images d'Épinal « made in America », où Davy Crocket, l'oncle Tom et Scarlett O'Hara vivraient en paix sous le regard tendre et conjugué de Gary Cooper et de Laureen Bacall. Louise, 30 ans comme Rita — mais Rita lui plairait, elle correspond à son image type de la Noire irresponsable — mariée à Bill, employé de banque. Louise fait partie des vingt millions de femmes mariées américaines qui travaillent pour rapporter deux salaires à la maison. Quelques chiffres, bien que ce soit un peu ennuyeux. 49 % des femmes mariées travaillent. 58 % d'entre celles-ci ont des enfants en âge d'aller à l'école. 41 % ont des enfants trop jeunes pour être scolarisés (d'après le Bureau fédéral des statistiques du travail en 1979).

Selon Eli Ginzberg, professeur de sociologie de l'université de Columbia (prestigieuse université new-yorkaise) cette entrée des femmes dans le domaine de l'emploi est un des plus importants changements du xxe siècle. Mais, ajoute-t-il, « ces implications à long terme sont encore un territoire inexploré. Nous n'en comprendrons vraiment les conséquences par rapport aux femmes, aux hommes et aux enfants, qu'au xxie et peut-être même au xxiie siècle ».

Louise ne voit pas si loin. Elle sait seulement que, sans son travail, le niveau de vie familial s'écroulerait. Louise fait partie d'un pool de dactylos. Elle gagne convenablement sa vie. Mais elle est prise à la gorge par les impôts. Et plongée dans d'épouvantables difficultés quotidiennes dues au manque de possibilités pour la garde des enfants. Elle en a deux, Pat et Vicky, cinq ans et trois ans. Une voisine les garde. Rien n'est organisé, tout ressort de l'initiative personnelle. Vous ai-je dit que Louise et Bill habitent une banlieue de Detroit. Les blocs suivants, c'est le ghetto noir. Des pavillons, mais environ vingt personnes dans trois pièces et une énorme voiture sur le gazon pelé qui entoure la maison. Une voiture bien démodée, qui consomme démentiellement de l'essence, mais sans laquelle la famille ne pourrait pas vivre. Il n'y a aucun commerçant dans le coin, il faut aller au supermarché plusieurs blocs plus loin. Comment faire sans voiture ? Louise et Bill vont au même supermarché, mais sans parler à leurs voisins. Des Nègres ! Et ceux-ci ne leur parlent pas davantage. Des pauvres petits Blancs ! De même que les solennels majordomes et femmes de service (noirs souvent) qui viennent faire les courses pour les milliardaires de La Grosse Pointe ne parlent à personne.

Au bord de la rivière — de l'autre côté, c'est le Canada — La Grosse Pointe (en français) est un quartier où vivent les directeurs des grandes firmes automobiles, des grandes affaires industrielles, des grands circuits commerciaux. Un Santa Barbara du Nord. Séparé par une seule rue (les blocs sont des pâtés d'immeubles entre deux rues), du ghetto noir où la misère est totale. L'ensemble petit-bourgeois où vivent Louise et Bill est dans le bloc derrière. Des mondes incommunicables. Quand je demande comment les gens du ghetto supportent cet étalage de luxe à côté de leur misère, on me répond : « Il y a les polices privées et le fait qu'une partie des propriétaires de ces splendides maisons sont sous le contrôle de la Mafia. Ceux qui voudraient s'y frotter savent ce qui les attends. » Quant à Louise et Bill, pour eux, la Grosse Pointe est plus lointaine que la lune bien qu'elle soit à quelques centaines de mètres.

Revenons donc à Louise et Bill. Toutes ces dernières années, le logement, les transports, la nourriture, les vêtements ont augmenté dans d'effrayantes proportions. Et Louise est un mélange de peur et de revendication. La peur, ce sont les dettes, l'angoisse de la maladie que ne couvre aucune sécurité sociale, le regard sur une maison et une vie que la fantaisie d'une banque ou le cours du dollar peuvent bouleverser, le chômage possible qui mettrait par terre toute l'architecture d'une existence.

Mais la revendication, c'est précisément le refus de tout cela. Louise est venue au monde dans les années cinquante ou fin quarante. C'est un bébé d'après-guerre, née de ceux qu'on a appelés la génération permissive.

Née de la victoire. Née du retour des soldats et de leurs retrouvailles, parfois rudes et amères, avec la terre natale. Née d'un certain nombre de certitudes — dont la force de l'Amérique, et l'évidence que son côté tutélaire allait être accepté par la planète avec le même soulagement que celui d'un nouveau-né se blottissant dans le sein de sa nourrice. Dégringolade d'une illusion ! Sur le plan général, Louise maintient son rêve. Mais sur son plan individuel, elle est devenue plus dure et réaliste. Elle a cru en Carter, elle croit en Reagan, parce qu'elle croit toujours à ce qui, à son avis provisoire, symbolise les valeurs américaines. Mais dans la vie de tous les jours, elle sait qu'elle ne pourra pas s'acheter un nouveau manteau d'hiver, que Bill est bien gentil, mais que c'est elle qui se débrouille avec la garde d'enfants, qu'il n'est pas question d'Âge d'or, et que « le plus grand pays du monde » ne lui garantit pas de vacances. Bébé de ce qu'on a appelé la « boom generation », elle a de la concurrence sur le marché du travail. Femme du début des années quatre-vingt, elle est prise devant une alternative. On lui offre, dans sa firme, un poste plus important. Et mieux payé. Mais dont les horaires seront élastiques. Dans le pool de dactylos, elle sait où elle en est. Dans le secteur commercial qu'on lui propose, ce sera beaucoup plus aléatoire. Alors que faire ? Bill est séduit par l'argent et réticent devant la transformation du rythme de vie. Louise voudrait sans vouloir. Elle est toujours, en apparence, une jeune femme souriante et dynamique. Elle est, au fond d'elle-même, une femme brisée.

Quand je vois son visage lisse, sa mise en plis parfaite, son élégant petit tailleur, je me demande combien de femmes aussi « bien sous tous rapports » vivent, entre Atlantique et Pacifique, le calvaire secret de celles qui voudraient être elles-mêmes et ne le peuvent pas.

DEUX GRAVES MALADIES DE L'AMÉRIQUE

Comment comprendre les États-Unis si on ne sait pas que c'est un pays splendide. Les villes sont belles. New York et le choc esthétique et humain qu'on reçoit en voyant Manhattan. Chicago et la présence monumentale à « Downtown » de Picasso, Calder et Chagall. San Francisco et la folie adorable de la construction de la ville elle-même. La nature est fantastique. Il suffit de se promener dans les parcs nationaux. Yosemite Valley, Bryce Canyon, Grand Canyon.

Oh ! la joie pure de survoler Grand Canyon ! — et ce fabuleux parc des séquoias en Californie ! Oui, cette terre est belle. Des falaises de l'Est aux plages de l'Ouest, du vent qui souffle sur les grands lacs aux sommets des Rocheuses, du désert peint (painted desert) de Californie aux paysages de western de l'Arizona, de l'immensité du Mississippi à la baie d'Hudson, cette terre est bouleversante de beauté. Elle m'a émue et fait, parfois, penser à la naissance de notre planète. Comment ne pas en rêver en regardant la rivière Colorado se frayant son chemin depuis des millions d'années à travers ce qui va devenir le Grand Canyon ? En survolant le Nevada ou en découvrant les chutes du Niagara ? Devant des arbres plus hauts que les tours de la Défense ? A nouveau ici, à part l'héroïsme de ses pionnières, j'évoque une des choses que ce pays a en commun avec l'Union soviétique. La démesure de ses paysages. La Chine aussi est grande. Mais elle est rarement démesurée, tant elle est peuplée, tant la présence des hommes est évidente. Pas le cas des États-Unis. Et la création de ces parcs est sans doute la plus belle réalisation nationale, le plus bel hommage rendu à sa nature profonde. J'ai été plus troublée par la Yosemite Valley que par le centre spatial de Houston ou par les énormes usines d'automobiles de Detroit.

Pourquoi dire ces choses que d'aucuns pourraient appeler touristiques ? Parce que pour comprendre un pays, il faut connaître son histoire et sa géographie. Les États-Unis sont issus d'un mélange, un cocktail extrêmement sophistiqué. Lutte contre le colonialisme, aspiration à la démocratie, adhésion populaire et réelle aux grandes idées de la déclaration des Droits de l'homme. Et, en même temps, acceptation de l'esclavage, foi aveugle dans le bénéfice individuel, croyance dans l'admiration du fort et le rejet du faible. Une parenthèse, à propos de l'esclavage, qu'on ne croit pas que le Nord d'Abraham Lincoln ait fait une croisade désintéressée pour les droits des Noirs ! Il y avait derrière cette guerre de ténébreuses options économiques et politiques, un Sud dont le mode de production était dépassé face à un Nord qui avait compris les impératifs d'un capitalisme naissant. Alors la vertu, la morale, les grands principes... ! Les « carpetbaggers », autrement dit les escrocs du Nord s'abattant sur le Sud, nous ont montré ce que cela valait.

Autre élément de la sophistication du cocktail : le contraste entre les espaces vierges et les concentrations industrielles. J'ai rencontré, à Bryce Canyon, une jeune étudiante qui était venue pour des vacances il y a deux ans. Devant ce paysage inouï, elle s'était, m'a-t-elle dit, brusquement sentie « américaine ». Elle avait tout laissé tomber — études, ville, le reste — pour s'installer dans ce parc national. Son boulot ? Conduire la navette d'un train de trois voitures qui sillonne le parc. Son plaisir ? total. Son salaire ? pauvre. Son avenir ? inconnu. Elle avait vingt-trois ans. Je lui ai demandé ce qu'elle ferait demain, l'année prochaine. Elle ne savait pas. Ça lui était égal. Bryce Canyon lui suffisait. D'ailleurs, y aurait-il une année prochaine ?

Katherine — c'était son nom — n'est pas la seule Américaine qui m'ait parlé de la guerre « future et inévitable ». Ou plutôt de « l'anéantissement de la planète ». Mais, venant d'elle, cela m'a particulièrement impressionné. Jeune, intelligente, avec le sens de l'humour, capable de décider qu'elle allait faire ce qui lui plaisait plutôt que s'insérer dans une carrière confortable et ennuyeuse — bref, une fille très bien ! — elle était pourtant un réceptacle parfait pour toutes les propagandes venues du Pentagone, transmises par la Maison Blanche, et répercutées par les médias. Katherine était persuadée que l'Union soviétique était un gigantesque blockhaus superarmé qui ne pensait qu'à la conquête du monde. Quand je lui ai dit que j'avais été à Hiroshima, à Nagasaki, que j'avais vu les dégâts de la bombe, et qu'il fallait tout de même se souvenir que c'était son pays qui l'avait lancée le premier, elle est devenue réticente. Pour elle, la guerre était inévitable et « ils sont plus forts que nous ». Mais, ajoutait-elle fièrement, « nous les battrons parce que l'Amérique a toujours gagné les guerres ». Quand je lui ai dit que les Soviétiques avaient horreur de la guerre, qu'ils l'avaient vécu sur leur sol et qu'ils ne voulaient plus jamais recommencer l'expérience, elle a été encore plus réticente. Et ce qu'elle m'a dit des Soviétiques — elle qui n'en a jamais rencontré un — dépasse l'entendement. Elle croit vraiment que ce sont des espèces de Barbares qui ne rêvent que de domination. Tout ce que disent Alexander Haig ou Caspar Weinberger, toute la fabrication de la peur et le complexe « 1984 » d'Orwell, tout ce qui ressort de l'invraisemblable document sur les puissances militaires comparées entre l'Est et l'Ouest que le Pentagone vient de sortir, tout cela a un écho chez Katherine.

Parce qu'elle est atteinte de deux des plus graves maladies de l'Amérique. D'abord, tout en se croyant libre d'esprit, elle est intoxiquée par une conception sensationnaliste de l'information qui dramatise tout. Et qui a besoin d'un grand méchant loup. Ensuite, parce qu'elle ne sait pas grand-chose — autant dire rien — du monde extérieur. Il est difficile de mesurer à quel point les Américains sont ignorants de la terre sur laquelle ils prétendent régner. Ils vivent dans des schémas. Ils ne sont pas les seuls. Mais quand on aspire au leadership, il vaudrait mieux connaître un peu sérieusement l'environnement culturel, historique, politique de ceux dont on veut assumer le contrôle. Pour Katherine, le monde socialiste est un continent secret, une sorte de banquise où s'étend une ère glaciale qui la terrorise. Elle sait que je suis communiste. Ça la sidère. « Comment pouvez-vous ? » Quand je lui signale que ça dure depuis trente-sept ans, elle s'affole. Quand je lui rappelle que j'adore son pays tout en le critiquant, elle perd les pédales. Katherine, maligne et subtile dès qu'il s'agit de sa vie personnelle, devient manichéenne dès qu'il s'agit de l'équilibre mondial. Dans sa logique, aimant les États-Unis, je devrais détester l'Union soviétique. Et réciproquement. Je lui explique, à côté d'elle au volant de sa navette, qu'on peut blâmer un système et en redouter les conséquences sans, pour autant, haïr une nation et son peuple. Ça la fait vaciller. Et elle a cet extraordinaire argument : « Mais enfin, vous admirez Dos Pasos et Faulkner, Tennesse Williams et William Wyler. Vous aimez notre langue et vous m'avez dit vous-même que vous ne parlez pas russe. Alors ? Alors ? » A sa question, je réponds par une autre question. De quoi a-t-elle peur ?

Arrêt de la navette. Les passagers descendent devant ce fantastique paysage qui ressemble à une armée pétrifiée, ou à des centaines d'échiquiers changeant de couleurs à toutes les variations de la lumière solaire ou lunaire. Katherine se remet lentement en marche et répond tout aussi lentement : « J'ai peur que ce qui n'est pas américain, et qui est quand même très fort, détruise un jour l'Amérique. » Nous ne parlons pas bombe atomique, énergie nucléaire. Mais je sais ce qu'elle a dans la tête. « Les autres » aussi ont la maîtrise de la destruction. Tant que les États-Unis étaient les maîtres du jeu, elle ne trouvait pas ça si mal. Mais « eux » ! Je lui dis que, elle qui aime tant les grands paysages, elle devrait aller en URSS et remonter la Volga. Elle me regarde comme si j'étais le Diable. Quand j'ajoute que, telle qu'elle est, elle aimerait les Soviétiques, je ne suis plus le Diable, mais le Mal personnifié. Et le pire, c'est qu'en racontant ça, je n'exagère pas.

Je viens de parler de l'information. Je viens de vous dire qu'elles savent peu d'eux-mêmes. Cela tient à l'organisation des médias. J'étais à Houston (Texas, le Sud du pays) en octobre de l'année 1980. Je téléphone un papier à mon journal, celui auquel je suis fière de collaborer, l'*Humanité*. On me passe la rubrique de politique étrangère et, là, un camarade me dit qu'il y a eu un affreux crime raciste à Buffalo, État de New York, comté d'Erie, le Nord-Est. Pourrais-je écrire là-dessus ? Je lui réponds que non. Parce qu'à Houston, Texas, on ne sait pas ce qui se passe à Buffalo, New York. Parce que le Sud ne sait pas ce qui arrive au Nord. Parce qu'à Houston, Texas, aucun journal, aucune radio, aucune chaîne de télévision ne dit ce qui est arrivé la veille à Buffalo. Parce que c'est lui, de Paris, qui m'apprend la nouvelle. A moi qui suis en Amérique. Cela confirme et diminue la responsabilité des Américains dans leur profonde incompréhension de notre univers. Ils se croient super-informés et ne savent que ce qu'on veut bien leur dire. Ils soutiennent un système qui cherche d'abord à plaire. Les moyens d'information sont tellement fragmentés, localisés, que l'Est et l'Ouest, le Sud et le Nord, sont ignorants l'un de l'autre — ça, c'est pour l'excuse. Mais pour l'aggravation de la responsabilité, il y a une acceptation de fait. Ne pas savoir, c'est aussi vouloir ne pas savoir. Je ne le dis pas que pour les USA.

De même pour la politique étrangère. On ne trouvera rien dans le *Los Angeles Times* sur l'Europe. Par contre, on parlera du Japon. Parce que l'Amérique de l'Ouest regarde vers l'Asie plutôt que vers ses alliés de l'OTAN auxquels, pourtant, elle demande tellement. Le *New York Times* ou le *Washington Post*, à l'opposé du continent, parlent eux aussi extrêmement peu de ce qui n'est pas l'intérêt fondamental des Américains : l'Amérique ! C'est toujours un étonnement pour les Européens allant aux États-Unis que le peu d'importance et d'intérêt qu'attachent les Américains à ce qui n'est pas eux. Alors que nous, vieux continent ravagé de guerres et épris d'alliances, plein d'amitiés et de défiances, à la recherche perpétuelle d'un équilibre que notre histoire dément et que notre avenir exige, nous avons envie de serrer nos rangs contre une nouvelle guerre qui ne pourrait être que mondiale et pour une nouvelle paix qui ne pourrait cependant être qu'incertaine.

Je me souviens de l'ancien aéroport d'Atlanta en Georgie. Maintenant, depuis sa reconstruction, c'est probablement un des plus grands aéroports du monde. Au point qu'il faut un métro intérieur pour en desservir toutes les lignes. Il y a cinq ans, c'était plus petit. Il y avait deux vedettes. Une voiture en argent avec des coussins recouverts de léopard dont je suis incapable de vous dire la marque parce que ces choses-là ne m'intéressent guère, mais qui était énorme (quand je dis « argent », c'était du véritable argent comme c'était du vrai léopard !). Cela exposé dans le hall d'arrivée. Et un panneau expliquant ce qu'était la ville d'Atlanta. Avec cette notation très spéciale. « Atlanta : la seule ville des États-Unis à avoir été entièrement détruite par une guerre ! » La guerre de Sécession, bien sûr. Oh ! Brest, le Havre, Dresde, Hambourg, Coventry, Lidice, Varsovie, Gdansk... Je pourrais écrire toute une litanie sur l'Europe et l'assassinat des villes. Oh ! l'Ukraine dévastée, la Biélorussie, Stalingrad — et les chars hitlériens stoppés à dix-huit kilomètres de Moscou. Et, pour ne jamais les oublier, Hiroshima, Nagasaki, Tokyo dont on ne sait pas assez que des bombardements non atomiques ont fait des dizaines et des dizaines de milliers de morts. Tant mieux pour l'Amérique qu'elle n'ait eu qu'une seule ville « entièrement détruite par une guerre ». Mais qu'elle cesse de nous faire la leçon, elle qui ne sait rien, elle qui n'a pas vécu — heureusement pour son peuple — dans son cœur profond, les horreurs de la guerre. Nous, les femmes de ma génération, nous n'oublierons jamais. Katherine, elle, vit dans une espèce de cinéma où la guerre est un mélange de *Apocalypse Now* et d'imagination. C'est horrible, mais c'est irréel. Elle n'a jamais marché dans une ville où tout était mort. Elle n'a jamais vu un soldat ennemi à son coin de rue. Notre peur de la guerre vient du souvenir, la sienne du cauchemar.

Sublime Bryce Canyon. L'éclairage du couchant colore en rouge sombre les régiments de pierre. Et Katherine me dit ce que je n'ai jamais oublié : « Vous savez quelque chose que nous ne savons pas. J'espère que nous ne le saurons jamais. » Moi aussi, Katherine. Mais ça ne dépend pas uniquement de moi et de vous.

DES PEURS SECONDAIRES ?

Alors parlons des peurs aux États-Unis.

De quoi a peur l'Américaine moyenne ? Où se situe son angoisse ? Je viens de parler de la peur fondamentale, celle de la guerre. Maintenant parlons des peurs secondaires. Je les situerai sur trois plans, tous graves mais inégalement importants pour l'avenir de la société. Mais touchant tous aux problèmes de cette même société. Concernant différemment les interrogations de la Nation. Dans l'ordre : la sécurité, le viol, l'absence de protection sociale.

La sécurité. A New York, quand des amis vous raccompagnent en voiture, ils attendent que vous soyez rentrée avant de s'en aller. Dans toutes les grandes villes, c'est la même chose. Dans tous les hôtels où je suis allée, il n'y a pas seulement une clé et un verrou à la porte de la chambre, mais aussi une chaîne. A Houston, j'ai eu un problème avec la salle de bains et vers onze heures du soir, j'ai téléphoné aux services de réparation. On m'a donné un code pour que j'accepte d'ouvrir à un employé de l'hôtel. A Chicago, dans toutes les chambres d'hôtel, on trouve une carte de la police locale vous disant à peu près ceci : « Nous sommes à votre disposition ; si quoi que ce soit vous inquiète ou vous étonne, prévenez-nous ; voilà notre numéro de téléphone ; votre anonymat sera respecté ; quelque chose qui vous paraît anodin peut être très important pour nous. Nous vous demandons de collaborer pour votre propre sécurité. »

A Detroit, quand on est dans un taxi, on ne peut plus en sortir. Portes bloquées, communications avec le chauffeur uniquement par un petit guichet à travers une vitre dans lequel on peut passer une note écrite ou le montant de la course. La vitre est pare-balles.

A Atlanta, vous apprenez tout de suite que le taxi a prévenu la police de la course qu'il faisait avec vous, de l'endroit où il vous a pris et de celui où vous allez.

New York. Central Park. Les bancs où s'installaient autrefois les gens âgés, les retraités, sont vides. « Maintenant, on a peur », me dit Joan, 65 ans. Une peur qui la met en colère. Comme la plupart des femmes américaines, Joan (blanche) est courageuse. Mais elle se bat là contre un ennemi invisible. Elle est veuve, seule, et pauvre. Dans son sinistre immeuble de la Bowery, on cambriole. Pourtant, il n'y a pratiquement rien à prendre. Ce sont les pauvres qui volent les pauvres. Une des raisons pour lesquelles, malgré les statistiques montrant la montée de la criminalité, le pouvoir se soucie peu du problème. Quand un pauvre jeune drogué vole, pour l'argent de sa dose quotidienne, une vieille dame ou un retraité venant de toucher sa pension, ça ne dérange pas l'ordre social. Celui-ci étant solidement arc-bouté sur la suprématie de l'argent, ce qui se passe entre pauvres ne le gêne pas. Mais Joan tremble. Et elle n'est pas seule.

Le viol. C'est une des hantises des Américaines. J'ai passé une semaine dans une des grandes universités de l'État de Michigan, une des maisons où vivent étudiants et étudiantes. La veille, un viol. Une jeune fille, rentrant à bicyclette vers 11 heures du soir, agressée par un inconnu. Qu'est-ce que j'apprends en discutant ?

D'abord, que l'homme n'est pas tellement inconnu. Il n'en est pas à sa première attaque, mais le fait qu'il soit Noir crée le silence. Ensuite, que 50 % des viols ne sont pas déclarés par les victimes : « C'est tellement ignoble qu'on se tait, me dit Jo, et les flics sont dégueulasses. » Enfin, cete réflexion d'Olivia qui habite le quartier « Terrible, sûrement ! Mais pourquoi est-ce qu'elle se baladait à bicyclette le soir ? »

Pourquoi ? Pourquoi est-ce qu'elle était assez sotte pour se sentir en sûreté dans cette cité universitaire un soir ? Pourquoi est-ce qu'Olivia trouve presque naturel ce qui est arrivé. Après tout, la violée n'avait qu'à ne pas être là ! Pourquoi est-ce que l'horreur entre dans la vie quotidienne. « Tu sais, me dit tranquillement Olivia, nous savons toutes qu'il ne faut pas être seules le soir après une certaine heure. » Pour un peu, c'est la victime qui serait coupable. Comme une de mes amies qui s'est fait dévaliser dans le métro de New York et à qui on a dit, d'un ton de remontrance, qu'elle aurait dû savoir qu'il fallait monter dans le wagon de queue parce que c'est là qu'étaient les flics de service... Il se trouve qu'elle ne savait pas. La police de New York lui en a voulu et a laissé tomber sa plainte.

Un des grands livres, *The women's room* de Marilyn French (traduit pauvrement par *Toilettes pour dames*), a parlé de cette peur, trop souvent réelle, du viol. La peur dans l'ascenseur, durant le retour le soir, dans le couloir de l'immeuble alors qu'on engage sa clé et qu'un intrus surgit, dans le parking, la peur qu'ont les femmes devant ces minables déséquilibrés par une société à laquelle ils ne s'adaptent pas et dont ils essayent de se venger en s'en prenant à ses éléments les plus faibles : les femmes seules des grandes villes. Lisez Marilyn French, elle parle de la non-liberté des femmes. De l'impossibilité de s'asseoir innocemment à une table de bistrot ; de flâner une soirée de printemps ; de se promener seule, même dans un musée, quand on n'est pas trop moche. Et elle termine son récit par le drame de Chris, violée par un gars qui est persuadé qu'elle a adoré « ça », et qui est soufflé quand elle le dénonce à la police. Cette vieille idée de la femme qui aime « ça ». Et cette terreur de la femme, dans la jungle des villes, paniquée par l'homme qui a su la posséder et cru représenter pour elle le bonheur d'un instant. « Mais tu n'as pas crié ! » a lancé, accusateur, le violeur avec qui Meggie était confrontée. Elle n'a pas crié parce qu'elle était terrorisée et qu'il avait un rasoir. Lui l'a oublié. Pas elle. « Tu comprends, me dit Meggie (34 ans, Los Angeles, septembre 1980), il aurait voulu qu'on l'aime. » Et cette peur féminine, cette aspiration masculine, cela ne peut pas être nié quand on pense à ce que sont les grandes métropoles américaines d'aujourd'hui.

L'absence de protection sociale. Helen, 81 ans, habite dans les faubourgs de Washington. Il y a dix ans, elle a été attaquée sur son palier par un voyou qui lui a volé son sac et cassé la jambe. Elle a été à l'hôpital. Très bien soignée. Mais la note à payer. L'hôpital est d'ailleurs compréhensif. Helen a pu s'acquitter par mensualités. Elle aurait dû, comme la majorité de ses concitoyens, prendre une assurance privée. Elle ne l'a pas fait parce que ce versement annuel, pour un risque hypothétique, lui semblait trop lourd. Mais l'hypothèse est devenue réalité. Et Helen, qui n'est pas une femme froussarde, vit désormais dans la peur de l'agression ou de l'accident. « J'ai pu payer une fois, pas deux. »

Le cas de Dora est différent. Elle habite Saint-Louis et elle a quarante-cinq ans. Elle n'a jamais pu avoir d'enfants (malgré son désir), elle n'est pas infirme, elle ne travaille pas, et son mari l'a quittée après huit ans de mariage. Tout cela réuni fait qu'elle n'a aucune couverture sociale. Avant l'âge de soixante ans, les femmes divorcées sont exclues de toute protection à moins qu'elles soient handicapées, qu'elles aient des enfants à charge, et que le mariage ait duré plus de dix ans. « J'ai tout raté », me dit Dora. Et elle ajoute, avec cet humour noir que j'ai si souvent connu là-bas : « Si j'avais su, j'aurais tenu deux ans de plus. » Faut-il continuer ? La peur d'entrer dans le cycle médical ou, au contraire, de ne pas pouvoir y entrer. La peur de voir les économies de toute une vie filer dans les honoraires du médecin ou de l'hôpital. La peur que surgisse brusquement, dans une existence bien planifiée, le risque atroce et imprévisible de la défaillance physique. Quand on regarde l'Amérique, on mesure ce que signifie dans un pays comme le nôtre la Sécurité sociale. Ne plus avoir peur d'être malade sur le plan financier. J'ai vu, à Atlanta, Jim et Suzy hésiter à appeler un médecin. Ils l'ont fait parce qu'il s'agissait de leur fils, Ronny, neuf ans. Pour eux, elle ou lui, je ne suis pas sûre qu'ils auraient donné le coup de téléphone nécessaire.

Peurs américaines. Peurs des Américaines et des Américains. Peurs à l'intérieur d'un monde super-évolué et super-terrorisant.

Y A-T-IL UN ESPOIR ?

Il nous faut maintenant essayer de conclure. C'est impossible, disons-le tout de suite.

On rencontre dans ce pays le meilleur et le pire... pour les femmes comme pour les autres. Le meilleur : par exemple la gentillesse des voisins, leur solidarité authentique, leur aide. J'ai vu des amis déménager à Washington. La femme d'à côté est arrivée avec un pot de café. Elle a proposé de garder les enfants à dîner et à coucher durant la soirée où on commencerait à installer les meubles. Elle a souhaité la bienvenue du nouveau quartier. En fait, elle a introduit une dimension fraternelle dans cette rupture toujours un peu traumatisante qu'est un déménagement. Le meilleur encore : l'attitude positive par rapport aux mouvements associatifs ; les pools de voiture pour emmener les enfants à l'école ; la simplicité des rapports humains qui passent par le prénom et non par Monsieur et Madame. « Vous êtes Martine ? Moi, je suis Jill. » Le meilleur toujours : une foi attendrissante dans les institutions de la démocratie américaine dans les valeurs historiques, dans la religion. Quand les passagers du « Titanic » sombrent en chantant « Plus près de toi mon Dieu », ils sont d'une sincérité bouleversante. Je pense que devant une catastrophe semblable, mais à l'échelle de notre temps, les Américains d'aujourd'hui auraient la même dignité.

Le pire : l'idée trop répandue qu'il appartient aux États-Unis de diriger les autres peuples. Et chez les femmes, une méconnaissance aiguë de ce qui est important et de ce qui l'est moins. Exemple : en Amérique, Madame se dit Mrs et Mademoiselle se dit Miss. Les mouvements féministes ont gagné une bataille qui leur est apparue comme fondamentale et qui me semble dérisoire. Il n'y a plus de Mrs ni de Miss, il y a Ms (prononcé Miz). Est-ce cela qui va vraiment améliorer la condition féminine ? Et comment les Américaines, qui ont été au premier rang de la bataille pour le droit de vote, peuvent-elles se féliciter d'un succès aussi inutile !

Sans doute parce qu'il n'y a pas d'alternative sérieuse au choix de société. Elles tournent en rond dans le système. Même si elles ont des « vedettes » universitaires, elles n'entament pas la muraille des universités. Même si elles font une entrée remarquée à la télévision, elles ne vont guère plus loin que la direction de programmes limités. Même si elles ont un juge à la Cour suprême, elles ne changent pas grand-chose à l'ordre juridique. Même si une femme est ambassadeur des États-Unis auprès de l'ONU, elle ne joue qu'un rôle diplomatique de deuxième plan.

En elles, elles ont toutes les qualités. Sauf celle de définir les changements de la société, du système dont elles sont prisonnières. Le jour où elles le feront, où elles oublieront à la fois le stress des villes et celui des villages perdus, où elles s'élèveront contre une course aux armements qui les ruine et détruit la vie de leurs familles, où elles aideront à ce qu'il y ait une lueur vivante dans les yeux de la statue de la Liberté, ce jour-là, l'Amérique aura peut-être enfin la chance de répondre aux espoirs de ceux (de celles) qui l'aiment.

Cuba

le temps des « compañeras »
par Sylvie Ortiz*

Il est difficile d'échapper aux mythes ! Le touriste qui arrive à La Havane est sans doute avide d'admirer « le pays le plus beau » qu'ait découvert Christophe Colomb[1] et de connaître les multiples visages d'une révolution tropicale, à quelques encâblures du plus puissant des impérialismes. Mais l'image folklorisée d'une belle « mulata » exhubérante et sensuelle, volontiers frivole n'est pas toujours absente de ses arrières pensées...

Il croisera d'ailleurs, dans les rues de la capitale cubaine, des jeunes femmes charmantes, au teint caramel, fraîchement maquillées et bien moulées dans leur pantalon aux couleurs vives. Mais qu'elles aient la peau plus sombre, les cheveux blonds, ou l'uniforme cintré de la Police révolutionnaire, les cubaines d'aujourd'hui, malgré l'incroyable diversité de types physiques, d'allures et d'activités, s'appellent « compañeras ».

Tout un peuple s'est emparé de ce terme privilégié, né dans la fraternité de la guerilla, de la lutte clandestine, et qui institue d'emblée un rapport d'égalité, de respect, de confiance récipro-

---

1. Le 28 octobre 1492, Christophe Colomb aborde le rivage cubain et s'écrie : « Je n'ai jamais vu plus beau pays... Des feuilles de palmier si grandes qu'elles servent de toit aux maisons. Sur la plage, des milliers de coquillages nacrés. »
* Sylvie Ortiz a travaillé à l'École Allende à La Havane.

que... Il va de pair sans conteste avec cette indéfinissable assurance, cet air de dignité conquise des « compañeras » cubaines. Souveraineté proclamée haut et fort par la loi, la légalité socialiste : « La femme jouit des mêmes droits que l'homme aux plans économique, politique, social et familial. » (...) Le « Code de la famille » consacre l'égalité de la femme dans le mariage, institué sur la base de l'égalité des droits et des devoirs des deux conjoints. »

Pour autant, peut-on affirmer que la réalité quotidienne à Cuba soit toujours à la mesure de cette image idéalisée des relations de la femme avec son partenaire masculin, de la femme avec la société ? La femme « compañera », après la « mulata » colonisée, est-elle un nouveau cliché ? Mis à part la boutade, celle-ci nous a paru nécessaire pour éviter un piège : faire le bilan des progrès de la femme dans le socialisme, comme on dresse le bilan des progrès de l'économie, à l'aide de chiffres et de statistiques ; et traçant de façon linéaire et simpliste le chemin — historique — de la prostituée d'autrefois à la travailleuse « d'avant-garde » d'aujourd'hui, inventer une femme abstraite, studieuse, révolutionnaire et libérée : un autre mythe.

Les femmes réelles, telles qu'elles sont et vivent dans cette société cubaine en mutation profonde, nous paraissent singulièrement plus intéressantes.

C'est en connaissant, au coude à coude du travail, Maria de Jesus, Vilma, Nora, et d'autres, plus anonymes, au hasard des rencontres et du voisinage, que nous avons petit à petit découvert la réalité de Cuba socialiste, avec ses facettes multiples, ses acquis et ses bonheurs, ses limitations et ses contradictions.

D'ailleurs, les femmes cubaines se racontent, et racontent leur histoire qui est aussi celle de leur pays, avec un plaisir et une sincérité qui en apprennent plus que bien des livres sur le passé et le présent cubain.

Ce passé, il faudra en brosser un rapide tableau, car il est l'épaisseur du présent, en explique les vieilles structures, les enthousiasmes, les mentalités, les résistances. Déjà, du temps des conquérants, La Havane était un lupanar. Escale indispensable sur les grandes routes de l'or et du « bois d'ébène », les bateaux des trafiquants d'esclaves s'y réapprovisionnaient en vivres, rhum et cigares, et les maisons du port, un battant ouvert, vendaient aux marins leur marchandise humaine. Plus tard, les bourgeois de Miami s'offrent, à quelques minutes d'avion de la Floride, des week-ends exotiques et lucratifs : le jeu, la drogue, la prostitution, autant de commerces florissants dans les innombrables bars et casinos de la capitale cubaine.

Toutes les femmes cubaines d'alors ne sont pas des prostituées. Mais la situation de la population féminine de l'île est le reflet de la structure néo-coloniale de Cuba dans les années cinquante : petit pays sous-développé, essentiellement agricole, entièrement dépendant pour sa survie, de son puissant voisin. Client privilégié des matières premières cubaines, les États-Unis fournissent en retour l'essentiel des produits manufacturés ; on échange le sucre contre les bonbons et les oranges contre les jus de fruits, mais à quel prix !... Les capitaux nord-américains ont la main mise sur l'économie et la vie politique cubaines, les mass media transmettent les mythes de la société de consommation et de l'idéologie bourgeoise dans un pays qui compte 700 000 chômeurs sur 6 millions d'habitants, et où les enfants mendient dans les rues.

L'on conçoit mal comment les petites servantes noires ou mulâtresses des maisons nanties de La Havane pouvaient s'identifier avec l'image des belles blondes émancipées des films *made in Hollywood !* Au total moins de 200 000 femmes travaillent et une forte proportion de ces 17 % de la masse laborieuse gagne un salaire de misère comme employées de bar ou domestiques. Quelques emplois plus gratifiants, tels les fonctions de commerçantes, d'infirmières ou d'enseignantes, sont réservés aux femmes issues de la petite bourgeoisie. Et même dans ces secteurs, le chômage est permanent : 10 000 instituteurs sont sans travail à la veille de la révolution. Nora, professeur de psychologie à l'école Salvador Allende où nous avons travaillé ensemble, raconte comment, fraîche émoulue de l'École normale, dans les années cinquante, elle dût s'embaucher dans une école privée : « Il n'y avait pratiquement pas de postes budgétaires, alors que 600 000 enfants n'étaient pas scolarisés, car les crédits votés pour l'éducation étaient détournés par la mafia au pouvoir. »

La main-d'œuvre féminine est donc essentiellement citadine, et jouit, mis à part les malheureuses (plusieurs dizaines de milliers) vouées à la prostitution, d'une situation relativement enviable en comparaison avec le sort de l'énorme majorité des femmes habitant les zones rurales. Pour celles-là, les conditions de vie et le statut social demeurent moyenâgeux : 70 % d'entre-elles sont analphabètes. Mariées très jeunes, elles doivent élever dans la hutte traditionnelle (qui date de l'époque pré-colombienne), dépourvue d'eau courante, d'électricité, du confort le plus élémentaire, une famille presque toujours nombreuse. De ces enfants, plusieurs mourront en bas âge, victimes des maladies parasitaires, du tétanos, ou de malnutrition : c'est qu'on ne mange pas tous les jours à sa faim dans la fertile campagne cubaine. « 200 000 familles paysannes n'ont même pas un lopin de terre où semer quelques légumes pour nourrir leurs enfants, et

85 % des petits agriculteurs vivent sous la menace constante d'être délogés de leurs parcelles[2]. »

Les ouvriers agricoles, qui ne possèdent rien, se retrouvent au chômage et sans ressources sept mois sur douze, entre deux récoltes de canne à sucre, et doivent errer à la recherche de travaux saisonniers. Ils rentrent souvent au logis saouls et les mains vides. Contre la misère quotidienne, contre la domination d'un mari lui-même exploité et inculte, la femme paysanne est sans recours. Pour s'en échapper, la jeune fille n'a d'autre voie que de se « placer » dans une famille bourgeoise de la ville, quand sa naïveté et la malchance ne la conduisent pas à se vendre dans les quartiers malfamés de La Havane.

Cette situation de semi-servage par rapport à l'époux, se retrouve d'ailleurs dans la plupart des catégories sociales. Du point de vue juridique, le code civil en vigueur date de 1809, du temps de l'occupation espagnole, et consacre la suprématie de l'homme, père ou époux, dans tous les actes légaux concernant la vie familiale. « Avant, nous explique Agueda Sanchez (60 ans), mon mari était ouvrier du tabac et moi je vendais des cigares aux portes des bars, parce que je ne voulais pas être domestique. Pourquoi aux dames blanches et riches fallait-il leur dire " doña " et à moi on me tutoyait comme une rien du tout ? Pourquoi les patrons étaient-ils des " caballeros " et mon mari " le négro " ? Cela me révoltait ! C'est pour ça que j'ai tout de suite soutenu ceux qui luttaient pour que ça change ! »

Cette histoire d'avant, d'avant la Révolution, est fraîche encore dans la mémoire de toute Cubaine ; chacune a vécu et souffert dans son enfance, sa jeunesse, sa vie d'adulte, ces discriminations, cette misère, cette insécurité du lendemain. « A 12 ans — c'est Céléne, actrice, qui parle —, avec ma sœur, nous chantions à tous les radio-crochets qu'organisaient dans les rues de Santiago les gros trusts publicitaires américains. Nous rapportions à la maison notre récompense, la barre de chocolat, ou l'huile qui graisse tout : c'était notre gagne-pain. Quelle honte ! »

Ces retours en arrière, ce rejet des humiliations passées surgissent spontanément dans les conversations, de la même façon qu'éclate — en plein milieu des rouspétances à propos des difficultés de la vie quotidienne, des tracasseries de la bureaucratie —, avec cette espèce de ferveur qui nous surprend, européens blasés, le « Je suis révolutionnaire ! ». Au cas où vous vous méprendriez sur le sens des critiques, car cette révolution leur appartient incontestablement.

Les femmes cubaines ont lutté contre la dictature au même

2. F. Castro, *l'Histoire m'acquittera*, Éditions Sciences sociales, Institut du livre, La Havane 1969, p. 42.

titre que leurs compagnons. Melba et Haydée participaient à l'attaque contre la caserne Moncada[3], symbole de l'oppression ; Celia et Vilma Espin (présidente de la Fédération des femmes cubaines) étaient guérilleras dans la « sierra ». Des dizaines de femmes, comme Lidia et Clodomira[4], furent assassinées et torturées par les sbires de Batista, des milliers d'entre elles, mères, sœurs ou amies des jeunes gens emprisonnés, manifestèrent dans les rues de La Havane et Santiago pour exiger la fin de la répression. Notre amie Vilma Vigaud nous explique, en m'offrant en souvenir un écusson rouge et noir, comment elles vendaient clandestinement des bons de soutien du Mouvement du 26 juillet de Fidel Castro, pour aider la lutte des révolutionnaires. Maria de Jesus, un de ces soirs de fête et d'émotion où les souvenirs affluent, nous raconte : « Mon mari, camionneur, faisait la liaison entre les organisations de La Havane ; j'étais chargée de ventiler la propagande dans la ville : mes deux petits à la main et grosse du troisième à venir, j'étais moins suspecte ! » Espéranza, notre voisine, fille d'un petit cultivateur caféier d'Oriente, assurait les premiers soins des blessés cachés dans la « finca » (ferme) paternelle.

Femmes anonymes, femmes du peuple... Leur contribution active aux événements dramatiques que vivait Cuba dans la période pré-révolutionnaire, anticipe de la détermination enthousiaste avec laquelle elles prennent part aux premières grandes épopées du jeune gouvernement révolutionnaire (nationalisation de l'enseignement et alphabétisation, riposte à l'invasion mercenaire de la Baie des Cochons[5], grandes campagnes de vaccination, récoltes record de canne à sucre...), et de leur confiance dans ce qui est en marche.

Dès le premier janvier 1959, lorsque les rebelles investissent le pouvoir, la question de l'égalité de la femme, théoriquement proclamée par la Constitution de la république néo-coloniale des années trente, et dramatiquement bafouée par tous les rouages d'une société corrompue est posée comme une des préoccupations premières. La Fédération des femmes cubaines (FMC) est créée le 23 août 1960, et se fixe pour objectif « la lutte pour le développement intégral de la femme, sa totale participation à la

3. Le 26 juillet 1953, un groupe de jeunes révolutionnaires, dirigés par Fidel Castro, prennent d'assaut la caserne Moncada, à Santiago de Cuba. Ce sera un échec, mais qui devient le symbole de la lutte contre la tyrannie de Batista, créature des États-Unis.
4. Lidia et Clodomira, messagères de Fidel Castro et Che Guevara. Elles assuraient la liaison entre le maquis et la ville.
5. Le 17 avril 1961, un fort contingent de mercenaires, armés et entraînés par les États-Unis, débarque dans la Baie des Cochons. Ils sont repoussés en 72 heures par tout un peuple en armes.

construction de la société socialiste et la pleine égalité dans tous les secteurs de la vie politique, économique, sociale et culturelle de l'homme et de la femme ». La FMC va jouer un rôle appréciable de mobilisation des femmes, dont la faible insertion à la vie économique et politique, lorsque triomphe la révolution, limite les possibilités d'organisation.

Ainsi, Vilma Vigaud, se souvient du temps où elle revêt pour la première fois l'uniforme vert olive : « C'était après la tentative d'invasion de la Baie des Cochons ; avec la Fédération, nous avons constitué les milices de défense de la patrie. Nous montions la garde, avec une camarade, le long de la plage de Marianao ; il faisait froid et nous avions un peu peur ; c'était dur mais il fallait le faire ! » Vilma, 47 ans, vient de partir pour l'Angola, créer une École normale d'instituteurs.

Nora est aussi fondatrice de la FMC : « J'ai adhéré à la FMC dès sa création. C'était une période de bouleversements profonds. En 1961, j'ai été chargée d'organiser la nationalisation des écoles privées (dont celle où je travaillais) de ma petite ville. Nous avons recruté les femmes qui avaient un minimum d'instruction pour participer à la grande campagne d'alphabétisation. Celle-ci terminée, nous avons créé la première crèche dans l'histoire de la ville. Elle accueillait les enfants de la naissance à cinq ans. Il fallut adapter l'architecture du bâtiment, former le personnel : tout ceci s'inscrivait dans le cadre de la lutte pour l'intégration des femmes au travail. Dans ma ville, la population féminine, typiquement provinciale, avait un niveau d'autonomie pratiquement nul : domestiques, " maîtresses de maison ", et quelques prostituées. Nous avons organisé les cours pour adultes, des conférences, des programmes de radios éducatifs. Il y a par exemple le cas d'Agostinita, prostituée et analphabète. Nous lui avons appris à lire et à écrire, et elle a été intégrée au personnel du jardin d'enfants. »

Il faut souligner le rôle actif de la FMC, avec les autres organisations de masse, dans la prise de conscience chez les femmes, de leur capacité, des possibilités que leur ouvre le nouveau régime. En intégrant les femmes sans activité professionnelle dans les milices, les brigades de travail volontaire pour les récoltes, les campagnes sanitaires..., elle leur a permis de sortir de la maison, de l'emprise du mari et de la famille, de s'intéresser à des responsabilités autres que celles du foyer. Elle a dans le même temps fourni un énorme travail d'éducation, en animant les écoles pour paysannes et domestiques, les cours de couture, en collaborant avec le ministère de l'Éducation et le syndicat pour élever le niveau culturel de la population féminine. En 1980, l'immense majorité des femmes cubaines avait réussi l'examen du « sixième degré » (équivalent au certificat d'études).

Avec les Comités de défense de la Révolution (CDR [6]), la FMC participe aux campagnes de vaccination, de prévention en matière de santé : actuellement, elle assure à la base le dépistage du cancer du col de l'utérus. Elle a entraîné 50 000 femmes à la maison dans des séances d'éducation physique et encourage, depuis 1976, la matro-gymnastique, où les jeunes mères font de la gymnastique avec leur enfant de 3-4 ans.

Les brigades d'aide mutuelle, au moment des récoltes, des semis, organisées en collaboration avec l'Association des petits paysans (ANAP) contribue à insérer les femmes paysannes directement dans la vie économique, tout en remettant en cause les vieilles structures mentales qui les maintenaient enfermées dans leur « bohio ». L'expérience du travail dans une « communauté agricole » organisée en coopérative, qui leur apporte la crèche, la polyclinique, l'école, un logement fonctionnel avec l'eau et l'électricité et surtout la considération du groupe social, engage souvent la femme agricultrice à prendre l'initiative d'adhérer au mouvement coopérateur : les paysannes représentent 33 % des coopérativistes et 2 800 d'entre elles sont dirigeantes de ces communautés.

Des trente membres de la coopérative agricole « Eduardo Padron Delgado » du Mariel, quatorze sont des femmes. Espéranza Martinez, chef d'équipe, fait partie du Comité directeur : « J'ai remis mes trois hectares de terre à la coopérative bien avant que mon mari se décide. Je reçois un salaire mensuel pour mon travail et, une " rente " annuelle qui correspond à la valeur des terres apportées à la communauté. Depuis que je suis coopérativiste, je me sens plus libre, plus indépendante, et mes camarades de travail aussi. Bien sûr, ce n'est pas toujours facile, parce qu'il y a le travail de la maison, les enfants, et le mari n'est pas toujours disposé à aider. Mais enfin, dans ces cas-là, on lui rappelle le code de la famille ! »

Maria Benitez vient d'être élue « organisatrice » de la coopérative : « J'ai pu commencer à étudier quand le plus petit de mes enfants, Rolando, 13 ans, est devenu pensionnaire au collège secondaire : c'est amusant parce que je le rencontre quand je vais aux cours du soir, deux fois par semaine, dans son école. L'an prochain, je passerai l'examen du neuvième degré (l'équivalent du BEPC) en même temps que lui ! et je vais bientôt

6. CDR : les Comités de défense de la Révolution, créés le 28 septembre 1960, sont la plus importante des organisations de masse. Nés dans le feu de la lutte révolutionnaire contre le terrorisme, et organisés au niveau de chaque pâté de maisons, les CDR assurent en plus des fonctions d'éducation, de prévention sanitaire, etc.

être grand-mère ! Mais je ne me fais pas de souci pour ma fille, parce qu'elle a sa place réservée au foyer maternel ! »

Ces infrastructures de la santé, mises en place par la Révolution cubaine jusque dans les régions les plus reculées du pays, représentent un progrès considérable pour la femme paysanne. Alors qu'autrefois, la plupart des accouchements en milieu rural avaient lieu à la maison, avec un fort quotient de mortalité néo-natale et maternelle, aujourd'hui, des dizaines de foyers maternels accueillent les futures mères quelques jours avant l'accouchement. Plus de 350 polycliniques et 50 hôpitaux spécialisés assurent à toutes les femmes les services d'obstétrique et de pédiatrie, 98,5 % des accouchements s'effectuent en milieu hospitalier, et le taux de mortalité a été réduit à 19,4 pour mille, au niveau des pays les plus avancés en matière de santé.

Il faut souligner cet effort remarquable du gouvernement et du peuple cubain : malgré le sous-développement, malgré le blocus économique imposé par les États-Unis, dès les premières années, des milliers d'écoles, de crèches et de polycliniques ont surgi partout. Des centaines de collèges secondaires ont fleuri en plein cœur des champs, appliquant le principe de la combinaison du travail manuel et de l'étude. Plus de 500 000 élèves sont ainsi pensionnaires gratuitement et à temps complet. Outre son intérêt pédagogique, ce système particulier d'internat bénéficie doublement aux femmes : en les libérant pendant la semaine de la charge matérielle des enfants, il facilite leur insertion à la vie économique, mais il est en plus au même titre que les autres équipements sociaux, générateur d'emplois pour la population féminine : les travailleuses représentent plus de 60 % du personnel de la santé publique et de l'éducation, secteurs qui leur offrent par ailleurs, d'intéressantes possibilités de promotion.

Un exemple : à l'hôpital pour enfants « Angel Arturo Aballi », à la Havane, vingt-cinq travailleuses, auxiliaires d'infirmerie ou employées de collectivités commencent leur troisième année du secondaire sous la forme de cours du soir dirigés, dix-sept aides infirmières reçoivent une formation d'infirmière à l'école de perfectionnement, une infirmière suit un cours d'anesthésiste, une autre se spécialise en technicienne en radiologie, une troisième assiste à un cours d'administration. Dix autres travailleuses étudient à la FOC, la faculté ouvrière et paysanne, 40 % des médecins sont des femmes.

Le gouvernement cubain encourage vivement cette amélioration du niveau technico-culturel de la population laborieuse. Elle est indispensable pour poursuivre le développement économique amorcé et pour donner aux travailleurs les moins qualifiés (dont les femmes) la possibilité d'accéder aux postes de responsabilité, plus intéressants et mieux rétribués. Dans tous les coins du pays, dans les écoles et les centres de travail, fonctionnent des cours du soir, et les travailleurs-étudiants disposent d'un allègement de leur horaire de travail. Résultat significatif : 31 % des femmes travailleuses étudient, proportion supérieure de six points à celle des hommes. Des études statistiques réalisées par le syndicat en 1974 apportent d'autres indicatifs fort intéressants : alors que le niveau culturel moyen de la population féminine et masculine dans son ensemble est à peu près équivalent, le degré de scolarité atteint par la femme travailleuse est nettement supérieur à celui des hommes !... Avance qui a dû croître, si l'on considère l'effort accompli par les cubaines ces dernières années pour se « superar ». L'on peut donc s'interroger sur l'argument qui invoque « le bas niveau technique et culturel des femmes » pour justifier une insertion encore faible au monde du travail et surtout, la présence réduite de cadres féminins aux fonctions dirigeantes, qu'il s'agisse du secteur économique ou des responsabilités d'ordre politique ; en 1975, les femmes ne représentent encore que 25 % de la population active, et occupent seulement 15,3 % des postes de direction de l'économie.

Dans les organisations de masse, leur représentation aux divers échelons est encore plus basse. A titre d'exemple, dans les Comités de défense de la révolution, dont pourtant 50 % des membres sont des femmes, celles-ci ne dirigent que 7 sections municipales sur 100. Les résultats aux premières élections du « pouvoir populaire [7] », en 1976 relèvent d'un ordre équivalent : les électeurs de la base ne choisissent pour les réprésenter que 8 femmes sur 100 délégués élus.

L'on comprend dès lors l'attention particulière accordée par le premier Congrès du PCC, en décembre 1975, à cette question de la promotion de la femme, après que le deuxième Congrès des femmes cubaines, en 1974, ait effectué une analyse critique de la situation réelle. « Même si les progrès réalisés en ces seize ans de révolution sont considérables, des éléments objectifs et subjectifs de discrimination subsistent, non seulement comme conséquence de difficultés de type matériel qui disparaîtront avec le processus de développement économique, mais parce que se maintiennent, assez fréquemment, des critères et des attitudes contraires aux postulats et aux lois de notre société socialiste [8]. »

La « thèse et résolution sur le plein exercice de l'égalité de la

---

7. Le pouvoir populaire, élu pour la première fois en octobre 1976, permet la participation directe du peuple à la gestion de ses propres affaires.

8. *Thèse et résolution sur le plein exercice de l'égalité de la femme,* 1er Congrès du PCC, décembre 1975.

femme » met ainsi à jour, avec honnêteté, l'existence de situations complexes, contradictoires.

Même sur le plan juridique, si l'actuelle législation est incontestable et irréversible, sa mise au point a nécessité un certain temps de mûrissement. Pour appliquer, au niveau légal, le principe de cette égalité de l'homme et de la femme, proclamée dès son avènement, le jeune gouvernement révolutionnaire a procédé à toute une série d'ajustements des textes existants, sous la forme de lois, résolutions et mesures administratives. La loi sur la Sécurité sociale, de 1963, étend à toutes les travailleuses les garanties dont ne bénéficiaient avant la révolution que certaines catégories (droit à la retraite, congé de maternité, etc.), les résolutions 47 et 48 du ministère du Travail, en 1968, assurent une meilleure intégration de la femme au travail, la préservent de certains types de travaux qui peuvent lui être néfastes.

Mais il faudra attendre 1975 pour qu'avec la nouvelle constitution socialiste soient adoptées les lois fondamentales qui, tenant compte de l'expérience passée et de l'opinion de l'ensemble de la population — les projets ont été soumis à la discussion du peuple — garantissent « l'égalité absolue de l'homme et de la femme. »

La loi sur la maternité accorde à la travailleuse dix-huit semaines de congé pré et post-natal et la possibilité de plusieurs mois de congé sans solde. Elle dispose d'un aménagement de son horaire, peut pendant la grossesse changer de poste de travail, et bénéficie, comme les futures mères, d'au moins huit visites médicales obligatoires.

Le « Code de la famille », promulgué le 8 mars 1975, met définitivement un terme « en ce qui concerne la famille à des normes juridiques du passé bourgeois, contraires au principe de l'égalité, discriminatoires à l'égard de la femme et des enfants nés hors du mariage ».

La nouvelle loi sur la Sécurité sociale réitère le droit à la retraite pour les femmes à 55 ans après 25 ans de service, et met en place une nouvelle formule qui donne aux travailleuses, après seulement 15 ans d'activité professionnelle, le droit à la retraite à 60 ans : mesure qui encourage les femmes n'ayant jamais travaillé à s'insérer dans la vie économique. Enfin, le nouveau code pénal punit de sanction toute manifestation de discrimination liée au sexe.

Ainsi la loi, dans ses divers registres, est aujourd'hui irréprochable. Mais une législation, aussi libératrice soit-elle, n'intervient qu'indirectement au plan de la réalité quotidienne, constituée de facteurs divers, où se superposent et interagissent, les structures politiques, le niveau de développement économique les habitudes mentales et culturelles, la mémoire collective, les « situations conjoncturelles » [9].

Le document sur le plein exercice de l'égalité de la femme, examine avec attention ces « éléments objectifs et subjectifs » porteurs de discrimination, tout en recherchant les solutions possibles aux problèmes posés.

Les diverses enquêtes et sondages sont unanimes : les tâches domestiques et l'attention aux enfants et à l'époux pèsent lourd dans ce bilan.

Doublement d'ailleurs : car si, objectivement, les limitations matérielles liées au sous-développement accroissent les difficultés de la vie quotidienne pour la femme, cette surcharge de tâches est l'argument majeur invoqué pour freiner sa promotion aux fonctions de responsabilité.

Il s'agit bien incontestablement de « conceptions traditionnalistes du rôle de la femme, de préjugés hérités du passé », qui, tant du point de vue des relations dans le couple et la famille, que de ses rapports avec la société et de l'image qu'en projettent les médias, relèguent souvent la femme à des rôles limitatifs, infériorisants, et lui nient une compétence réelle pour les charges publiques et politiques.

Dès 1975, cette autre « bataille historique », comme la qualifie Fidel Castro, va donc se livrer à deux niveaux : sur le plan matériel, par l'amélioration des services collectifs, la recherche de nouvelles sources d'emploi, et fondamentalement sur le plan idéologique, par une politique consciente de promotion de la femme dans les diverses structures, et par tout un travail de modification des mentalités où interviennent les organisations de masse, l'école, les médias, la loi elle-même. Pour la première fois, il est question d'un vaste plan d'éducation sexuelle, et le code de la famille pose comme obligation légale la nécessité pour les deux conjoints de « coopérer à l'éducation des enfants... à l'administration du foyer... aux tâches domestiques ». C'est un événement, dans un pays où le « *machismo* », la valorisation du mâle héritée des cultures latino-africaines, éclate dans les mœurs et le langage, très sexualisés : le petit garçon que l'on désigne comme « macho », les relations extra-conjugales, fréquentes et admises pour l'homme, plutôt « mal vues » pour la femme, enfin l'homosexualité (forme exacerbée du machismo ?) présente malgré l'opprobre.

Le troisième Congrès de la Fédération des femmes, en mars 1980, mesure les nouveaux acquis. Dans les cinq ans écoulés, des centaines de crèches et d'écoles ont été construites. L'offre en

9. Dans un pays comme Cuba, où l'essentiel de l'économie repose sur le cours du sucre, les situations conjoncturelles constituent un facteur très important.

appareils électro-ménagers, en produits de consommation courante, s'est sensiblement améliorée. L'effort pour créer de nouveaux emplois destinés à la population féminine a porté ses fruits : 200 000 femmes se sont à leur tour intégrées au monde du travail, élevant de 25 à plus de 30 % la proportion de travailleuses dans la population active : et près de la moitié de ces nouvelles recrues possèdent un haut niveau de qualification.

Il est intéressant d'observer les avancées dans la répartition des responsabilités publiques : au syndicat, les sections de base à direction féminine ont crû de 24 à 41 % ; les Comités de défense de la Révolution ont également appliqué à la lettre les directives du premier Congrès du parti ; les femmes investissent la présidence de 41 organisations locales sur 100. Dans le cadre du Parti communiste, la progression est moins spectaculaire.

De 14,1 % en décembre 1975, le nombre de militantes s'élève en décembre 1980 à la proportion de 19,1 %. Mais, à l'Union des jeunesses communistes, les jeunes filles gagnent largement du terrain : de 29 % en 1975, elles représentent, en 1980, 40 % des jeunes militants. Ces progrès se répercutent favorablement au plan des fonctions hiérarchiques et un nombre plus représentatif de femmes accède aux responsabilités de type régional ou national. Un seul secteur, et il n'est pas de moindre importance, accuse un certain recul : le nombre de déléguées femmes élues au « pouvoir populaire » en 1979 baisse de 8 à 7,2 %, même si la proportion des députés au féminin (élues par les délégués) marque une légère hausse.

L'analyse des réalités n'est donc pas si simple. Si, comme le souligne Fidel Castro, « notre État est encore en grande partie un État d'hommes »[10], le blocage est loin d'être irréductible, puisqu'il y a eu avancée, et souvent conséquente, dans tous les domaines de la vie politique et économique, exception faite du « pouvoir populaire ». Et là, encore la faiblesse du score électoral contredit la participation active, critique, des femmes dans les assemblées de quartier de ce même « pouvoir populaire » ; ce sont elles, le plus souvent, qui expriment les préoccupations de la population, s'élèvent contre les insuffisances, posent les questions de fond. Lors des sessions de l'Assemblée nationale, les interventions des députés femmes se remarquent par leur fermeté, leur exigence de solutions concrètes aux problèmes posés. Même attitude consciente et dynamique dans le cadre de l'activité syndicale par laquelle fréquemment elles commencent à prendre confiance, à accepter des responsabilités.

Situation contradictoire donc et qui provoque la réflexion. Mais l'une des caractéristiques de la Révolution cubaine n'est-

10. F. Castro, *Discours de clôture au 21ᵉ Congrès de la FMC,* 8 mars 1980.

elle pas sa courageuse capacité à se remettre en cause, à reconnaître les déficiences et tâcher d'y trouver les remèdes ? « Pour autant que nous proclamions la lutte contre les préjugés, n'en serions-nous pas encore imprégnés » [11], s'interroge Fidel Castro.

Il est évident que la transformation des mentalités exige un lent mûrissement. Si les progrès peuvent être plus rapides à l'intérieur des structures dont les membres disposent d'un certain niveau de conscience, l'évolution des individus suit des chemins divers, produit ses ambiguïtés, ses propres résistances. Dans une enquête effectuée auprès de jeunes gens de moins de 35 ans, il apparaît clairement que si tous sont d'accord sur le principe de l'égalité et acceptent théoriquement que leur partenaire femme assume des responsabilités autres que celles du foyer, ils sont peu disposés à partager équitablement les tâches domestiques et les soins aux enfants. D'ailleurs, la « bataille idéologique » sur ces questions, orientée par le parti, et en particulier le plan d'éducation sexuelle pour la famille, ont manifesté, pour leur mise en route, une significative lenteur. « Les tabous sont difficiles à déraciner — constate le docteur Lajonchère, chargé de l'application du plan —, nous nous sommes heurtés à une ignorance, à une inhibition quasi générale du personnel éducatif, des médias et d'une partie du personnel de la santé publique. »

Réalité en décalage avec une législation réaliste et libératrice : dès 1959, les femmes cubaines purent contrôler leur fécondité gratuitement et légalement en ayant recours aux moyens contraceptifs dont disposait leur polyclinique. Si les premiers dispositifs furent fabriqués avec du fil de pêche, aujourd'hui, le stérilet est d'usage courant et la pilule en vente dans toutes les pharmacies, avec affichettes informatives sur la vitrine. L'avortement est pratiqué comme un acte médical normal, gratuitement et à la demande de la femme, dans des conditions optimales de sécurité thérapeutique.

Désormais, des cours systématiques d'éducation sexuelle sont donnés dans les instituts pédagogiques, les universités et bientôt étendus à tout le système d'enseignement. Quant aux tables rondes sur le même thème organisées par la jeunesse communiste dans les établissements scolaires, et par la FMC dans les quartiers, les Maisons de la Culture, elles battent les records d'affluence.

Les médias commencent également à traiter des problèmes du couple d'un point de vue plus contemporain : le succès populaire et les discussions passionnées déclenchés par le film « *Portrait de Thérèse* » — qui représente, en situation de crise, un

---

11. F. Castro, *Discours de clôture au 21ᵉ Congrès de la FMC,* 8 mars 1980.

couple dont la jeune femme se consacre de plus en plus au militantisme syndical — manifestent l'actualité de cette question.

Incontestablement, l'insertion croissante des femmes à la vie active, leur participation aux activités du syndicat, des CDR, de la FMC, ont développé chez la femme cubaine une prise de conscience de ses possibilités, le désir d'un épanouissement personnel et social rendu possible par ces divers canaux... Évolution qui n'est pas toujours comprise et acceptée par le partenaire masculin. Cette contradiction constitue sans doute l'un des facteurs du divorce, particulièrement fréquent chez les couples jeunes ; la Cubaine d'aujourd'hui prend souvent l'initiative de rompre une union qui remet en cause le sentiment exacerbé de ses droits et de sa dignité.

Maria-Teresa Ruiz est un cas assez exemplaire. Cette jeune femme noire de 35 ans doit tout à la Révolution. Son origine sociale, la couleur de sa peau l'auraient vouée dans un autre système à une destinée de servante ou de petite employée : l'alphabétiseuse de 15 ans est devenue institutrice, a acquis le diplôme de professeur, et dirige actuellement une des plus grandes écoles de La Havane. Militante du parti, secrétaire politique de sa cellule, elle est divorcée et mère d'une petite fille. Combien de femmes cubaines, parmi les plus compétentes, les plus conscientes, se retrouvent seules pour faire face à la multiplicité des tâches, l'éducation des enfants, et se voient en conséquence limitées, provisoirement, pour assumer des responsabilités de haut niveau. Autre aspect contradictoire d'un processus d'émancipation qui, cependant avance irréversiblement et vit lui-même des mutations.

La redéfinition des fonctions de la Fédération des femmes s'inscrit dans cette évolution : « Il ne s'agit pas seulement, constate Fidel Castro, de travailler pour la révolution, d'aider aux tâches de l'éducation, de la santé publique..., de participer aux activités économiques ; la Fédération doit d'abord être attentive à toutes les questions qui préoccupent la femme, qui intéressent la femme, et défendre ses intérêts au sein du parti, au sein de l'État [12]. »

Autrement dit, la FMC, après avoir joué un rôle, primordial mais quelque peu protecteur, d'éveil des consciences et d'éducation des masses féminines, devient le porte-parole d'une femme cubaine qui accède enfin à l'âge adulte. D'ailleurs, les intérêts et les nécessités des jeunes filles qui étudient aujourd'hui dans les écoles cubaines seront sans nul doute différents de ceux de leurs aînées.

Ileana, 22 ans, étudiante en économie politique et dirigeante

12. F. Castro, *Discours de clôture au XXIe Congrès de la FMC,* 8 mars 1980.

de la Fédération des étudiants, exprime sa confiance dans l'avenir : « Personnellement, mes études m'intéressent beaucoup. Notre pays a besoin d'économistes, d'ingénieurs pour se développer, accroître sa production. Nous les femmes, nous nous sentons pleinement responsables de cette évolution de notre pays. D'ailleurs, au secrétariat de la FEU[13], les filles sont majoritaires. Il est vrai que la qualité des relations garçons-filles a beaucoup changé ! Nous étudions ensemble, nous partageons au même titre les responsabilités. Nos parents nous ont souvent élevés suivant les vieux schémas, mais la mixité à l'école, les rapports d'égalité que nous y avons vécus, ont permis une évolution des mentalités. Bien sûr, elle n'est pas toujours aussi radicale dans les milieux de bas niveau culturel. Mais il y a des changements profonds : l'éducation sexuelle qui commence dès la maternelle, cela signifie une drôle de victoire sur les tabous ! »

Les jeunes filles constituent 40 % de l'effectif de l'enseignement technique et professionnel, 44 % des étudiants universitaires, 37 % des travailleurs de la recherche scientifique. Elles seront demain une force décisive de la vie économique, intellectuelle et sociale de leur pays. Elles bénéficieront en outre des efforts et des sacrifices consentis par leurs parents pour jeter les bases de l'industrialisation, sortir du sous-développement. Moins de problèmes matériels et beaucoup plus de capacités pour les résoudre. Plus de temps aussi, pourquoi pas ? pour le bonheur... et l'amour ! Sous le soleil des tropiques, c'est aussi important ! Comme humorise Ileana : « Les hommes continueront à nous lancer dans la rue leurs galants " piropos " (traits d'esprit)... ça ne nous déplaît pas ! mais désormais, nous leur renvoyons la balle !! »

A Cuba, on se sent toujours plus femme qu'ailleurs ! Le socialisme ne s'en porte pas plus mal !

13. Fédération des étudiants universitaires.

Sénégal

les femmes vont au paradis
par Michèle Pache*

La femme noire a été célébrée. Magnifiée. A cœur de lyre, les poètes de la négritude, tel Senghor, l'ont glorifiée : l'Africaine, la négresse... Port impérial. Allure de reine. Déesse de la maternité. A longueur de strophes. Restituant une image rayonnante. Triomphante... Sa sueur, ses larmes, ses peines, ses difficultés... reléguées entre parenthèses. Oblitérées. Inspiratrices quand il s'agit de coucher des mots pour passer à la postérité littéraire, les femmes ont été oubliées d'un Senghor, chef d'état, qui présida aux destinées de son pays, le Sénégal, pendant vingt ans.

Certes, on trouve dans ses discours quelques coups de chapeau aux mérites, dits féminins ; quelques évocations aussi de l'indispensable nécessité de promouvoir les femmes (elles sont électrices), vœux pieux. Non concrétisés. Certes, il y a au Sénégal des femmes phares, des femmes néon, des femmes qui ont réussi à faire valoir leurs qualités et leurs dons. Cadres, enseignantes, médecins, juristes, cinéaste voire ministre et quelques députés. Autant d'exception pour confirmer la règle.

Oubliée la très grande majorité : les paysannes qui constituent la majorité de la majorité, les citadines que la misère des campagnes a fait refluer vers les bidonvilles. Oubliées pour

* Journaliste à *l'Humanité-Dimanche*.

l'école. Oubliées pour la formation professionnelle. Oubliées pour l'eau, que ce soit le puits campagnard ou le robinet des quartiers surpeuplés. Oubliées pour les soins. Oubliées pour la nourriture. Pourtant, chaque fois qu'il a été fait appel à l'effort de tous, on n'a jamais manqué de s'adresser aux femmes.

Faut-il rappeler que les femmes en Afrique ont été de toutes les grandes batailles. Celles de l'indépendance. Celles de la lutte contre la conquête coloniale. L'une des premières à montrer l'exemple est d'ailleurs la reine Ndeté Yala du Walo (Nord-Ouest du Sénégal actuel). Avec ses *tiedos* (guerriers), elle s'est opposée en 1855 à l'avancée de Faidherbe. Pour plus d'efficacité, elle avait fait alliance avec les Maures. Elle livra plusieurs combats. Finalement, Faidherbe s'empara de la capitale du Walo, Nder, qui fut pillée et incendiée [1].

Ndeté Yala n'est pas un cas d'espèce à l'échelle du continent africain. Au Bénin, les dernières à déposer les armes devant les colonnes françaises ont été les Amazones, ce corps d'élite des femmes-soldats du roi Béhanzin. Déposer les armes est un euphémisme, puisqu'elles ont été massacrées par la troupe de Dodds à Cana. En Côte d'Ivoire, la cheffesse du village de Salekou lutta aussi jusqu'au bout contre les hommes d'Angoulvant, prenant la tête d'une véritable insurrection armée, en 1911, qui dura six mois. Il faudrait aussi mentionner la reine Zingha d'Angola qui, quelques siècles auparavant, avait déployé intelligence et énergie, tant sur le plan militaire que diplomatique, pour faire barre aux Portugais. Ces noms prestigieux (dont la liste n'est pas exhaustive et que l'histoire n'a pas occulté) ne doivent pas faire évacuer une autre forme de résistance plus obscure, plus humble, quasiment ignorée des textes mais que la mémoire villageoise se transmet. Ainsi, S. N'Dongo [2] raconte-t-il comment les femmes de Sinthiougarba (Sénégal), son village, excédées par le recrutement de « tirailleurs » pour l'armée française, lors de la Première Guerre mondiale, finirent par rosser chef de canton et sous-off. On pourrait répertorier un très grand nombre de gestes de ras-le-bol, de révolte. Un type de réaction qui éclate encore épisodiquement quand l'exaspération pousse à bout.

Vingt ans de Senghorisme ont mis le Sénégal en état de faillite. Les dix années de sécheresse qui ont frappé le pays ne sont pas seules à incriminer. Peu ou pas grand-chose a été entrepris pour remédier au manque de pluie. Pareil en ce qui concerne la diversification des ressources : deux décénies après l'indépendance, les caisses publiques dépendent encore de l'ara-

1. J. Suret-Canale, *Afrique Noire,* Éditions sociales.
2. S. N'Dongo, *Exil, connais pas,* Éditions du Cerf.

chide, monoculture imposée par le colonisateur français. Les tentatives pour amorcer une industrialisation, lancées sur des bases fort discutables (modèle Sud-coréen) ont échoué. Seuls la pêche et le tourisme ont marqué des points. Des réserves s'imposent cependant pour cette dernière activité : les investissements faits dans l'industrie touristique l'ont été au détriment de l'agriculture, alors que la menace de la famine est constamment présente. Si les touristes européens apportent des devises, la satisfaction de leur bien-être exige l'achat à l'étranger de produits dont le Sénégal se serait passé autrement. Greffes artificielles, ilôts de facilités, les complexes touristiques ont provoqué, parmi les populations locales où ils étaient implantés, des dégâts humains (apparition de prostitution).

Senghor parti et remplacé par son dauphin, Abdou Diouf, c'est l'ère des paradoxes. Climat de détente et de tension. Bouillonnement et apathie. Espoirs et lassitudes. Moment flou, ambigu. Temps de toutes les incertitudes politiques, économiques, sociales. Ceci explique, pour une bonne part, la résurgence, la revigoration, le regain d'audience de l'Islam sénégalais. Soif d'avoir des assurances. De trouver un point d'ancrage. Besoin d'être sécurisé en étant comme les autres... Une aubaine pour les forces rétrogrades qui voient là le moyen d'éclipser les différences de classes. Précisons que la caractéristique des dignitaires de l'Islam au Sénégal n'est pas le progressisme.

Les femmes — tout comme les hommes — supportent les conséquences de cette crise interne, accentuée par les répercussions de la crise des pays capitalistes desquels l'économie sénégalaise est totalement dépendante. Simultanément, les femmes subissent nombre frustrations et oppressions spécifiques dues à la perpétuation de certaines coutumes religieuses ou non.

AU NOM DE LA COUTUME ET DE L'ISLAM...

Au Sénégal, 87 % de la population est musulmane. Des croyants et croyantes de stricte obédience à ceux qui sont vaguement islamisés pour adhérer au courant religieux dominant : une foi aux degrés d'intensité fort variable qui se traduit néanmoins par des pratiques unanimement respectées et des comportements généralisés. « La femme ne peut aller au paradis que par l'intermédiaire de son mari », dit le Coran. D'où la réserve, la docilité, l'extrême dépendance qui sont imposées à la fille et à l'épouse.

Les témoignages de la misère morale, affective, sexuelle des femmes sont nombreux. C'est assez neuf et intéressant à souligner. Ce vécu douloureux, on le rencontre à chaque ligne de textes de Mariama Bâ[3] ou d'Awa Thiam[4]...

Incriminée à couvert ou ouvertement, la polygamie est une institution officielle. Choc que crée l'introduction soudaine d'une co-épouse dans un couple souvent monogame durant de longues années. Crainte de se voir supplantée, négligée, abandonnée avec les enfants. Sans pension. Sans pouvoir trouver du travail. Privilégiées sont en effet les femmes qui, grâce à des études ou une formation professionnelle, peuvent exercer un emploi qui les rende financièrement indépendantes. Le taux de scolarisation des filles tombe à la campagne à 20 %, et encore ne s'agit-il que de très courte scolarisation (un à deux ans).

Les prétextes invoqués par les hommes pour justifier la polygamie sont divers et peu convaincants. Économique en milieu rural : « Plus on a de bras plus on a de chance de s'en sortir. » Si récolte il y a, le mari peut à la rigueur y avoir avantage. C'est moins évident pour les épouses, quand une fois la production agricole commercialisée, elles ne reçoivent de leur époux que de quoi faire bouillir les marmites et le voient dépenser le plus gros des ressources du ménage à l'extérieur, ce qui est souvent le cas. L'homme a toute lattitude pour disposer de ses biens et de ceux de ses épouses.

En ville, être polygame peut être un signe extérieur de richesse, ou de réussite sociale. Pas toujours... Le plus souvent, ici, les hommes allèguent des raisons sexuelles : impossibilité d'avoir des rapports bien avant l'accouchement et ce jusqu'au sevrage de l'enfant vers deux ans. Argument qui paraît mince au moins dans les milieux aisés où rien ne s'oppose à ce que l'on ait un minimum d'informations en matière de sexualité.

La subsistance du mariage « arrangé » — mieux vaudrait dire forcé (sans consentement de la fille) —, de la dot (somme d'argent que la famille du fiancé doit remettre à celle de la promise) qui peut donner lieu à une véritable commercialisation du mariage, traduisent également le peu de cas qui est fait de la femme. Ravalée au rang d'objet. Chosifiée. Monnaie d'échange.

Même inégalité pour ce qui est du divorce. Formalité ultra facile pour le mari. Entreprise ardue pour la femme : obligation de démontrer que sa vie est en danger, qu'elle est réduite à l'indigence, qu'elle est rouée de coups, ou que son mari a commis l'adultère sur le lit conjugal (témoignage de trois témoins). Faute de se faire rendre justice, l'épouse n'a plus qu'à retourner chez ses parents, mais ce n'est pas suffisant pour obtenir le divorce

3. Mariama Bâ, *Une si longue lettre,* Nouvelles Éditions africaines.
4. Awa Thiam, *La Parole aux négresses,* Éditions Denoël.

(c'est cependant une méthode fréquemment utilisée pour échapper aux brimades et aux sévices du conjoint même si elle a le désavantage de replacer la femme sous la tutelle familiale). Il est très mal vu qu'une jeune femme séparée vive de manière autonome si elle a encore des parents prêts à l'accueillir. Des relations plus égalitaires entre hommes et femmes existent ou se forgent, mais la tradition, la coutume, ou plus banalement les habitudes ne les favorisent guère.

La persistance d'une très forte mentalité nataliste chez les femmes a des raisons multiples et complexes. Raisons affectives évidemment, culturelles : « On n'est pas vraiment femme si on n'a pas eu d'enfants. » Pari sur l'avenir porteur de l'espoir chez les plus démunies qu'au moins un des mômes se fera une place au soleil, et que les siens en bénéficieront, en particulier la mère âgée. Francine Kane [5] observe que les paysannes prolétarisées souhaitent en moyenne six enfants, que les ouvrières de conserverie en veulent au moins quatre.

Solidité, profondeur des liens mères-enfants. Il est frappant de constater que chaque fois que ceux-ci ont contesté le pouvoir en place, se sont révoltés contre lui, les mères ont pris fait et cause pour les écoliers(ères), et les lycéens(ennes). Limitant, par leur soutien, l'hécatombe. Ainsi à Ziguinchor en janvier 1980 où, pour mater les manifestations de jeunes, la police a tiré dans le tas, tuant un adolescent.

Si les Sénégalaises arrivent à évoquer souvent avec franchise, toujours avec une grande simplicité, parfois avec humour, leurs difficultés conjugales, aborder avec elles la question de l'excision (ablation en tout ou en partie du clitoris) et de l'infibulation (opération qui consiste à souder les grandes lèvres du sexe) exige le plus grand tact.

On peut s'interroger sur les retombées de campagnes lancées de Paris ou d'autres capitales européennes à ce sujet. Reçues comme une injonction à renoncer à une coutume ancestrale, elles peuvent avoir l'effet inverse du but recherché. L'Histoire est là pour le montrer. Dans les années trente, le colonisateur britannique fit des tentatives pour aboutir à l'abolition de ces mutilations au Kenya et au Soudan. Échec total. Pis, dans certaines régions l'excision devenue alors une expression d'identité, recouvrait une signification qu'elle avait perdue au fil des âges.

Au Sénégal, actuellement, bien des filles veulent être excisées pour être de bonnes musulmanes, alors que le Coran n'en fait pas obligation. D'autres entendent perpétuer la coutume (l'excision

5. *Cahiers d'études africaines*, n° 65. Outre le passionnant article de Kane sur les femmes prolétaires au Sénégal, cette revue comporte d'intéressants papiers sur les femmes dans bien d'autres pays africains.

existe aussi chez les animistes et les chrétiennes), quand bien même elle n'est que très rarement considérée comme l'équivalence au féminin de la circoncision des garçons. Les plus nombreuses s'y résignent à cause de la pression sociale, pour ne pas détonner, pour être pareilles...

L'abandon de l'excision et de l'infibulation ne peut être la résultante que de la prise en charge par les femmes concernées de ce problème. Cela implique également qu'un effort intelligent et persuasif soit fait pour que les femmes soient enfin informées sur les risques que leur font courir ces pratiques : complications possibles au moment de l'accouchement. Sur leurs conséquences : frigidité. Sur leur objectif fondamental : contrôle de la sexualité féminine par les hommes et leurs institutions. Cela comporte un changement radical dans l'éducation des filles, un bouleversement des mentalités visant à faire comprendre et admettre que ne plus mutiler son corps n'est pas synonyme de mutiler son âme.

DAKAR-BIDON

Dakar, capitale du Sénégal, a connu au cours de ces dix dernières années un processus de bidonvillisation intense. Un sixième environ de la population sénégalaise (6 millions d'habitants) vit — survit — dans l'agglomération dakaroise. Une concentration humaine qui pourrait être à la limite du supportable, si des débouchés industriels ou tertiaires avait été créés, or ils font défaut.

Foule de mendiants qui étalent dénuement ou infirmités. Femmes accompagnées de leurs gosses qui tendent la main à longueur de journée. Flot d'errants qui traînent dans l'espoir d'un petit boulot. Chaque jour, les « désoccupés » des bidonvilles envahissent le centre et recommencent la quête d'un travail. Masse d'hommes et de femmes que le découragement (indifférence du gouvernement à leur égard), la faim (sécheresse) ont fait abandonner la terre. Citadins de fraîche date mal acclimatés à la ville. Dans ce contexte, les ouvrières sont peu nombreuses (industries alimentaires, conserveries). Leur salaire, aussi bas soit-il, leur permet de faire vivre plus de monde que ne pourrait le faire une activité d'agricultrice. Payée en moyenne deux fois moins que les hommes, elles occupent les postes du bas de l'échelle. Toutes sont des ouvrières de la première génération, ce qui éclaire leur attitude face au patron : de la docilité au « coup de sang » qui leur vaut immédiatement la porte.

200

Exploitées, sous-payées, il n'est pas rare que l'employeur « omette » de leur régler les heures supplémentaires lorsqu'elles en ont effectuées. D'une femme à l'autre, pour le même emploi, les salaires sont variables, « à la tête du client ». Absence de traditions ouvrières, de syndicats combatifs (Senghor est toujours parvenu soit à mettre au pas, soit à briser tout mouvement syndical qui ne pratiquait pas la collaboration de classe), recrutement par l'intermédiaire de parents ou d'amis qui servent de caution d'assiduité, importance des temporaires par rapport aux permanentes, autant de causes qui font comprendre les difficultés de ces ouvrières à s'organiser.

Francine Kane, dans l'étude qu'elle a consacrée aux femmes prolétaires du Sénégal, prend note du degré d'autonomie financière des ouvrières d'usine, supérieur à celui des autres femmes. Revers de la médaille : la grande instabilité de leur relation avec les hommes, les divorces plus nombreux, les enfants dont la charge échoit entièrement à la mère. Et ce n'est pas une mince affaire dans le cadre du bidonville : pas d'hygiène, mauvaise et sous-alimentation, problème pour trouver des places à l'école, ce qui voue à la rue de nombreux gosses dès l'âge de quatre, cinq ans avec tous les dangers que cela comporte (accidents, délinquance).

Vie extrêmement précaire dans ces quartiers surpeuplés (Angle Mousse, Nimzat, Usine Parc, Fitih Mith, Wakiname) qui rassemblent jusqu'à dix mille personnes. Entassement dans des barraques. Risques d'épidémies et d'incendies. Éloignement des commerces. Robinets et toilettes quasi inexistants. Tout ceci rend encore plus problématique et harassant le travail ménager qui se superpose à celui de l'usine et au temps qui est souvent gaspillé pour rejoindre le lieu de travail. Même si l'ouvrière est aidée à la maison par une jeune sœur ou une jeune cousine, demeurent les difficultés d'approvisionnement, la lenteur de la préparation des repas : le brasero au charbon de bois n'a rien à voir avec une cocotte minute, la confection d'une sauce (seuls les plats traditionnels sont accessibles) n'est en rien comparable avec la cuisson d'un bifteck. Sans eau, sans appareil ménager, tout prend des heures.

Plus nombreuses que les ouvrières dans les bidonvilles : les bonnes qui touchent des gages misérables, les couturières qui tentent de vendre des petits travaux (confection ou sur mesure), les vendeuses qui placent quelques babioles dans la rue ou sur les marchés. Les ménagères. Et celles qui s'adonnent à la prostitution non avouée.

PROLÉTAIRES DES CHAMPS

Les ouvrières ont beau être l'infime minorité, les conditions qui leur sont faites (vie/travail) mettent parfaitement en lumière le mode et le modèle de développement choisis par le régime sénégalais. Une autre illustration significative de ce type de développement est fournie par la prolétarisation des paysannes réalisée par la BUD de 1972 à 1979. La faillite de cette entreprise multinationale ne met pas un point final à ce genre d'expérience. Hier la BUD, demain les bouleversements sociaux, économiques, humains, écologiques suscités par le géant projet d'Aménagement du fleuve Sénégal, si celui-ci est mis en œuvre selon les critères des « généreux donateurs » étrangers (RFA, USA, France, Koweit, Arabie Saoudite entre autres).

Multinationale hollando-américaine de l'agro-alimentaire, la BUD s'implante en 1972 dans la région des Niayes, proche de Dakar. Son but : la culture maraîchère de contre-saison à destination des pays de l'Europe de l'Ouest. L'état sénégalais met à sa disposition des terres de jachères dont il a exproprié les villages. Il exonère pendant dix ans la société d'impôts sur les profits et sur les droits de douanes. Il lui garantit une main-d'œuvre peu coûteuse et une « paix du travail » d'airain. Quatre ans plus tard, allant plus avant dans l'engagement matériel et financier, il prend 61 % du capital et prend en charge tous les frais d'infrastructure (routes, irrigation). Par ailleurs, la BUD recueille également l'aide internationale des gros bailleurs de fonds que sont le FED (Fond européen de développement de la CEE) et la Banque mondiale.

Caractéristique de la BUD : l'embauche féminine locale. Malgré l'afflux de candidats masculins, la multinationale, — expérience faite — a continué à donner la préférence aux femmes. Celles-ci montraient plus de méticulosité, d'adresse, de ténacité, d'endurance pour la cueillette alors que les hommes ne supportaient au plus fort de la récolte, de travailler douze heures durant, le buste incliné, avec une seule pose d'une heure pour déjeuner. Division sexuelle du travail : les hommes ont été affectés à des tâches plus sophistiquées comme le conditionnement et là où la mécanisation était la plus avancée.

Discrimination à l'embauche : mieux valait être jeune et belle que vieille et « mal foutue ». Discrimination dans le salaire. Discrimination dans la promotion : les surveillantes et contremaîtresses ne supervisaient que les équipes exclusivement féminines. Interdiction de s'absenter, même en cas de maladie et obligation était faite d'être remplacée par une amie ou une parente : autant de gagné pour la BUD qui se dispensait de la sorte, d'assurances sociales. Jusqu'en 1974, tout le personnel était tenu d'être présent sept jours sur sept ce qui aboutit cette année-là à la désertion des champs par la majorité des employés le jour de Magal (grande fête musulmane). Le Ier mai 1974, la BUD admit tout de même que le dimanche et le samedi après-midi seraient libres pour les permanents.

Multiplicité des statuts (journaliers à plein-temps, journaliers temporaires), des rétributions : mensuelles, à l'heure, à la tâche. Fiches de paie au gré de l'arbitraire patronal. Quand, en 1974, le gouvernement sénégalais — au nom d'une « opération vérité » — supprime les subventions sur les produits de première nécessité (riz, sucre, huile), mesure qui provoque une flambée des prix, il demande en compensation aux patrons d'accorder des augmentations de salaires. Réponse de la BUD et des autres industriels : une vague de licenciements parmi les travailleurs permanents. Puis, la BUD (comme les autres entreprises) propose à ses chômeurs d'être réembauchés à titre... temporaire.

Travail pénible, long, sous-rémunéré avec en outre la préoccupation du lopin personnel à entretenir, des tâches ménagères, des enfants, tel était le lot des ouvrières agricoles de la BUD. Paternalisme bien compris, la multinationale tolérait que les femmes œuvrant à la cueillette travaillent aux champs avec leurs nourrissons sur le dos... Lorsqu'en 1978, les femmes se rebellent et déclenchent une grève, patronat et gouvernement font donner l'armée avec l'approbation du syndicat maison. Un an plus tard, la BUD met la clé sous la porte pour cause de faillite provoquée par une mauvaise rentabilité, par des difficultés de commercialisation, d'irrigation. Une faillite controversée par certains experts. Une chose est sûre : la BUD s'est livrée à une exploitation des terres qui aboutit à une usure complète des sols. Beau cadeau pour les populations locales.

Les dirigeants sénégalais auraient pu tirer les enseignements de l'échec de la BUD... Pas du tout. Avec l'aménagement du fleuve Sénégal, dont les travaux ont démarré à Diama, ce sont des zones entières du Sahel (le projet associe aussi le Mali et la Mauritanie) qui vont être l'apanage de l'agro-business et de ses grosses unités de production sur 250 000 hectares. 700 000 personnes, la moitié de la population du Fleuve (c'est le nom de la région), verront leurs activités bouleversées : mise en cause de la pêche, suppression des pâturages de villages, disparition de l'agriculture de décrue (le fleuve, régularisé, ne fertilisera plus les rives). Une partie de ces hommes et de ces femmes connaîtront le sort des journaliers et des journalières de la BUD.

Aménager le fleuve est un impératif vital. Mais les projets

initiaux qui prévoyaient la création de petits périmètres irrigués destinés aux paysans étaient en tout point préférables. Las, ils n'intéressaient pas les investisseurs étrangers.

SAHEL-SOLITUDE

Dans ces villages du Fleuve où la faim est omniprésente : des femmes, des gosses, des vieillards. Les années de sécheresse ont accéléré l'émigration des hommes valides de 18 à 40 ans. Les villages survivent grâce aux mandats expédiés par les immigrés et grâce à l'abnégation des femmes qui, sur place, entretiennent le peu de vie qui s'y accroche. « Timides, réservées, secrètes », c'est ainsi que Marie-José Moumbaris les dépeint après avoir séjourné parmi elles avec une équipe d'immigrés de l'UGTSF[6]. « Les enfants, la popote, le mil à piler et surtout la corvée d'eau occupent leur journée et même une partie de leur nuit. Eau pour cuire les aliments, eau pour la toilette, eau pour la lessive. Interminables navettes (six à douze kilomètres) de la maison au puits et du puits à la maison, des bassines pesantes et remplies à ras bord sur la tête. Lourdeur de la charge : toutes se plaignent de névralgies et demandent à l'hôte de passage de l'aspirine. Quand le puits est à sec, ce sont les marigots qu'il faut creuser, alors tout le monde s'y met, gosses et vieux compris. »

« Femmes de grande solitude malgré la communauté villageoise. Femmes à la vie affective rompue par l'éloignement du mari. Inquiètes pour l'absent. Angoissées quant à l'avenir des gosses qui vivent avec elles. » Un enfant sur deux atteint ses deux ans. Seuls ceux qui franchissent le cap des six ans sont véritablement considérés comme viables. Rougeoles, méningites, maladies gastro-intestinales font des ravages dans la population enfantine de deux à six ans.

« Sans infirmier, sans dispensaire au village il n'est pas rare qu'une mère parcoure vingt kilomètres à pied pour faire examiner son enfant par un médecin. L'ordonnance délivrée, il lui faut encore couvrir des distances pour obtenir les médicaments, si elle a de l'argent... Même dénument pour l'école. Certains villages ont une classe, mais la scolarité se faisant en français cela accroît les difficultés de l'écolier. Recevant un enseignement complètement coupé du milieu où il vit, l'enfant est vite dérouté et découragé par l'étude. »

Sentiment d'isolement. Besoin intense d'être relié au monde.

6. Union générale des travailleurs sénégalais en France.

Partout où la délégation de l'UGTSF a demandé aux femmes quelle était pour elles la priorité des priorités, même réponse : le bureau de poste. « Pour joindre le docteur, pour appeler l'ambulance, pour toucher le mandat, pour causer (en PCV) avec le mari parti au loin... » Analphabètes, ce ne sont pas elles qui rédigent les lettres.

Phénomène nouveau, quelques associations de femmes se développent dans les villages. Celle d'Anagnam Lidoubé, qui comprend une centaine de membres, s'est particulièrement fait remarquer par ses initiatives et ses réalisations : ateliers de filature et de couture traditionnelles, moulin à mil, dispensaire, petite maternité. Soudain attentif, le gouvernement de Dakar a proposé à cette association d'intégrer l'organisation féminine officielle. Refus catégorique des villageoises qui n'ont pas du tout apprécié cette démarche.

« En quittant le Fleuve, dit S. N'Dongo, président de l'UGTSF, j'ai l'impression que nous, les hommes, nous avons été des fuyards... Bien sûr, nous y étions contraints. Bien sûr, depuis plus de vingt ans, nous nous battons pour retourner chez nous avec un minimum de connaissances acquises en France. Mais notre départ a laissé la femme seule pour faire face quotidiennement et assumer les responsabilités. Le plus injuste c'est qu'on la considère comme une marginale alors qu'elle tient tout à bout de bras. On dit que la femme doit être l'égale de l'homme. Je pense que l'homme devrait égaler la femme. »

Chine

la plus petite moitié du ciel
*par Alain Roux**

La scène qui suit nous est décrite par Jack Belden, dans *La Chine ébranle le monde*. [1] Elle se situe dans un village de Chine du Nord d'où les forces armées communistes viennent de chasser les soldats du Guomindang. « La foule (des femmes) tomba sur l'homme, hurlant, le jetant à terre puis le foulant aux pieds. Plusieurs femmes tombèrent avec lui en le frappant sauvagement. Celles qui étaient derrière bondirent dans la mêlée, déchirèrent ses vêtements, empoignèrent sa chair et se mirent à la tordre et à la pincer jusqu'à ce que le sang coule. Celles qui ne pouvaient approcher plongeaient sous les autres, saisissaient les jambes de Chang et plantaient leurs dents dans sa chair... Jin Hua examina son mari. Il était étendu sur le sol, immobile comme un chien crevé, la bouche pleine de boue, ses vêtements en loques et du sang coulant goutte à goutte de son nez. Voilà l'état dans lequel il me mettait autrefois, pensait Jin Hua. Ne résistant pas à sa joie, elle se tourna vers les autres femmes : " Grand merci, mes camarades sœurs pour votre bonté. Sans votre aide, je n'aurais pas pu prendre ma revanche ". »

Cette scène étonnante — une femme heureuse du lynchage de

---

* Maître-assistant au département de chinois de l'Université de Paris VIII.
1. Jack Belden, *La Chine ébranle le monde*, Gallimard, Paris 1951, p. 331.

son mari par d'autres femmes! — pose par elle-même le problème que nous voulons aborder. Jin Hua avait été achetée, battue, violée par cet homme. Dans la société inhumaine de la Chine du passé, le sort de la femme était nécessairement terrible. La victoire de la Révolution chinoise en 1949 ouvrit donc tout aussi nécessairement des perspectives pour une libération de la femme. Où en est-on en 1981 sur ce point? Il était courant, durant la fin des années 60 et les premières années 70, de répéter aux visiteurs étrangers de la Chine que la « femme était la moitié du ciel ». Ce fut même à cette époque le titre d'un livre.[2] Cherchons à voir ce qu'il en est.

Après avoir rappelé le point de départ, essayons de comprendre la dynamique du changement réalisé, ainsi que les évidentes limites de ce changement : seul un regard vers le passé et une bonne connaissance du présent peuvent permettre de parler du futur sans faire de la métaphysique, en matérialiste. Faut-il ajouter que ces quelques pages n'ont rien d'une analyse exhaustive? Il s'agit pour moi, ici comme ailleurs[3], de fixer quelques points de repères, d'inviter à sortir des douillettes certitudes obtenues en érigeant en valeurs universelles ce qui n'est que le fruit d'une expérience historique particulière — française ou européenne —, de participer au débat toujours ouvert sur les acquis, les problèmes et les potentialités du socialisme.

LA FEMME CHINOISE AVANT 1949 : UNE PRISONNIÈRE FAMILIALE

On ne peut, en Chine surtout, parler de la femme sans parler en même temps de la famille. L'histoire de la Chine aux temps modernes est, en quelque sorte, en profondeur, l'histoire de la famille chinoise. La « grande famille » de la tradition confucéenne connaît alors ses dernières décennies, s'effrite, s'effondre, est balayée.

Au plan matériel, elle s'organisait en une série de bâtiments autour d'une ou plusieurs cours, séparés de la rue et du voisinage, comme un mini État-souverain, régi par son patriarche. Là vivait l'ensemble des membres des trois ou quatre générations — la tradition fixait comme idéal à atteindre « cinq générations sous un même toit ». L'unité était assurée au plan

2. Claudie Broyelle, *La Moitié du ciel,* Seuil, Paris, 1973.
3. Alain Roux, *Le Casse-tête chinois,* Éditions sociales, Paris 1980.

spirituel par l'autel des ancêtres où l'on fixait les tablettes des cinq derniers chefs de famille. Aucun nom de femmes. [4] La famille chinoise, en effet, ne s'articule pas autour du couple mari-femme, mais autour de l'axe père-fils, axe purement masculin destiné à assurer la perpétuité de la race. La femme n'est que la génitrice, recluse au fond du gynécée dans les bonnes maisons. D'autant plus que ses « pieds bandés » — les lotus d'or, horrible coutume qui transforme en véritable calvaire les premières années de la vie d'une petite fille, et qui réduit chez l'adulte le pied à ne mesurer que cinq à dix centimètres de l'orteil au talon — lui interdisent de longs déplacements. « Les pieds sont bandés non pas pour les rendre beaux comme l'arc courbé, dit la sagesse populaire, mais pour retenir les femmes quand elles sortent de la maison. » La femme est ainsi une dépendance de l'homme ou plutôt de sa famille. Là encore on peut recourir au proverbe : « Une femme mariée est comme un cheval harnaché, on peut lui monter dessus et le fouetter selon le bon plaisir du maître. »

Tout est alors d'une implacable logique. La fillette est mal accueillie à sa naissance : il faudra pourvoir à son éducation et ce à fonds perdus car, mariée, elle quittera sa famille d'origine et ne saurait pourvoir à l'aide de ses vieux parents dans le besoin ou handicapés par les infirmités de l'âge. On veille donc à limiter les dépenses en mariant la petite fille au plus vite. Des bébés sont fiancés à d'autres bébés par accords entre familles. On aboutit ainsi à la pratique des « fiancées enfants » placées chez autrui dès les premières années de leur vie dans l'attente du futur mariage. On parle alors de « mariage prédestiné », voulu par les astres, indiqué par l'observation des signes de la main, la consultation des devins, diseurs d'horoscopes, chiromanciers et géomanciens. Ces spécialistes de l'orientation favorable des tombeaux familiaux prétendent déduire de leur examen la possibilité d'une union heureuse ou au contraire malheureuse même avant toute naissance dans les familles objets de leur attention !...

Ces pratiques peuvent, on s'en doute, dissimuler des réalités plus sordides. La fillette a de fortes chances de ne se jamais marier à l'époux projeté et de demeurer une servante particulièrement peu coûteuse. Ou être réduite à n'être que la concubine du maître quand elle ne devient pas, dès sa prime adolescence,

4. On peut trouver une description de la famille chinoise traditionnelle dans trois ouvrages de base, dont je me suis largement inspiré : Jacques Guillermaz, *Le Parti Communiste Chinois au pouvoir,* Payot, Paris 1972, p. 47 à 51 ; Tsien Tche-hao, *L'Empire du milieu retrouvé,* Flammarion, Paris 1979, p. 145 à 165 ; Chow Ching Lie, *Le Palanquin des larmes,* coll. « J'ai lu », n° 983, Paris 1977 (version romancée, mais véridique, du sort de la femme chinoise).

l'ornement d'une « maison fleurie », un de ces bordels si nombreux dans les villes chinoises. Plus couramment, on s'arrange, dans la famille qui passe accord afin de recevoir une fiancée enfant, pour la choisir robuste, apte aux travaux des champs. Dans les familles paysannes, l'accord, pour d'évidentes raisons économiques, est plus tardif. On constate souvent des mariages arrangés entre adolescents où la jeune épousée est sensiblement plus âgée que son futur époux : elle pourra de cette manière, avant le mariage et quelques années après, renforcer la force de travail familiale. Ainsi, par exemple, le jeune Mao Zedong, à 13 ans, s'est vu imposer comme femme une jeune fille de 19 ans qu'il n'a jamais vue et que d'ailleurs il ne verra jamais...

Le mariage est donc arrangé par les deux familles, recourant aux bons offices de « marieurs » (mei-ren) rétribués par une somme d'argent souvent coquette placée dans une enveloppe rouge. Le jour du mariage est souvent celui où, pour la première fois, les deux époux se rencontrent, la jeune épousée quittant à jamais sa maison dans un palanquin rouge. Elle va épouser plutôt la famille de son mari que son mari. Le vocabulaire traduit ce fait : le mot pour désigner le mariage est différent selon qu'il décrit le mariage de la femme ou le mariage de l'homme. Pour la femme, ce mot — jia — s'écrit avec le caractère de la femme et celui de la famille. Pour l'homme, ce mot — qu — s'écrit avec le caractère de la femme placée sous le caractère « prendre ».

Le mariage signifie donc que la femme change de famille, de culte, d'ancêtres à vénérer. Ce mariage arrangé — de « présentation » dit-on en chinois — entraîne inévitablement son lot de tragédies. La fiancée qui a une inclination pour tel ou tel jeune homme fugitivement entrevu ou qui, plus couramment, n'a que répugnance pour le mari imposé qu'elle sait très âgé ou repoussant n'a d'autre moyen de résistance que le suicide. C'est là un thème fréquent dans la littérature chinoise du premier tiers du XXe siècle. On le retrouve dans le plus célèbre roman de Bajin [5] (Pakin) publié en 1931 et intitulé de façon significative *Famille.* Une jeune servante, Fleur de Phénix, amoureuse d'un des fils d'une grande famille et aimée de lui, apprend que le patriarche qui tyrannise tous les siens a décidé de l'offrir comme concubine à un vieillard de ses amis : « Et soudain la clarté se fit en elle : jamais il ne pourrait la rejoindre, tout les séparait (elle et ce jeune fils de bonne famille, NdL). Il avait son travail... Elle n'avait pas le droit d'être pour lui une entrave... Il fallait le quitter. Son existence à lui avait infiniment plus de valeur que la sienne ; elle n'avait qu'à partir, partir pour toujours... Des larmes perlaient à ses paupières. Elle se leva. Avec une intonation triste

5. Pakin, *Famille,* Flammarion/Eibel, coll. « J'ai lu », n° 983, Paris 1977.

et douce elle appela deux fois : " Éveil de l'Intelligence " (c'est le nom du jeune homme, NdL). Puis elle se jeta en avant (dans un étang). Un instant, le calme fut troublé. Le bruit se répéta longuement dans la nuit. Quelques faibles gémissements frémirent à la surface de l'eau et pénétrèrent les ténèbres. Puis le miroir du lac retrouva sa sérénité, mais l'air continuait à vibrer d'échos plaintifs. Tout le jardin sanglotait à voix basse. »

Notons combien la morale confucéenne est intériorisée par la victime qui s'élimine elle-même plutôt que de combattre. Cette tragédie en entraîne immédiatement une autre : le vieillard frustré obtient sa livraison de chair fraîche en la personne d'une autre servante qui monte dans le palanquin destiné à Fleur de Phénix et dont les pleurs retentissent à leur tour...

Le jeune Mao Zedong écrit ses premiers articles sur ce thème [6] ; il dénonce en novembre 1919 le suicide d'une certaine mademoiselle Zhao, qui s'est tranché la gorge dans son palanquin nuptial car elle refusait le fiancé qui venait de lui être brièvement présenté. Mao, dans une série d'articles, comparera ce palanquin à une charrette de condamné, tout en précisant : « Dès qu'une personne sort du ventre de sa mère on prétend que son mariage est déjà en voie d'arrangement... Nous devons détruire toutes les superstitions qui entourent le mariage... Alors tout changera dans les familles chinoises et une grande vague de libération submergera le pays. La Chine connaîtra pour toujours la liberté du mariage et la liberté de l'amour. » Textes à l'écho bien limité à cette date...

Dans sa nouvelle famille, la jeune mariée est assez mal accueillie. Elle est l'intruse, soumise à la double tyrannie de son mari et de sa belle-mère qui disposent à leur guise du droit de correction — la tradition faisait que dans de nombreuses régions le jeune mari devait, sous peine de perdre la face, battre assez souvent sa jeune femme, sous le regard bienveillant de la nouvelle famille... Le mari, en cas d'adultère — rare semble-t-il — peut tuer son épouse sans autre forme de procès.

La morale confucéenne impose les trois soumissions — la femme avant le mariage est soumise à son père, puis à son mari, enfin, en cas de veuvage, à son fils aîné — et les quatre vertus : la conduite (chasteté), le vêtement (modeste), l'élocution (réserve et quasi silence) et les qualités ménagères. Un seul destin : mettre au monde un enfant mâle. Autrement, elle devra accepter une ou plusieurs concubines dont les enfants mâles entreront pleinement dans la famille... au point de l'appeler « mère » et

6. Dick Wilson, *Mao : 1893-1976*, Éditions Jeune Afrique, 1980, p. 91. Voir aussi Stuart Schram : *Mao Tsé-toung*, Armand Colin, Paris 1963, p. 287 à 291.

d'appeler leur véritable mère « tante »... La répudiation frappe souvent la femme stérile... ou n'enfantant que des filles : « Ta femme, c'est comme ton vêtement : si celui-ci te va mal ou te paraît usé ton droit est d'en changer. »

Le divorce est bien sûr impossible. La femme ne peut hériter. Le veuvage ne peut être rompu et, il y a à peine un demi-siècle, on célébrait encore, par des arches d'honneur, la vertu extrême de ces veuves qui se sont suicidées pour ne pas survivre à leur mari. Il est vrai que, souvent, ce suicide était rendu inévitable par une terrible pression de la belle-famille allant dans certains cas extrêmes jusqu'aux violences physiques et à la privation de nourriture ! Le suicide, d'ailleurs, avons-nous vu, est le recours classique de la femme opprimée...

Encore ce tableau présente-t-il la situation dans les classes supérieures... Pour la masse du peuple — 95 % de la population nous dit-on... — toutes ces contraintes existent sans les garanties que la grande famille apportait en contrepartie : la nourriture assurée, un certain confort... On descend donc d'un cercle dans l'enfer. C'est à ce niveau que se situe notamment l'infanticide des petites filles. Écoutons les souvenirs du maréchal Zhu De fondateur de l'Armée rouge [7] : « Ma mère a eu treize enfants en tout. Seuls six garçons et deux filles ont vécu. Il fallu noyer à la naissance les cinq derniers enfants car nous étions trop pauvres pour nourrir toutes ces bouches. »

Dans l'univers des pauvres, la famine — fréquente — s'accompagne d'actes désespérés pour assurer la survie de la famille, réduite simplement à l'axe père-fils dans les cas extrêmes. Ainsi ce témoignage d'un médecin vivant en Chine du Nord durant les années 1920-1930 : « Survint une mauvaise année où le riz atteignit un prix excessif et bientôt ce fut la ruine complète, la séparation obligatoire, définitive des différents membres de la famille. La femme encore jeune et bien connue, enviée dans les environs par la petitesse de ses pieds, fut vendue par son mari au chef du village, lequel la convoitait depuis longtemps. Les enfants furent livrés de même pour quelques ligatures (rouleaux de sapèques, petites pièces de cuivre percées en leur centre) à des commerçants ou à des paysans riches. » A ce niveau ultime, la femme ou la fille n'est plus qu'une marchandise. On nous décrit, lors des famines du Shanxi en 1928-1930, les convois de jeunes femmes destinées aux bordels de Shanghai.

Prisonnière familiale ou esclave aux limites de la survie, vivant dans une « société de cannibales » — comme l'écrivait Lu Xun, en 1918, dans son *Journal d'un fou,* — la femme chinoise se

---

7. Agnès Smedley, *La Longue marche, Mémoires du maréchal Chu Teh,* Éditions Richelieu, 1969, p. 42.

saisit de la victoire communiste de 1949 pour exiger sa propre libération. Mais, bien évidemment, cela ne saurait suffire à changer son sort. Où en est-on après trente années de « Chine Nouvelle » ?

J'ai cherché à répondre à cette question : j'ai lu, questionné, relu. Déception : aucun travail d'ensemble digne de ce nom n'existe, mais des dissertations sur la libération de la femme prenant pour argent comptant les déclarations officielles chinoises ou reposant sur le douteux témoignage faisant suite à des visites trop bien organisées, ou des dissertations inverses sur la non-libération de la femme d'après divers articles de presse et les interviews de réfugiés à Hong Kong. [8]

Je me propose donc, nécessité faisant loi, de réunir ici les quelques pièces d'un dossier à peine ouvert. Je me permettrai cependant d'inscrire quelques remarques dans les marges, pour inciter à la réflexion. Ces feuillets peuvent se regrouper en trois ensembles inégaux : la femme et le mariage, la femme et la famille, la femme et la société.

Un avertissement cependant : la presse chinoise officielle, abondamment sollicitée par moi, est une presse essentiellement politique. Elle ne publie pas d'enquêtes sociologiques proprement dites, mais fournit des arguments aux campagnes politiques en cours. Plus qu'une description du réel, il s'agit d'un diagnostic des maladies sociales que l'on cherche à guérir. Ceci ne doit jamais être oublié par le lecteur.

LA FEMME ET LE MARIAGE DANS LA CHINE SOCIALISTE

De très loin, c'est le sujet le plus souvent traité, surtout durant l'hiver 1980-1981, c'est-à-dire alors que se discutait puis commençait à s'appliquer la nouvelle loi sur le mariage votée le 1er janvier 1981. Cette loi complète, sans la modifier fondamentalement, la première loi sur le mariage votée le 1er mai 1950. On sait, en effet, que les deux premières décisions importantes du nouveau régime, après la fondation de la République populaire de Chine le 1er octobre 1949, ont été de façon significative, la loi sur le mariage — c'est-à-dire la restructuration de la famille patriarcale — et la loi agraire — c'est-à-dire la ruine des bases économiques de la société traditionnelle. C'est ainsi que la

8. *Sources employées ici :* Une collection de *Femmes de Chine* (*Zhongguo funu*) d'octobre 1979 à mai 1981, écoutes radio de la BBC sur la Chine (WBS), quelques articles de *Jeunesse de Chine* (*Zhongguoqingnian*) et du *Quotidien du Peuple* pour la même période.

femme chinoise — sous un régime dirigé par des communistes !
— reçut le droit d'hériter pour la première fois de son histoire.
On libérait tous les opprimés : les pauvres, les femmes... Plus de
concubines, de fiancées enfants, de droit de vie et de mort pour le
mari...

La nouvelle loi de 1981, bien évidemment, confirme les
fondements juridiques de l'égalité entre hommes et femmes, en
Chine. On insiste sur les garanties reconnues aux femmes,
notamment dans le libre choix du conjoint. On précise divers
points restés trop vagues à propos du divorce. Les enfants du
couple peuvent choisir à leur guise le nom de leur père ou celui
de leur mère.

Le mariage, tel qu'il ressort du texte et des commentaires qui
l'accompagnent, nous paraît donc très moderne. On se marie en
se méfiant de tout emportement peu durable — dans « l'intérêt
des enfants »... — d'où le recul de l'âge légal du mariage de 18 à
20 ans pour les filles, de 20 à 22 ans pour les garçons. En fait, on
se marie plus tard, surtout à la ville. L'environnement social et
politique conseille fortement — au point de l'imposer aux
membres du Parti et donc à ceux qui voudraient le devenir un
jour... — le mariage retardé : 28 à 30 ans pour les hommes,
25 ans pour les femmes. Une coutume récente a ainsi fixé à
52 ans le chiffre idéal obtenu en totalisant les âges des conjoints :
à fiancé de 28 ans, promise de 24 ans, etc. Le mariage est
enregistré au bureau d'état civil du quartier, ce qui garantit
la jeune femme contre diverses mésaventures. Depuis ces
dernières années, il est célébré avec solennité sous la présidence
d'un notable du quartier ou du village, ce qui s'accompagne
souvent — malgré les condamnations officielles réitérées — d'un
banquet plus ou moins somptueux selon les revenus de la famille
du jeune homme. On parle de banquets de 40 personnes mais
aussi... de 240 personnes, coûtant au moins 150 yuans, mais
dépassant parfois les 500 yuans... soit un an de salaire d'un
ouvrier ! On échange des cadeaux, en recourant à un code
complexe qui traduit bien la place sociale occupée par les deux
familles ainsi unies. Les jeunes époux vont loger chez la famille
du jeune homme, en attendant que les autorités du quartier leur
aient procuré un petit logement indépendant. Cette attente est
abrégée si l'on a sagement attendu l'autorisation officielle pour se
marier. Rien de bien surprenant dans tout cela.

Or la presse chinoise dénonce avec vigueur les « survivances
féodales » en ce qui concerne le mariage. Il faut donc pousser
plus avant cette analyse. Une certitude d'abord : le mariage
chinois se fait, encore de nos jours, essentiellement sur « présentation », celle-ci étant organisée par les parents, des amis et,
souvent encore, des marieurs et marieuses, sollicités par les

parents et rétribués à cette fin. D'après des enquêtes effectuées durant les dernières années de la Révolution culturelle auprès de réfugiés originaires de la province de Canton, seuls 23 % des mariages seraient dus aux initiatives du couple (contre 14 % en 1950) ; les 77 % restant seraient dus pour 20 % aux « marieurs », pour 33 % aux parents et pour 24 % à des amis (contre 43 %, 29 % et 14 % respectivement en 1950). Ces amis peuvent être la Ligue des jeunesses communistes qui, depuis 1980, a officiellement organisé des « offices de présentation des jeunes gens », sortes d'agences matrimoniales publiques. Dans tous les cas, les premières rencontres se font en présence de chaperons, puis les jeunes gens sont laissés en tête à tête. Les parents, durant ce temps, discutent trousseau, logement, gros sous. La jeune fille semble libre de son choix, malgré la présélection des soupirants ainsi organisée. A la ville, maints récits pittoresques attestent de la chose [9]. Voici par exemple cet édifiant dialogue entre deux amoureux rapporté par *le Quotidien de Pékin* en juillet 1979. Lui — Xiao Wang — a soigneusement rangé dans sa chambre, futur « logement » des jeunes mariés, les meubles dont il a fait l'acquisition à la demande de sa fiancée, Xiao Li. Tout est bourré dans la pièce, « au point que l'on n'y pourrait planter une aiguille ni y verser une goutte d'eau ». Survient la belle qui inspecte les lieux... et trouve un coin inoccupé.

— *Elle :* « Mais il n'y a rien ici. Qu'est-ce que l'on pourrait y mettre ? »

— *Lui* (d'un ton las) : « Il ne reste plus que ce petit coin. Gardons-le pour y poser notre amour ! » (Cette remarque fit rire Xiao Li aux larmes.)

— *Elle :* « Ah ! toi alors ! L'amour appartient au domaine des sentiments, ce n'est pas quelque chose de matériel. Comment pourrait-il occuper de la place ? »

D'où ces « dix conditions pour le mariage » que — brocarde-t-on à Pékin — toute jeune fille impose à son futur : « 1 mobilier complet avec 2 fauteuils. 2 parents qui s'occuperont des bébés. 3 " objets qui tournent " (montre, vélo et machine à coudre) avec une télévision. Des vêtements pour les 4 saisons. 5 paires de chaussures en cuir et quelqu'un pour les cirer. 6 mois de salaire en cadeau. 7 fois dix yuans par mois au moins de salaire. 8×100 phrases (être un beau parleur). 9 : ne pas boire d'alcool ni de thé [10] ; ne pas fumer. 10 sur 10 : je suis contente, sinon, je frappe. »

9. Excellent dossier dans *Aujourd'hui la Chine* (Revue de l'association des amitiés franco-chinoises), 19 octobre 1980. Nous en avons extrait le dialogue de Xiao Wang et Xiao Li et les « dix conditions pour le mariage ».

10. Jeu de mots chinois fondé sur l'homophonie sur le mot alcool (*Jiu*) et le chiffre 9 (*Jiu*).

Rien de féodal dans tout cela, mais plutôt un aspect « popote », fort petit-bourgeois que l'on peut trouver dans tous les pays socialistes... et ailleurs ! Mais attention ! Tout cela se passe à la ville. Il n'en est pas de même pour les 80 % de Chinois qui vivent à la campagne. Là, avec le même système, on se retrouve parfois en plein Moyen Age... Le « mariage par présentation » devient « mariage par achat ». Tout se passe entre parents, les futurs conjoints étant placés devant le fait accompli. On se trouve dans des situations qui nous font penser aux comédies de Molière : comment tourner la volonté tyrannique d'un père ? A cette question, cette jeune fille du Fujian, aux amours contrariés, trouve, en 1980, sa solution : elle s'enfuit et devient bonzesse dans un temple bouddhiste. Et le journaliste de nous décrire le voyage dans les montagnes du secrétaire de cellule du bourg où l'intrigue a commencé, ses négociations infructueuses, les réunions de voisins critiquant les parents pour leur attitude féodale, enfin, le triomphe de la liberté : la fausse nonnain quitte son temple et épouse le jeune tractoriste de son choix. Rideau...

Ailleurs, on est dans le drame bourgeois, très XIXᵉ siècle : une jeune fille passe outre à la volonté de ses parents et épouse qui lui plaît : un jeune homme de mauvaise famille — d'une famille d'anciens notables ou au comportement politique contre-révolutionnaire ou « droitier ». Son père, cadre des services culturels dans une petite ville du Nord-Ouest, persécute sa fille indigne partout où elle s'installe, en faisant jouer ses relations : avancement bloqué, tracasseries diverses, refus de mutation avantageuse, tel est le prix de l'amour irrespectueux. Des récits de gardes rouges ayant fui la Chine après plusieurs années passées à la campagne corroborent ces épisodes. Dans tel village du Guangxi, un seul couple s'était marié en dehors du système conventionnel. Mais là, on touche au malheur : l'enfant du couple venant à mourir de maladie, tout le bourg y vit une « punition des dieux » et la jeune femme, devenue malade à son tour, fut laissée sans soins... Car, dans ces conditions, la tragédie est toujours possible. On nous cite des dizaines de cas de jeunes filles qui se suicident pour protester contre un mariage dont elles ne voulaient pas. Variante : parfois, les deux amoureux menacés de séparation se suicident l'un et l'autre. Un lecteur évoque avec un certain humour noir des histoires de ce type — en donnant le nom des victimes — et ajoute que cela lui rappelle le suicide de Mˡˡᵉ Zhao, en novembre 1919, au Hunan. On se rappelle que c'est à ce sujet que le jeune Mao, indigné, avait écrit un de ses premiers articles. L'histoire serait-elle immobile ?

On a parfois le récit complet du drame. Second d'une famille de trois garçons, ce jeune homme du Henan s'est engagé dans l'armée après le mariage de son frère aîné qui a coûté trop cher à la famille. Il retourne en permission et s'occupe de trouver une fiancée à son cadet. On finit par découvrir l'élue. Sa famille en demande près de 1 000 yuans. Embarras. On économise : et de nous dépeindre ce triste nouvel an où toute la famille mangea des nouilles et du gruau de riz alors que tout le village faisait ripaille de raviolis et de viandes odorantes. On s'humilie même : la mère du jeune homme va négocier un rabais. Mais au dernier moment l'accord est rompu : il faut bien trouver 1 000 yuans — soit deux ans de revenus d'une famille paysanne tout entière — et y joindre un trousseau assez conséquent. Consternation. Dispute. Pleurs de la mère qui se dit incapable d'assurer le bonheur de son fils. Ce dernier, affolé, sort brusquement de la pièce et se tranche la gorge... On n'a jamais su si la fiancée avait exprimé son opinion durant ce drame... dans lequel elle n'apparaît que comme le prix du vainqueur... ou la forme moderne du destin !

Une conclusion s'impose : la liberté du mariage pour les femmes est encore fort difficile en Chine. Cependant, je pense pouvoir ajouter à cette évidence quatre remarques :

1. Le Guomindang avait, lui aussi, en son temps, promulgué en 1930 un code civil très libéral, assurant aux femmes — sur le papier — des libertés considérables. Il ne servit jamais qu'à des effets oratoires pour les délégués chinois dans les conférences internationales... La loi sur le mariage de 1950, révisée en 1981, est, pour l'essentiel, appliquée. La plupart des scandales signalés dans la presse trouvent leurs conclusions devant les tribunaux. Ces affaires sont présentées non pas comme des faits divers mais comme des exemples à ne pas suivre, comme l'objet de débats, de dénonciations publiques. Autour de ces cas, il y a lutte. On y cite comme dénonciateurs des abus : des cadres, des journalistes, souvent des juges, la Ligue des jeunesses communistes, l'Union des femmes chinoises. On constate aussi la réelle combativité de certaines femmes qui commencent à sortir du cycle traditionnel acceptation de l'injustice ou suicide de protestation.

2. Ce « prix de la fiancée » n'est pas aussi scandaleux qu'il peut paraître de prime abord, ou plutôt il n'est pas que scandaleux. Il transforme en effet ce qui fut longtemps un fléau — la naissance d'une fillette, coûteuse à élever et destinée après son mariage à aller dans la famille du fiancé — en événement heureux : la fillette, dit-on dans les campagnes, est devenue un « arbre à argent ». Elle rapportera une somme appréciable à sa famille. Elle est donc mieux acceptée.

3. Ce « prix de la fiancée » renvoie en fait à un problème social infiniment plus vaste. On évalue souvent le prix à payer en fonction du poids de la jeune personne : 2 yuans la livre. Les filles sont-elles vendues comme des gorets dans une variante

chinoise du *Marchand de Venise* ? Pas exactement : on évalue ainsi la force de travail de la jeune personne. On est dans un monde rural où les forces productives sont encore très faibles. La force physique demeure l'essentiel. La bru est donc appréciée en fonction de son aptitude à accroître la force de travail, donc les revenus, de la famille.

4. Officiellement, ce prix est destiné à compenser les frais de l'éducation de la fillette par sa famille. Car il s'agit de frais sans contrepartie, la jeune fille quittant lors de son mariage sa famille d'origine. Or, en Chine comme dans la plupart des pays sous-développés, on engendre des enfants pour s'assurer contre les vieux jours. Les parents espèrent que, devenus vieux, ils pourront compter sur leurs enfants ou petits-enfants pour prendre soin d'eux. Il n'existe en effet aucune retraite ni aide sociale pour les vieillards. Ou si peu... Les parents demandent donc de l'argent lors du mariage de leur fille pour... assurer le mariage de son frère en lui payant à son tour une fiancée. Sinon, à tout le moins, cette forte somme, placée à la caisse d'épargne, permettra d'affronter les mauvais jours...

Dussé-je passer pour un marxiste dogmatique et étriqué, tenté par des conceptions économistes ou mécanistes, je n'en affirme pas moins cette évidence : sans progrès des forces productives à la campagne, la femme chinoise aura le plus grand mal à se libérer pleinement. Ou, si l'on préfère : le succès des quatre modernisations conditionne pour une bonne part la question féminine en Chine [11].

Sans escamoter pour autant un paradoxe quelque peu déroutant, chaque période de stabilisation économique et politique en Chine s'accompagne d'une régression du statut *proclamé* de la femme chinoise. Chaque période de tumulte et d'erreurs s'accompagne de sa promotion *formelle.* Ainsi, pendant la Révolution culturelle, on a pu croire, à lire divers témoignages, que la libération de la femme progressait de façon décisive. Or, les catastrophes politiques et économiques, familiales, personnelles de cette période terrible aggravaient en fait le sort de la femme chinoise.

En 1981, par contre, on explique à longueur de colonnes comment « la femme peut plaire à son mari ». On la confine à n'être qu'une femme d'intérieur faisant la cuisine, le ménage, s'occupant des enfants, alors même que l'ordre retrouvé lui permet une vie meilleure...

11. Dans la langue de bois du PCC, il s'agit de la définition de la politique actuelle du PCC impulsée par Deng Xiaoping : modernisation de l'agriculture, de l'industrie, de la technologie et de la science ainsi que de la défense nationale.

Dois-je ajouter que le dossier suivant — femme et famille en Chine — peut aboutir à une conclusion analogue ?

LA FEMME ET LA FAMILLE
DANS LA CHINE SOCIALISTE

A l'époque du mariage, une rencontre fort importante pour l'avenir de la future famille a lieu au dispensaire du quartier : on y présente aux jeunes époux une série d'exposés sur le planning familial et on leur procure les documents administratifs donnant accès aux divers produits contraceptifs — préservatifs masculins puis, depuis ces dernières années, pilules contraceptives, stérilets et diaphragmes. Il est à noter, en effet, que l'éducation sexuelle en Chine n'a lieu que dans le cadre du mariage. Elle est absente des journaux destinés aux adolescents et elle n'apparaît pas dans l'enseignement. Il va de soi qu'un adolescent ou une adolescente qui voudrait se procurer des produits contraceptifs serait immédiatement dénoncé aux autorités. Avoir des relations sexuelles en dehors du mariage est, en effet, passible de sanctions pouvant aller jusqu'à placer le « délinquant » dans une école de rééducation : il en existe 10 à Pékin pour des jeunes de 13 à 18 ans. Il est vrai que, dans cette société officiellement chaste, on a tendance à considérer qu'une adolescente séduite a été nécessairement violée... Le séducteur est donc un criminel... A ce propos, on peut lire d'étranges informations judiciaires comme celle-ci : « Le camarade Untel est condamné à 5 ans de détention pour avoir violé la camarade Unetelle, à trente reprises en l'espace de six mois »... La vie sexuelle commence donc avec le mariage.

La Chine étant surpeuplée, et le progrès accompli par le pays étant remis en cause par une natalité excessive, on peut expliquer sans nul doute ce puritanisme à finalité malthusienne. Il se complète donc par la transformation du mariage en institution de limitation des naissances. On distribue en effet, lors de cette séance capitale au dispensaire qui inaugure en fait le nouveau mariage, un formulaire essentiel pour la vie du couple que je reproduis ici [12].

On demeure quelque peu effaré devant ce contrôle extrême de la vie intime du couple. Il peut revenir à l'esprit du lecteur tout un ensemble d'analyses qui, ici, sembleraient confirmées. Ainsi celles du psychanalyste Wilhelm Reich sur le rôle de la famille comme « lieu de la reproduction structurale et idéologique de

12. Voir A. Roux : *Le Casse-tête chinois,* déjà cité, p. 381.

Nom		Sexe	Age	Nom du conjoint	Age	Unité de production		
Enfants Filles : vivants : Garçons : Date de naissance du dernier :		Plan des naissances en cours ou à venir :	1972	1973	1974	1975	Après 1975	Pas de naissance
Méthode de planification des naissances actuellement employée						Raisons pour ne pas en employer		Hommes de plus de 25 ans. Femmes de plus de 23 ans.	

Stérilisation	Avortement	Pilule	Stérilet	Diaphragme	Autre	Grossesse	Allaitement	Autre	Mariage projeté	1972	1973
										1974	1975
										Après	

Opinion critique des masses :	Opinion du petit groupe dirigeant :

Contrôle saisonnier	1973				1974				1975				1976			
	1er	2e	3e	4e	1er	2e	3e	4e	1er	2e	3e	4e	1er	2e	3e	4e

tout ordre social fondé sur des principes autoritaires ». On peut se laisser tenter par une réflexion sur répression sexuelle et répression policière, rapprocher sur ce point maoïsme et stalinisme et bâtir sur ces bases bien réelles un des nombreux édifices dédiés au culte morose du désespoir en avenir socialiste.

D'autant plus que ce tableau insupportable est en fait... incomplet. Il faudrait aussi évoquer le gros carnet détenu par le responsable du planning familial dans chaque village ou chaque rue, portant le nom de tous les couples en âge de procréer placés sous sa surveillance avec l'âge des femmes, la date des mariages, l'âge de chaque enfant, la date de leur entrée à l'école... l'année où les parents sont éventuellement autorisés à avoir un enfant, les méthodes contraceptives utilisées par le couple, ou la date de la stérilisation éventuelle d'un des deux conjoints. Un tableau minutieux des flux menstruels de chaque ouvrière d'une équipe est affiché dans l'atelier. Et les conséquences de ce contrôle sont fort concrètes : toute conception non acceptée par « les masses » entraîne l'avortement obligatoire dans les cinquante jours. Transgresser cette décision entraîne une véritable catastrophe pour la femme : l'enfant survenu ainsi est une sorte de bâtard social, privé d'aide publique, exclu des crèches et garderies. Il existe des cas extrêmes où la « mère coupable », en vient à se faire accompagner de son enfant sur les lieux de son travail.

La contrainte du groupe s'exerce à plein lors des campagnes de limitation des naissances. En décembre 1979, 4 000 avortements ont été pratiqués en dix jours dans une sous-préfecture du Shaanxi (Shenxi). Que la pression se relâche quelque peu et la tradition nataliste se manifeste à nouveau avec rapidité : la radio de la même province nous apprend la condamnation par un tribunal d'un médecin rural coupable d'avoir ôté, à leur demande, 26 stérilets à des paysannes... ce qui a entraîné 21 grossesses dans les semaines suivantes. Le recours à ces procédés contraceptifs, avait sans nul doute été peu volontaire. On nous parle d'ailleurs de jeunes femmes se réfugiant chez leurs parents pour fuir l'inévitable avortement ou, pire, la stérilisation...

Faut-il clore là le dossier, tenir la cause pour entendue et proclamer l'échec chinois dans ce domaine, la femme étant libérée de la famille patriarcale pour être enfermée dans la famille nucléaire placée sous la surveillance du voisinage... et du comité de Parti ? La société imposant ainsi une sorte de ceinture de chasteté invisible à chaque couple, toute liberté sexuelle en effet est interdite. L'adultère est réprimé, car échappant à ce contrôle et toute infidélité conjugale entraîne des réprimandes voire des sanctions au sein de l'unité de production ou de la part du comité des résidents du lieu d'habitation. On peut aussi, de la sorte, rendre le divorce difficile, notamment pour la femme, en mettant en avant l'intérêt des enfants.

Pour tout ce qui relève du domaine sexuel, le conformisme du groupe pèse en effet lourdement en Chine comme ailleurs. Ainsi, on nous relate le suicide d'une jeune ouvrière de Tian Jin âgée de 20 ans (ainsi que celui de sa mère... ce qui rappelle le poids des solidarités familiales) : violée durant l'hiver 1978-1979 par deux voyous, la malheureuse est soupçonnée d'avoir, en fait, été séduite. Elle est donc soumise à diverses séances humiliantes de confessions publiques et de « critiques par les masses ». Elle finit par se noyer, assassinée par le conformisme.

Si le divorce n'est cependant pas exceptionnel à la ville, il est, dans ce contexte, fort rare à la campagne. Un fait divers décrit le véritable calvaire parcouru par une certaine Gao Yanfang. Cette paysanne du Henan — dont le dossier est publié en décembre 1878 dans *Femmes de Chine* — a été mariée contre son gré, son fiancé versant la somme de 1 000 yuans à ses parents. Son mari, devant ses protestations lors de l'enregistrement du mariage, s'assure de la complicité des cadres du village, roue son épouse de coups, avec l'aide de ceux-ci, et la prend de force le soir des noces. Elle s'enfuit mais, les autorités, sur la base de la légalité du mariage, la rendent à son bourreau d'époux. Protégée par les cadres d'un hôpital où elle s'est réfugiée, elle doit néanmoins se rendre à une réunion de conciliation, entre époux en instance de divorce, placée sous le contrôle des cadres locaux. Ceux-ci s'éclipsent en pleine réunion et la malheureuse, livrée à son mari, est battue au point de boiter un an plus tard... Toute demande de divorce de sa part est soumise au versement d'une somme de 250 yuans qu'elle ne peut réunir. Enfin, elle triomphe... Mais la Chine n'est pas forcément peuplée d'héroïnes... qui ont de plus la chance de rencontrer des journalistes en quête d'exemple pour une campagne contre les mœurs féodales revigorées « par suite de la tyrannie de la bande des quatre ».

Je propose néanmoins de prendre toute la dimension du problème avec froideur et lucidité. Une incidence tout d'abord : à lire Leroy-Ladurie parlant du village de Montaillou au Moyen Age, ou les travaux de Flandrin sur la vie sexuelle des français à l'aube des temps modernes, on découvre que l'Église en France était naguère au moins autant indiscrète dans ce domaine que les fonctionnaires chinois du planning familial ! Et sans avoir l'excuse d'une terrible pression démographique à contrecarrer à tout prix. Car là est la question, incontournable. Malgré le succès des campagnes de contrôle des naissances de ces dernières années qui, après le grave relâchement consécutif à la Révolution culturelle, ont fait passer le nombre d'enfants par femme de 4,9 à 2,3, ce résultat est totalement insuffisant. Si l'on projette la situation actuelle — celle de 1978, date du dernier recensement, évalue la population chinoise à 975 millions de personnes [13] — en 2000, on aurait 1 282 millions de Chinois, ce qui anéantirait l'essentiel des progrès réalisés dans ce pays au plan économique et social, et voaerait la Chine à une stagnation certaine dans sa misère actuelle. La même projection pour 2080 donne 2 119 millions de Chinois. Si, par contre, on limite les naissances, comme il a été décidé en 1979, à 1 enfant par couple, on a 1 054 millions de Chinois en 2000 et... 375 en 2080.

Certes, il s'agit là de calculs arbitraires, mais les dirigeants Chinois, en prenant le problème à bras le corps, se comportent en dirigeants responsables. D'une certaine façon, le contrôle

13. Article de M. Cartier dans *Connaissance de la Chine*, Voir la note 9.

terrifiant décrit plus haut peut s'expliquer par l'urgence de la situation. Les dirigeants chinois, et peut-être aussi le peuple y voient sans doute le prix à payer pour les progrès de la Chine, condition nécessaire si elle est, bien évidemment, insuffisante — de la pleine libération de la femme chinoise. On est loin des dissertations élégantes et salonnardes sur sexualité et répression. Et que l'on ne biaise pas devant la question posée ! On pourrait rêver d'autres moyens pour atteindre cette fin : une éducation sexuelle généralisée, un apprentissage chez les adolescents de la maîtrise des phénomènes de la reproduction humaine. On demeure en effet confondu devant l'ignorance des jeunes Chinois sur ces questions.

S'il y a baisse massive de la natalité dans divers pays — et c'est parfois, à rebours, un danger pour leur avenir — c'est souvent sans contrainte inquisitoriale sur la vie intime des couples. On peut penser aux pays scandinaves, à la Hongrie, à la RDA. Mais cela suppose résolu le problème à résoudre... Cela suppose une société différente, pénétrée par la science et les divers aspects de la modernité où, notamment, l'enseignement secondaire est généralisé... Sans doute est-ce possible pour la Chine des grandes villes et certains développements dans cette direction sont ici ou là signalés depuis peu. Mais comment faire pour le moment dans l'immense Chine rurale... surtout là où le problème est le plus grave : dans la Chine profonde, presque sans routes, où la moitié des villages seulement a l'électricité ; là par exemple où, nous dit la presse chinoise, 100 millions de paysans vivent avec moins de 50 yuans (le yuan vaut 3,40 F) par tête et par an de revenu... alors qu'il en faut au moins 60 à 70 pour vivre. Car on ne peut traiter de la famille chinoise sans prendre en compte que la Chine n'est pas une, mais multiple et diverse.

A la ville, et sans doute dans les campagnes proches des grandes villes et, au-delà, dans ces villages où l'on cultive les 25 millions d'hectares à rendements hauts et stables (le quart du terroir cultivé), un certain type de famille nucléaire, d'allure moderne, se développe. Même encore minoritaire, cette famille commence à imposer son modèle à d'autres. Elle s'articule autour du couple et de son enfant unique. La femme rêve d'un confort qui ne nous est pas étranger. Il faut avoir vu s'écraser devant les vitrines du plus grand magasin de Xidan, à Pékin, ces jeunes chinois des deux sexes remplis d'admiration pour une cuisine modèle japonaise, avec des gadgets électroniques actionnés par une ménagère aux yeux débridés et à l'indéfrisable impeccable ! A deux pas, des vieilles femmes accroupies font cuire le gruau du soir sur un brasero au bord de la rue où hommes et femmes tirent à bras d'incroyables fardeaux...

La femme jouit profondément de la stabilité retrouvée, d'une vie décente assurée, de la fin du temps des troubles et des peurs ancestrales — famine, épidémie, guerres civiles et banditisme, irruption des soudards chinois ou étrangers... C'est là une étape inévitable et appréciée dont on ne voit à tort que la mesquinerie en oubliant les incroyables épreuves du peuple chinois. Cette femme transporte ses projets, ses ambitions, sur son enfant unique. Telle fiancée rompt son projet de mariage car sa famille bénéficie d'une promotion... qui la situe plus haut que celle de son ancien fiancé... On trouve cela dans la presse, au théâtre, dans les discussions quotidiennes. Aliénation dangereuse ? Difficultés graves en aval ? Bien sûr... Mais pas en avant, aussi, qui contribuera à créer, qui contribue déjà à créer une situation nouvelle.

Une bonne part de la paysannerie n'en est pas là. Officiellement, au moins 27,3 % des 800 millions de paysans sont dans la misère, dont 100 millions, avons-nous dit, dans la misère extrême. Des laissés-pour-compte qui connaissent toujours la faim : une Chine du quart monde, si l'on veut. Les autorités chinoises ne savent trop que faire, tout en aidant au jour le jour ces malheureux, d'autant plus qu'elles s'opposent aux solutions, si classiques dans le tiers monde, d'exode incontrôlé vers la ville, avec ses bidonvilles. On s'oriente plutôt — ainsi au Sichuan — vers une décollectivisation partielle de l'économie rurale, la mise en commun de la misère n'ayant jamais créé l'abondance que chez les utopistes. On fractionne l'équipe de production — la grande ferme collective, le kolkhoze à la chinoire — en groupes de travail, formés de trois à cinq familles de voisins. Ils se partagent les moyens de production — modestes — de l'équipe qui ne demeure plus que comme un cadre comptable et administratif avec lequel le groupe de travail passe un contrat pour la fourniture d'une quantité déterminée de céréales. Seule cette fourniture obligatoire est collectivisée. Le reste est autoconsommé ou vendu sur les 38 000 marchés ruraux « libres » de l'immense Chine. Plus un paysan travaille, plus il améliore ses revenus. Comment ne pas voir que ce système fait incidemment reparaître la famille traditionnelle, voire même le clan ? Comment ne pas entrevoir, derrière la froideur des textes, le drame de la femme chinoise ainsi replacée sous la tutelle du chef de famille, de la belle-mère, appréciée uniquement en fonction de sa force de travail, le plus souvent inférieure à celle de l'homme ?

Derrière cet échec économique, ainsi reconnu et combattu avec pragmatisme, reparaissent les superstitions, les tabous ancestraux défavorables à la femme. On nous reparle pour le Nord Shaanxi (Shenxi) misérable des dangers du « yue zi », pratique imposant durant un mois à la jeune accouchée l'interdiction de se laver et un jeûne extrêmement sévère... qui entraîne une forte mortalité post-natale... On nous parle pour le Shanxi et la région de Shantou (Swat ou, province de Canton) de nouveaux-nés de sexe féminin [14] étouffés à leur naissance. L'explication de ces faits divers paraît simple : avec la nouvelle réglementation, qui vise à restreindre le nombre d'enfants à un seul par famille, la naissance d'une fillette interdit d'avoir ce fils tenu pour indispensable depuis toujours dans les campagnes chinoises. En cette Chine de la misère prolongée, la barbarie est toujours possible. Balzac, dans *Les Paysans,* ne dit-il pas à peu près que la moralité dans les campagnes françaises ne commence qu'à partir d'un niveau minimum d'aisance ? Sans décollage économique, pas de transformation sociale irréversible, pas de révolution culturelle et, partant, pas de véritable libération de la femme.

Ce qui nous conduit à une dernière question que, par suite de l'insuffisance de la documentation disponible, notamment en matière d'enquêtes sociologiques, nous ne pouvons qu'aborder de façon sommaire : la conquête de son égalité, par la femme chinoise, ne peut s'observer aux seuls niveaux individuel et familial. Il faut se demander aussi ce que pèse la femme chinoise dans l'économie et la société, dans la vie politique, la vie culturelle. Dans une société dirigée par un Parti communiste puissant exerçant le pouvoir sans partage, cela nous conduit à aborder par la même occasion les grandes étapes de la politique du Parti communiste chinois (PCC) « sur la question des femmes ». Ce qui, à partir d'un rappel rapide du passé, ouvre la réflexion sur l'avenir.

FEMMES ET SOCIÉTÉ : L'INSUFFISANT RÉSULTAT D'UNE LUTTE OBSTINÉE

On n'en saurait douter : la femme chinoise n'est pas arrivée à ce jour à être « la moitié du ciel ». L'inégalité entre les sexes subsiste en Chine, malgré les luttes menées sur ce point par trois générations de communistes [15].

Le PCC est né sur la lancée d'un vaste mouvement — le « mouvement du 4 mai 1919 » — suscité par la fureur d'étudiants, de professeurs et d'intellectuels chinois découvrant la nature impérialiste des traités de Versailles. Par ses écrits et ses manifestations, bientôt relayées par les interventions de la jeune

14. Écoutes radio et *Journal du Sud* cité dans *Le Monde,* 10 mars 1981.
15. Voir bibliographie des notes 3 et 4. On peut y ajouter Dick Wilson : *Mao.* Les Éditions Jeune Afrique, 1980, 565 pages.

bourgeoisie chinoise et les premières grèves ouvrières, la jeunesse instruite des villes s'en prenait aussi aux raisons profondes de la faiblesse chinoise : une société archaïque, les idées confucéennes...

La cause féministe, abordée seulement jusqu'à cette date dans quelques fictions romanesques ou illustrée par quelques individualités d'exception — comme Qiu Jin qu'enthousiasmaient Jeanne d'Arc, Harriet Beecher-Stowe, Madame Roland, Anita Garibaldi, Sophia Perovskaïa et les terroristes Russes [16] — gagne en ampleur. On découvre dans les milieux cultivés de Shanghai des auteurs nouveaux qui aident à dénoncer les valeurs confucéennes. Par exemple Ibsen, dont le personnage de Nora — dans *La Maison des poupées* — séduit tellement dix à quinze ans plus tard encore une jeune actrice que l'histoire connaîtra sous le nom de Jiang Qing...

Parmi les fondateurs du PCC, il se trouve donc quelques femmes éveillées à la politique par ce premier grand mouvement des temps modernes en Chine : Cai Chang — devenue présidente de l'Union des femmes chinoises —, Deng Yingchao — bientôt l'épouse de Zhou En lai —, Xiang Jing yu, première femme membre du Comité central, organisatrice de la section femme, une des nombreuses martyres de la terreur blanche après 1927... Ce sont ces militantes qui font sortir le débat sur l'égalité des sexes des salons et des universités où il avait été confiné — comme en témoignent les portraits de lycéennes et d'étudiantes modernistes dans *Famille* de Pakin ou *l'Arc-en-Ciel* de Mao Dun [17].

Ces femmes aux idées nouvelles, portant des cheveux courts, habillées à l'occidentale, dénonçant par leur vie même les mœurs féodales, essaient en effet d'organiser dans des syndicats révolutionnaires les ouvrières du textile à Shanghai et connaissent souvent un destin tragique. Il me semble cependant que leur marque demeure perceptible dans l'histoire de la Chine. Elles font accéder quelques femmes au panthéon des héros du peuple chinois (comme Yang Kaihui, la première véritable épouse de Mao Zedong, exécutée par le Guomindang alors que commençait la guerre civile).

Des idées progressent au rythme des grandes luttes révolutionnaires. Quand les communistes vont réussir à créer la République soviétique de Chine — surtout forte au Jiangxi —, ils promulguent le 1er décembre 1930 des règlements sur le mariage.

---

16. Catherine Gipoulon : *Qiu Jin, Femme révolutionnaire en Chine au XIXe siècle*, Éditions des femmes, Paris 1976.
17. Mao Dun, *L'Arc-en-Ciel*, Éditions Acropole, préface de Michelle Loi, Paris 1981.

Cette loi est fort progressiste car elle instaure la totale égalité entre l'homme et la femme, permet aisément à celle-ci le divorce, assure des libertés inouïes en Chine. Les idées du jeune PCC sont fort avancées dans ce domaine.

Cependant, à Yanan, où les communistes sont installés après la Longue marche, un certain désenchantement se fait jour parmi les militantes féministes venues rejoindre les communistes et partager leur vie spartiate. La romancière Ding Ling qui, naguère, à Shangaï, a fait scandale par la liberté de ses mœurs, mais aussi — surtout — par son courage politique en face du Guomindang, insiste sur les succès remportés par les femmes chinoises dans les zones libérées par l'Armée rouge, mais en marque aussi avec tristesse les limites. Ses nouvelles, écrites en 1941-1942, *Dans un hôpital, La Belle qui n'est pas partie, Nouvelle confidence,* ses articles de presse — comme celui portant sur la fête internationale des femmes, le 8 mars 1942 — déplorent les inégalités de la société nouvelle[18]. La loi sur le divorce, par exemple, est vidée de son sens quand on voit les cadres de haut rang — comme Mao lui-même... — se débarrasser grâce à elle, en un tournemain de leurs épouses vieillies et convoler avec de jeunes femmes comme la brillante Jiang Qing. Par ailleurs, les soldats peuvent s'opposer à toute demande de divorce de la part de leur femme pour que rien ne nuise à leur moral, ceci alors que dans les villages se pratiquent toujours les mariages arrangés par vente de la fiancée... La grande question est donc posée avant même 1949 : au plan des idées, le PCC est totalement favorable à la libération de la femme. Il cherche même à mettre ces idées en pratique. Mais il bute sur le réel dès qu'il touche au pouvoir et qu'il fixe des priorités : La libération de la femme ne demeure que peu de temps une priorité. Elle l'est entre 1950 et 1953. Les communistes dénoncent alors tous les obstacles rencontrés par l'application de la loi sur le mariage. Il est vrai, que lors des meetings qui accompagnent la réforme agraire, les dénonciations par les femmes des tares du vieux monde pèsent d'un certain poids... La lutte est dure : Zhou En lai parle pour la moitié de la seule année 1951 de 10 000 suicides de jeunes filles refusant ainsi un mariage arrangé. Le quart des pièces de théâtre joués au Henan en 1952 porte sur les querelles survenues au sein des familles du fait de la nouvelle loi. Mais, dès 1953, cette question passe au second plan. Un article de *Femmes de la Chine nouvelle* précise : « La nouvelle constitution a garanti aux femmes l'égalité avec les hommes... C'est pourquoi les femmes n'ont dorénavant plus

18. Textes dans *Paris-Pékin*, n° 2, 1980. Voir aussi Janin Chang-ming, *La Condition féminine et le Communisme chinois en action (1935-1946)*, POF-Études, 1981.

besoin d'impulser la lutte pour gagner ce genre de choses. » Le divorce devient de plus en plus difficile à obtenir. On insiste sur la discipline et la solidarité au sein de la famille. On prône le sens de la famille, le respect filial. Confucius, toujours embusqué dans les coins de l'histoire de Chine, réapparaît au grand jour. La volonté productiviste est au centre de tout : développons notre économie, on verra le reste après...

Cette réduction mécaniste du marxisme qui prévaut entre 1953 et 1957 aboutit à un inquiétant paradoxe : le problème de l'égalité pour les femmes dans la société n'est posé avec acuité que lors des crises politiques majeures. Deux fois, en fait : lors du Grand bond en avant, et lors de la Révolution culturelle. En clair, cette préoccupation juste et nécessaire n'est importante que durant des campagnes reconnues de nos jours — avec raison — comme erronées, dévastatrices pour la Chine, favorisant les menées d'individus sans scrupule et accompagnées de chaos et de terreur. Fâcheux environnement...

Le Grand bond en avant, ainsi, a vu en 1958 se développer des cantines et des crèches même dans les villages. Au Henan, les femmes ravies de voir leurs tâches domestiques traditionnelles prises en charge par la collectivité tout entière, libérées d'un assujettissement qui les écartait de la vie économique et politique, chantent leur joie, jettent marmites et casseroles par les fenêtres, et mangent, mangent, mangent dans ces merveilleuses cantines où souvent on ne paie pas et où on peut inviter les parents venus de la ville. Durant l'hiver 1959, la disette commence. Elle dure trois ans — une éternité — avec des pointes de famines. Catastrophe totale. Des millions de morts de faim, d'épuisement, ou d'enfants mort-nés.

La Révolution culturelle permet la promotion politique de la femme lors de certaines campagnes, notamment en 1973-1974 pendant la « critique de Lin Biao et de Confucius ». Les femmes dénoncent les Confucius domestiques, leurs pères, beaux-pères, maris... Certaines sont élues à diverses responsabilités. Le tout se termine avec l'effondrement de la Bande des Quatre. On découvre alors que cette apparente libération s'était accompagnée, pour les femmes, de toute une série de drames. On y parle de sang et tourments, on y découvre un entrelacs de cruauté et de mesquinerie. [19] Les Gardes rouges, durant leurs luttes de faction, deviennent souvent d'effrayants soudards exerçant avec sadisme

---

19. Terrible témoignage malheureusement partiellement arrangé par les présentateurs : Ken Ling, *La Vengeance du ciel, Un jeune chinois dans la Révolution culturelle,* Robert Laffont, Paris 1981, 409 pages. Biographie de Jiang Qing : Roxane Witke, *Camarade Chiang Ch'ing.* Robert Laffont, Paris 1977, 525 pages.

leurs brutalités sur des prisonnières dérisoires âgées de quinze ans. On fusillera en 1978 deux petits chefs d'alors d'une importante ville du Sud qui, dans leurs prisons privées avaient torturé ou violé une centaine de jeunes filles. Où la guerre des boutons conduit à Sodome et Gomorrhe...

Quand l'armée — il n'était que temps ! — remet un peu d'ordre à partir de l'été 1978, on envoie par millions — 18 millions sans doute — les « jeunes instruits » — lycéens et lycéennes — à la campagne. C'est les faire embarquer dans une sorte de machine à remonter le temps. Les jeunes citadines, isolées, mal nourries, inaptes à défricher le petit lopin de terre stérile mis à leur disposition par des villageois qui n'apprécient pas ces intrus et ces intruses, sont souvent victimes des terribles conditions d'existence de ces lieux reculés où l'on vit comme au début du siècle dernier. On y meurt parfois faute de soins appropriés. Durant l'hiver 1978-1979, les affiches du « Mur de la démocratie » nous narrent des histoires pitoyables de ces rebelles d'un jour ainsi matés. [20]

Pour les filles s'ajoutent au tableau les brutalités sexuelles de petits tyrans de village. Fuyant ce monde hostile dès que l'occasion leur en est donnée, ces jeunes retournés à la ville sont des clandestins sans logement officiel, sans rations alimentaires, sans gagne-pain. Les plus fortunés vivent chez leurs parents. D'autres forment des bandes de délinquants vivant au jour le jour. Banditisme et prostitution font ainsi leur réapparition. Jamais le sort de la femme chinoise n'a autant régressé depuis 1949 qu'en ces temps de pseudo-libération. Proclamer à grand fracas l'égalité, la liberté sans donner les moyens nécessaires à l'exercice de ces droits et en généralisant simplement l'arbitraire et le fait du prince est pure illusion. Pire : on compromet de la sorte auprès du peuple les idées généreuses ainsi perverties ou travesties. On a plus rapproché la femme chinoise de sa libération réelle en rétablissant l'ordre, en affirmant de façon nouvelle la légalité, en faisant moins mal fonctionner la machine économique, en consolidant une société civile aux tissus déchirés : ce n'est pas quand on dit le frapper que Confucius souffre le plus.

20. Excellents témoignages dans Victor Sidane, *Le Printemps de Pékin*, Gallimard, collection « Archives », Paris 1980, et dans J. J. Michel, *Avoir 20 ans en Chine*, Seuil, Paris 1978.

Le lecteur critique l'aura remarqué. Je répète depuis le début que je vais dire « où en est la femme chinoise » et je multiplie les détours. Je me tortille comme ce mauvais élève qui ne sait pas répondre au maître. De fait, j'ai déjà dit le peu que je sais. Pour le reste — combien pèse la femme dans la société chinoise actuelle — je ne sais presque rien. Je suis pris en flagrant délit d'insuffisance scientifique. Et ce n'est qu'une maigre excuse que de dire que nul ne sait. Qu'il faut des études, des enquêtes, beaucoup de sociologie et d'intelligence. Qu'il faut que cesse le temps des illusionnistes, des Peyrefitte, des Macciocchi, des jongleurs de statistiques truqués, des niais et des jobards. J'indique donc ici quelques éléments de réponse parmi les plus solidement établis. Sous réserve d'inventaire. [21]

Au plan économique

La femme depuis 1949 a, de toute évidence, accru considérablement son rôle dans la vie productive et donc accru d'autant ses chances d'arracher des droits réels nouveaux, d'affirmer de façon concrète une égalité encore toute théorique, comme nous l'avons vu pour le mariage et la vie familiale.

A la campagne, il y aurait plus de 40 % de la force de travail qui serait fournie par les femmes ce qui, par rapport à 1950 constitue un accroissement sensible. [22] Mais il faudrait préciser ce chiffre en enquêtant sur le nombre de journées de travail faites par les hommes et par les femmes, tant que sur les terres collectives que sur les lopins de terre familiaux. Tâche actuellement impossible. Signalons que le sociologue américain Lossing Buck, dans une monumentale enquête menée entre 1929 et 1933, évaluait alors la force de travail féminine à la campagne à 25,36 %. A la ville, les jeunes filles travaillent beaucoup plus que les femmes mariées. On avance le chiffre de 17 % de femmes dans la main-d'œuvre des entreprises d'État, ouvrières, techniciennes,

---

21. D'après les ouvrages en anglais cités dans la bibliographie sommaire en fin d'article. J'ai aussi utilisé Katie Curtin, *Les Femmes dans la Révolution chinoise*, Petite collection La Brèche, 1978 (traduit de l'américain à partir d'articles de cet auteur publiés dans *International Socialist Review*).

22. De 40 à 70 millions en 1950 à 135-155 en 1978, alors que la population globale passait, entre les mêmes dates de 540 à 950 millions de personnes.

employées. Les femmes sont nombreuses dans l'industrie textile : la sortie des usines à Shanghai est un spectacle étonnant, les grandes artères de la ville étant envahies par des milliers de jeunes ouvrières aux tenues multicolores regagnant sur leurs noires bicyclettes, leur cité de banlieue. Les femmes sont nombreuses dans les ateliers de quartiers ou de rues, à l'outillage rudimentaire, au faible salaire, à la maigre couverture sociale. Durant l'hiver 1978-1979 le hasard d'une affiche à demi arrachée dans une rue de Shanghai nous apprit qu'il y a des travailleuses à domicile, cousant des fleurs sur des vêtements, en train d'occuper les bureaux de l'entreprise qui les paie trop mal.

On peut avancer, en effet, que si l'égalité des salaires est réelle entre hommes et femmes dans les entreprises d'État, les emplois féminins sont souvent les plus précaires — ouvrières temporaires ouvriers sous contrat —, les moins qualifiés.

Il en est sans nul doute de même à la campagne : la femme ne reçoit par jour que 6 à 7 points de travail contre 10 à l'homme, car on tient son travail pour inférieur à cause de sa force musculaire moins grande — dans un pays où la mécanisation est à peine commencée. De plus, la femme doit s'absenter plus souvent pour s'occuper de la cuisine, des bébés et des enfants en bas âge... Les chinoises interrogées semblent tenir cette discrimination salariale pour normale. Toujours ce vieux Confucius...

La qualification de la femme renvoie à la question de son éducation. Le rétablissement de normes strictes en 1978 pour l'entrée à l'université, la mise en place d'un système scolaire élitiste, avec des établissements de pointe et des établissements de seconde zone, ne favorise certes pas l'accès des filles à la culture. On pousse davantage les garçons. Les effectifs d'étudiantes à l'Université semblent en déclin — 20 à 30 % contre 50 % durant la Révolution culturelle... mais alors on n'y étudiait rien ! Les fillettes semblent, plus souvent que les garçons, en rester à l'école primaire ou au premier cycle de l'enseignement secondaire. On note que, à Shanghai, 70 % des jeunes diplômés en attente d'emploi en 1979 sont des jeunes filles, ce qui laisse entrevoir que, devant le problème posé par le chômage important des jeunes, les autorités réservent aux garçons les places disponibles, ce qui ne pourrait que contribuer au raccourcissement des études des filles. On comprend mieux alors que les postes de responsabilités dans les entreprises semblent rarement occupés par des femmes : on ne leur en a pas donné vraiment les moyens culturels.

Cela dit, il faudrait analyser aussi l'aide bien réelle apportée à la femme qui travaille par la collectivité. 50 % des enfants en très bas âge sont dans des crèches à la ville, 10 % étant à la maison à la garde de leur mère, 40 % étant à la garde des grands-parents et des amis. 80 % des enfants entre 3 et 7 ans — après quoi ils sont scolarisés — sont placés dans des jardins d'enfants. Les équipements sont médiocres. Il y a des difficultés : ainsi la presse signale cette anomalie qui fait que le lieu de résidence d'un couple dépend du lieu de travail du mari. La localisation de la crèche ou du jardin d'enfants risque donc d'être fort éloignée du lieu de travail de la mère. Il existe des cas plus complexes : ainsi celui de ces jeunes femmes mariées à un jeune homme de la ville, grâce à l'intervention de leur famille pour les arracher aux lointaines campagnes où, « jeunes instruites », elles avaient été naguère envoyées. Établies à la ville, elles continuent néanmoins à dépendre du « cens rural » : leurs enfants, dont le sort est toujours rattaché à celui de la mère, sont tenus pour des jeunes paysans et écartés des bénéfices de la vie urbaine...

Malgré bureaucratie et insuffisance, le progrès dans ce secteur peut difficilement être nié : la femme chinoise a gravi quelques degrés vers son émancipation.

Au plan politique

Pour l'essentiel, cette question prolonge la précédente. Le point central devrait être une analyse minutieuse — et impossible — de l'accès des femmes aux postes de responsabilités dans les entreprises. Un enquêteur canadien, Barry Richman, visitant en 1965 trente-cinq grandes usines après une tournée analogue en URSS s'étonnait du très faible nombre de femmes responsables. Pas de directrices. 10 % de sous-directrices souvent confinées dans des tâches sociales. 10 à 15 % des chefs d'ateliers et des chefs de service. Ce n'est qu'au niveau de la maîtrise que l'on trouve une plus forte proportion de femmes, surtout dans le textile. On retrouve d'ailleurs partout cette barre des 10-15 %. C'est celle des femmes membres du Parti. C'est celle des femmes élues au Comité central. C'est celle des femmes députés à tous les niveaux. C'est celle des femmes chefs de brigade à la campagne (contre 5 % seulement de chefs de commune populaire). Une sorte de quota fixé spontanément par la société chinoise. La femme chinoise ne serait-elle que 10 à 15 % du ciel ?

Des mutations en profondeur s'opèrent néanmoins dans la société chinoise. Elles sont difficiles à percevoir, encore plus à analyser. On ne peut conclure, sous peine d'arbitraire. Je propose deux exemples pour illustrer mon propos. Sur les murs de Kaifeng, grande ville pauvre du bas Fleuve Jaune, on pouvait lire durant l'été 1980 les slogans suivants : « Le contrôle des naissances est progressiste. Il est communiste. Il faut encourager énergiquement et promouvoir l'installation du mari dans la famille de son épouse. » Première interprétation possible : une véritable révolution s'opère dans la Chine profonde. Confucius agonise. Le mariage traditionnel, où la femme épouse la famille de son mari, va disparaître. Succès du socialisme chinois. Articles en ce sens. Fleurs de la réthorique... Deuxième interprétation — la mienne —, il faut joindre en un seul les deux slogans. Le contrôle des naissances ne peut s'imposer dans les villages que si un couple est assuré de son avenir, y compris sur ses vieux jours.

Au même moment où apparaîssait ce slogan, je pouvais visiter près de Pékin — et j'aurais pu visiter près de Shanghai — des villages où l'on parlait du versement d'une pension aux paysans âgés. Ceux qui n'avaient pas de famille étaient logés dans des maisons de retraite nouvellement construites. Même problème : la solution traditionnelle, l'assurance vieillesse de la coutume, est d'avoir un ou plusieurs fils. La généralisation des pensions et maisons de retraite est cependant peu probable avant longtemps vue la pauvreté des villages. Alors, il faut convaincre le jeune homme qui épouse une fille unique — ou une fille d'une famille sans fils — de rester chez les parents de celle-ci... La généralisation de cette pratique convaincra peut-être les parents de s'en tenir à un enfant unique, fut-il une fille. C'est moins brillant pour notre propos. Encore faudrait-il pouvoir vérifier la mise en application... Mais c'est néanmoins un début de mutation sociale et culturelle.

Autre exemple. On nous parle de la création, en décembre 1980 à l'Université de Pékin, d'une Société d'études et de recherches féministes chinoises. Sa fondatrice, candidate aux élections pour le comité de l'arrondissement où se trouve l'Université, *Haidian,* recueille 700 suffrages sur les 6 000 exprimés. On connaît les affiches — des *dazibaos* — plaquardées par ses soins. L'une est une défense et illustration de la beauté orientale, fort judicieuse dans cette Chine où les jeunes chinois des deux sexes, à l'instar des japonais, commencent à rêver à un physique occidentalisé. L'autre s'intitule « La femme aussi est un être humain. » On peut partir de ces faits et bâtir une construction idéologique sur le ratage du socialisme chinois, que prouverait un tel titre, et faire de cet incident un résumé frappant du dossier de la femme chinoise 1981.

Je propose une autre démarche. Cet événement est isolé pour le moment. Il est le symptôme d'un changement nécessaire. D'une mutation sociale qui doit venir. Comme d'autres mutations. Aux « quatre modernisations » tant célébrées, certains chinois — dont Wei Jingsheng actuellement en prison pour délit d'opinion — ont proposé de joindre une cinquième : la démocratie. Le socialisme paternaliste, autoritaire, qui a prévalu en

Chine depuis 1949 — avec des bouffées de folies où se sont mêlés dictature militaire et socialisme utopique — ne peut mener à son terme les profondes mutations de toute la société chinoise qu'il a suscité.

La Chine socialiste, dans la logique de son développement, bute sur des contradictions nouvelles nées des premiers succès remportés. Naguère, on pouvait rêver à la libération de la femme. En 1981, on peut réaliser ce rêve. Ou plutôt *on le doit.* Tant que les masses chinoises resteront passives, soumises aux décisions des cadres, ballotées d'une campagne politique à une autre, une réaction naturelle de défense prévaudra, favorable au refus du changement, au conservatisme, notamment au niveau familial. Le socialisme chinois continuera alors à connaître le piétinement stérile du socialisme bloqué. Pour qu'il en soit autrement, il faut que le peuple chinois, donc les femmes, s'empare du pouvoir qui, en théorie, est le sien. Que tous et toutes s'opposent aux décisions arbitraires, amplifient les campagnes libératrices, que les drames décrits ci-dessus soient autant de point d'encrage de campagnes efficaces pour un monde moins noir. Il faut donc que les relations entre les hommes — notamment entre les cadres et le peuple — changent. Il faut une révolution culturelle véritable donnant, à la femme chinoise, liberté et pouvoir. Le socialisme chinois, malgré ses errements et ses hésitations, a rendu possible la satisfaction de ce besoin. Avant l'an 2000.

Alain Roux, le 2.VIII.1981.

BIBLIOGRAPHIE SOMMAIRE
SUR LA CHINE

Volontairement réduite aux titres des ouvrages disponibles sans trop de difficultés et écrits en français. L'honnêteté nous oblige cependant à signaler que nous avons utilisé divers ouvrages écrits en anglais : Helen Foster Snow, *Women in Modern China*, 1967. Marilyn Young, *Women in China, Studies in Social Change and Feminism*. Margery Wolf et Roxane Witke, *Women in Chinese Society*, 1972. Delia Davin, *Woman-work*, 1972. Elisabeth Croll, *Feminism and Socialisme in China*, 1978 (mais écrit en 1973). Tous ces ouvrages, publiés entre 1966 et 1976, sont très influencés par l'époque de la Révolution culturelle et ont une évidente propention à embellir le réel pour le rendre exemplaire.

Titres parus en français cités dans cet article

Jack Belden, *La Chine ébranle le monde*, éditions Gallimard, Paris 1951.

Claudie Broyelle, *La Moitié du ciel*, éditions du seuil, Paris 1973.

Alain Roux, *Le Casse-tête chinois*, éditions sociales, Paris 1980.

Jacques Guillermaz, *Le Parti communiste chinois au pouvoir*, éditions Payot, Paris 1972.

Tsien Tche-Hao, *L'Empire du milieu retrouvé*, éditions Flammarion, Paris 1979.

Chow Ching Lie, *Le Palanquin des larmes*, collection « J'ai lu », n° 983, Paris 1977.

Pakin, *Famille*, Flammarion/Eibel, Paris 1977.

Dick Wilson, *Mao : 1893-1976*, Éditions Jeune Afrique, 1980.

Stuart Schram, *Mao Tsé-toung*, Armand Colin, Paris 1963.

Agnès Smedley, *La Longue Marche, Mémoires du maréchal Chu Teh*, éditions Richelieu, 1969.

Catherine Gipoulon, *Qiu Jin, femme révolutionnaire en Chine au XIXᵉ siècle*, Editions des femmes, Paris 1976.

Mao Dun : *l'Arc-en-ciel*, édition Acropole, Paris 1981.

La collection Notre temps

NOTRE TEMPS / TRIBUNE

Mgr Alfred Ancel — *Dialogue en vérité.*
L'ancien évêque auxiliaire de Lyon s'adresse aux communistes.

René Andrieu — *Choses dites.*
20 ans de politique au quotidien.

Régis de Castelnau, Daniel Voguet, François Salvaing — *La Provocation.*
La violence est-elle un moyen de gouvernement ?

Jean-Paul Jouary, Guy Pélachaud, Arnaud Spire, Bernard Vasseur — *Giscard et les idées.*
La guerre idéologique !

Henri Krasucki — *Syndicats et unité.*
Le point de la lutte pour l'unité d'action syndicale dans la France en crise.

Anicet Le Pors — *Marianne à l'encan.*
La stratégie d'abandon national du pouvoir giscardien et des solutions pour que vive Marianne.

Georges Marchais — *L'Espoir au présent.*
Un livre qui répond aux questions de notre temps.

NOTRE TEMPS / SOCIÉTÉ

René Bidouze — *Les Fonctionnaires : sujets ou citoyens ?*
Tome 1, Le syndicalisme des origines à 1948.
Tome 2, Le syndicalisme de la scission de 1947-1948 à 1981.
Une lutte centenaire pour être citoyen à part entière.

Henri Canacos — *Sarcelles ou le béton apprivoisé.*
Sortie de la boue, une ville symbole que ses habitants ont prise en main.

Jean-Charles Dubart — *Énergie — Le grand tournant.*
A la veille du troisième millénaire, le problème majeur de l'énergie...

Marie-Thérèse Goutmann — *Et l'enfant ?*
Les enfants de la France d'aujourd'hui seront ce que nous en aurons fait.

Pierre Kukawka — *Manufrance, radiographie d'une lutte.*
Une entreprise, une ville, le combat des travailleurs.

Jean-Marie Legay — *Qui a peur de la science ?*
Qu'est-ce aujourd'hui que la science : un mal nécessaire, un bouc émissaire ?

Gérard Le Joliff — *Le sport est à tout le monde.*
Le sport comme activité culturelle, phénomène social, enjeu de luttes politiques — l'olympisme.

Claude Picant — *Des flics, pour faire quoi ?*
Est-il trop tard pour revenir à une saine utilisation des forces de police de ce pays ?

Jean-Claude Poulain — *Décider au travail.*
Travailler autrement c'est d'abord décider au travail, l'autogestion est un combat.

NOTRE TEMPS/MONDE

Jacques Arnault — *Démocratie à Washington.*
Une enquête passionnante sur la vie politique aux USA.

Simone Bailleau-Lajoinie — *Conditions de femmes en Afghanistan.*
La situation des femmes, on le sait maintenant, est souvent le miroir le plus clair d'une société.

Collectif — *Europe, La France en jeu.*
Quelle Europe faut-il aux peuples ?

Collectif — *La Social-démocratie au présent.*
Les petits et les grands secrets de la social-démocratie européenne.

Jacques Dimet, Jacques Estager — *Pologne, une révolution dans le socialisme ?*
Le difficile cheminement vers un renouveau socialiste en Pologne conduit-il à avancer cette idée inédite ?

Christine Revuz — *Ivan Ivanovitch écrit à la Pravda.*
La pensée quotidienne du peuple soviétique.

Alain Roux — *Le Casse-tête chinois.*
Trente années de socialisme en Chine vues par un communiste français.

Alain Ruscio — *Vivre au Viet Nam.*
Où en est le Viet Nam au début des années 1980 ?

NOTRE TEMPS/MÉMOIRE

R. Chevalier, B. Girardon, V.T. Nguyen, B. Rochaix — *Lyon, les traboules du mouvement ouvrier.*
> Une histoire politique, sociale, économique de la ville de Lyon et de sa classe ouvrière.

René Duhamel — *Aux quatre coins du monde.*
> Le mouvement syndical international depuis la Seconde Guerre mondiale vu de l'intérieur...

Marcelle Hertzog-Cachin — *Regards sur la vie de Marcel Cachin.*
> Un des fondateurs du Parti communiste français raconté par sa fille.

André Moine — *Ma guerre d'Algérie.*
> La guerre clandestine des civils favorables à l'indépendance : Alger 1957.

Benoît Frachon — *Pour la C.G.T.*
> Mémoires de lutte, 1902-1939. Autobiographie syndicale d'un grand militant ouvrier.

HORS COLLECTION

Collectif — *Le Congrès de Tours.*
> Un livre irremplaçable pour comprendre la création du Parti communiste français : les séances du Congrès, tous les documents, les biographies des participants...

Achevé d'imprimer sur presse CAMERON
dans les ateliers de la S.E.P.C.
à Saint-Amand-Montrond (Cher)
pour Messidor Éditions sociales
146, rue du Faubourg-Poissonnière
75010 Paris.

Dépôt légal : 4ᵉ trimestre 1981.
Nº d'Édition 2018. Nº d'Impression : 2182-1370.

Imprimé en France